ISBN 978-0-428-78228-3
PIBN 11307057

Goethes
Naturwissenschaftliche Schrifte

Herausgegeben,

im

Auftrage der Großherzogin Sophie von Sachsen

1. Band

Zur Farbenlehre.

Weimar

Hermann Böhlau

1890.

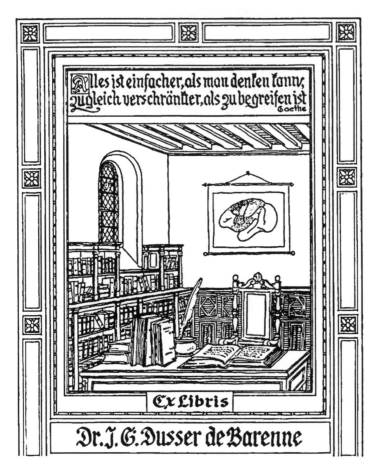
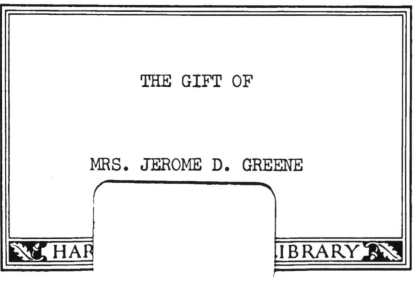

Goethes Werke

Herausgegeben

im

Auftrage der Großherzogin Sophie von Sachsen

II. Abtheilung
1. Band

Weimar

Hermann Böhlau

1890.

Goethes

turwissenschaftliche Schriften

1. Band

Zur Farbenlehre

Didaktischer Theil

Weimar

Hermann Böhlau

1890.

Der

Durchlauchtigsten Herzogin und Frauen

Luisen

Regierenden Herzogin

von

Sachsen-Weimar und Eisenach.

Durchlauchtigfte Herzogin,

Gnädigfte Frau.

Wäre der Inhalt des gegenwärtigen Werkes auch
nicht durchaus geeignet Ew. Durchlaucht vorgelegt zu
werden, könnte die Behandlung des Gegebenen bei
ſchärferer Prüfung kaum genug thun; ſo gehören doch
dieſe Bände Ew. Durchlaucht ganz eigentlich an, und
ſind ſeit ihrer früheren Entſtehung Höchſtdenenſelben
gewidmet geblieben.

Denn hätten Ew. Durchlaucht nicht die Gnade
gehabt, über die Farbenlehre ſo wie über verwandte
Naturerſcheinungen einem mündlichen Vortrag Ihre
Aufmerkſamkeit zu ſchenken; ſo hätte ich mich wohl

schwerlich im Stande gefunden, mir selbst manches klar zu machen, manches auseinander Liegende zusammenzufassen und meine Arbeit, wo nicht zu vollenden, doch wenigstens abzuschließen.

Wenn es bei einem mündlichen Vortrage möglich 5 wird die Phänomene sogleich vor Augen zu bringen, manches in verschiedenen Rücksichten wiederkehrend darzustellen; so ist dieses freilich ein großer Vortheil, welchen das geschriebene, das gedruckte Blatt vermißt. Möge jedoch dasjenige, was auf dem Papier mitge= 10 theilt werden konnte, Höchstdieselben zu einigem Wohlgefallen an jene Stunden erinnern, die mir unvergeßlich bleiben, so wie mir ununterbrochen alles das mannichfaltige Gute vorschwebt, das ich seit längerer Zeit und in den bedeutendsten Augenblicken meines 15 Lebens mit und vor vielen andern Ew. Durchlaucht verdanke.

Mit innigster Verehrung mich unterzeichnend

Ew. Durchlaucht

Weimar   unterthänigster   20
den 30. Januar 1808.   J. W. v. Goethe.

Vorwort.

Ob man nicht, indem von den Farben gesprochen werden soll, vor allen Dingen des Lichtes zu erwähnen habe, ist eine ganz natürliche Frage, auf die wir jedoch nur kurz und aufrichtig erwidern: es scheine bedenklich, da bisher schon so viel und mancherlei von dem Lichte gesagt worden, das Gesagte zu wiederholen oder das oft Wiederholte zu vermehren.

Denn eigentlich unternehmen wir umsonst, das Wesen eines Dinges auszudrücken. Wirkungen werden wir gewahr, und eine vollständige Geschichte dieser Wirkungen umfaßte wohl allenfalls das Wesen jenes Dinges. Vergebens bemühen wir uns, den Charakter eines Menschen zu schildern; man stelle dagegen seine Handlungen, seine Thaten zusammen, und ein Bild des Charakters wird uns entgegentreten.

Die Farben sind Thaten des Lichts, Thaten und Leiden. In diesem Sinne können wir von denselben Aufschlüsse über das Licht erwarten. Farben und Licht stehen zwar unter einander in dem genausten Verhältniß, aber wir müssen uns beide als der ganzen Natur ange=

hörig denken: denn sie ist es ganz, die sich dadurch dem Sinne des Auges besonders offenbaren will.

Eben so entdeckt sich die ganze Natur einem anderen Sinne. Man schließe das Auge, man öffne, man schärfe das Ohr, und vom leisesten Hauch bis zum wildesten Geräusch, vom einfachsten Klang bis zur höchsten Zusammenstimmung, von dem heftigsten leidenschaftlichen Schrei bis zum sanftesten Worte der Vernunft ist es nur die Natur, die spricht, ihr Dasein, ihre Kraft, ihr Leben und ihre Verhältnisse offenbart, so daß ein Blinder, dem das unendlich Sichtbare versagt ist, im Hörbaren ein unendlich Lebendiges fassen kann.

So spricht die Natur hinabwärts zu andern Sinnen, zu bekannten, verkannten, unbekannten Sinnen; so spricht sie mit sich selbst und zu uns durch tausend Erscheinungen. Dem Aufmerksamen ist sie nirgends todt noch stumm; ja dem starren Erdkörper hat sie einen Vertrauten zugegeben, ein Metall, an dessen kleinsten Theilen wir dasjenige, was in der ganzen Masse vorgeht, gewahr werden sollten.

So mannichfaltig, so verwickelt und unverständlich uns oft diese Sprache scheinen mag, so bleiben doch ihre Elemente immer dieselbigen. Mit leisem Gewicht und Gegengewicht wägt sich die Natur hin und her, und so entsteht ein Hüben und Drüben, ein Oben und Unten, ein Zuvor und Hernach, wodurch alle die Erscheinungen bedingt werden, die uns im Raum und in der Zeit entgegentreten.

Diese allgemeinen Bewegungen und Bestimmungen werden wir auf die verschiedenste Weise gewahr, bald als

ein einfaches Abstoßen und Anziehen, bald als ein auf=
blickendes und verschwindendes Licht, als Bewegung der
Luft, als Erschütterung des Körpers, als Säurung und
Entsäurung; jedoch immer als verbindend oder trennend,
5 das Dasein bewegend und irgend eine Art von Leben
befördernd.

Indem man aber jenes Gewicht und Gegengewicht
von ungleicher Wirkung zu finden glaubt, so hat man
auch dieses Verhältniß zu bezeichnen versucht. Man hat
10 ein Mehr und Weniger, ein Wirken ein Widerstreben,
ein Thun ein Leiden, ein Vordringendes ein Zurück=
haltendes, ein Heftiges ein Mäßigendes, ein Männliches
ein Weibliches überall bemerkt und genannt; und so
entsteht eine Sprache, eine Symbolik, die man auf ähn=
15 liche Fälle als Gleichniß, als nahverwandten Ausdruck,
als unmittelbar passendes Wort anwenden und benutzen
mag.

Diese universellen Bezeichnungen, diese Natursprache
auch auf die Farbenlehre anzuwenden, diese Sprache durch
20 die Farbenlehre, durch die Mannichfaltigkeit ihrer Er=
scheinungen zu bereichern, zu erweitern und so die Mit=
theilung höherer Anschauungen unter den Freunden der
Natur zu erleichtern, war die Hauptabsicht des gegen=
wärtigen Werkes.

25 Die Arbeit selbst zerlegt sich in drei Theile. Der
erste gibt den Entwurf einer Farbenlehre. In demselben
sind die unzähligen Fälle der Erscheinungen unter gewisse
Hauptphänomene zusammengefaßt, welche nach einer Ord=
nung aufgeführt werden, die zu rechtfertigen der Ein=

leitung überlaffen bleibt. Hier aber ift zu bemerken, daß,
ob man fich gleich überall an die Erfahrungen gehalten,
fie überall zum Grunde gelegt, doch die theoretifche An=
ficht nicht verfchwiegen werden konnte, welche den Anlaß
zu jener Aufftellung und Anordnung gegeben.   5

   Ift es doch eine höchft wunderliche Forderung, die
wohl manchmal gemacht, aber auch felbft von denen, die
fie machen, nicht erfüllt wird: Erfahrungen folle man
ohne irgend ein theoretifches Band vortragen, und dem
Lefer, dem Schüler überlaffen, fich felbft nach Belieben   10
irgend eine Überzeugung zu bilden.   Denn das bloße
Anblicken einer Sache kann uns nicht fördern.   Jedes
Anfehen geht über in ein Betrachten, jedes Betrachten in
ein Sinnen, jedes Sinnen in ein Verknüpfen, und fo
kann man fagen, daß wir fchon bei jedem aufmerkfamen   15
Blick in die Welt theoretifiren.   Diefes aber mit Be=
wußtfein, mit Selbftkenntniß, mit Freiheit, und um uns
eines gewagten Wortes zu bedienen, mit Ironie zu thun
und vorzunehmen, eine folche Gewandtheit ift nöthig,
wenn die Abftraction, vor der wir uns fürchten, un=   20
fchädlich, und das Erfahrungsrefultat, das wir hoffen,
recht lebendig und nützlich werden foll.

   Im zweiten Theil befchäftigen wir uns mit Ent=
hüllung der Newtonifchen Theorie, welche einer freien
Anficht der Farbenerfcheinungen bisher mit Gewalt und   25
Anfehen entgegengeftanden; wir beftreiten eine Hypothefe,
die, ob fie gleich nicht mehr brauchbar gefunden wird,
doch noch immer eine herkömmliche Achtung unter den
Menfchen behält.   Ihr eigentliches Verhältniß muß deut=

lich werden, die alten Irrthümer sind wegzuräumen, wenn
die Farbenlehre nicht, wie bisher, hinter so manchem
· anderen besser bearbeiteten Theile der Naturlehre zurück=
bleiben soll.

5   Da aber der zweite Theil unsres Werkes seinem In=
halte nach trocken, der Ausführung nach vielleicht zu
heftig und leidenschaftlich scheinen möchte; so erlaube
man uns hier ein heiteres Gleichniß, um jenen ernsteren
Stoff vorzubereiten, und jene lebhafte Behandlung einiger=
10 maßen zu entschuldigen.

Wir vergleichen die Newtonische Farbentheorie mit
einer alten Burg, welche von dem Erbauer anfangs mit
jugendlicher Übereilung angelegt, nach dem Bedürfniß
der Zeit und Umstände jedoch nach und nach von ihm
15 erweitert und ausgestattet, nicht weniger bei Anlaß von
Fehden und Feindseligkeiten immer mehr befestigt und ge=
sichert worden.

So verfuhren auch seine Nachfolger und Erben.   Man
war genöthigt, das Gebäude zu vergrößern, hier daneben,
20 hier daran, dort hinaus zu bauen; genöthigt durch die
Vermehrung innerer Bedürfnisse, durch die Zudringlich=
keit äußerer Widersacher und durch manche Zufälligkeiten.

Alle diese fremdartigen Theile und Zuthaten mußten
wieder in Verbindung gebracht werden durch die selt=
25 samsten Galerien, Hallen und Gänge.   Alle Beschädi=
gungen, es sei von Feindes Hand, oder durch die Gewalt
der Zeit, wurden gleich wieder hergestellt.   Man zog,
wie es nöthig ward, tiefere Gräben, erhöhte die Mauern,
und ließ es nicht an Thürmen, Erkern und Schießscharten

fehlen. Diese Sorgfalt, diese Bemühungen brachten ein
Vorurtheil von dem hohen Werthe der Festung hervor
und erhielten's, obgleich Bau= und Befestigungskunst die .
Zeit über sehr gestiegen waren, und man sich in andern
Fällen viel beſſere Wohnungen und Waffenplätze einzu= 5
richten gelernt hatte. Vorzüglich aber hielt man die alte
Burg in Ehren, weil sie niemals eingenommen worden,
weil sie so manchen Angriff abgeschlagen, manche Befeh=
dung vereitelt und sich immer als Jungfrau gehalten
hatte. Dieser Name, dieser Ruf dauert noch bis jetzt. 10
Niemanden fällt es auf, daß der alte Bau unbewohnbar
geworden. Immer wird von seiner vortrefflichen Dauer,
von seiner köstlichen Einrichtung gesprochen. Pilger wall=
fahrten dahin; flüchtige Abriſſe zeigt man in allen
Schulen herum und empfiehlt sie der empfänglichen Jugend 15
zur Verehrung, indeſſen das Gebäude bereits leer steht,
nur von einigen Invaliden bewacht, die sich ganz ernst=
haft für gerüstet halten.

Es ist also hier die Rede nicht von einer langwierigen
Belagerung oder einer zweifelhaften Fehde. Wir finden 20
vielmehr jenes achte Wunder der Welt schon als ein
verlaſſenes, Einsturz drohendes Alterthum, und beginnen
sogleich von Giebel und Dach herab es ohne weitere Um=
stände abzutragen, damit die Sonne doch endlich einmal
in das alte Ratten= und Eulennest hineinscheine und dem 25
Auge des verwunderten Wanderers offenbare jene laby=
rinthisch unzusammenhängende Bauart, das enge Noth=
dürftige, das zufällig Aufgedrungene, das absichtlich
Gekünstelte, das kümmerlich Geflickte. Ein solcher Einblick

ist aber alsdann nur möglich, wenn eine Mauer nach
der andern, ein Gewölbe nach dem andern fällt und der
Schutt, soviel sich thun läßt, auf der Stelle hinweg=
geräumt wird.

5 Dieses zu leisten und wo möglich den Platz zu ebnen,
die gewonnenen Materialien aber so zu ordnen, daß sie
bei einem neuen Gebäude wieder benutzt werden können,
ist die beschwerliche Pflicht, die wir uns in diesem zweiten
Theile auferlegt haben. Gelingt es uns nun, mit froher
10 Anwendung möglichster Kraft und Geschickes, jene Bastille
zu schleifen und einen freien Raum zu gewinnen; so ist
keinesweges die Absicht, ihn etwa sogleich wieder mit einem
neuen Gebäude zu überbauen und zu belästigen; wir
wollen uns vielmehr desselben bedienen, um eine schöne
15 Reihe mannichfaltiger Gestalten vorzuführen.

Der dritte Theil bleibt daher historischen Unter=
suchungen und Vorarbeiten gewidmet. Äußerten wir oben,
daß die Geschichte des Menschen den Menschen darstelle,
so läßt sich hier auch wohl behaupten, daß die Geschichte
20 der Wissenschaft die Wissenschaft selbst sei. Man kann
dasjenige, was man besitzt, nicht rein erkennen, bis man
das, was andre vor uns besessen, zu erkennen weiß.
Man wird sich an den Vorzügen seiner Zeit nicht wahr=
haft und redlich freuen, wenn man die Vorzüge der
25 Vergangenheit nicht zu würdigen versteht. Aber eine
Geschichte der Farbenlehre zu schreiben oder auch nur
vorzubereiten war unmöglich, so lange die Newtonische
Lehre bestand. Denn kein aristokratischer Dünkel hat
jemals mit solchem unerträglichen Übermuthe auf die=

XVI   Zur Farbenlehre.

jenigen herabgesehen, die nicht zu seiner Gilde gehörten,
als die Newtonische Schule von jeher über alles abge=
sprochen hat, was vor ihr geleistet war und neben ihr
geleistet ward.   Mit Verdruß und Unwillen sieht man,
wie Priestley in seiner Geschichte der Optik, und so 5
manche vor und nach ihm, das Heil der Farbenwelt von
der Epoche eines gespalten sein sollenden Lichtes herdatiren,
und mit hohem Augbraun auf die ältern und mittleren
herabsehen, die auf dem rechten Wege ruhig hingingen
und im Einzelnen Beobachtungen und Gedanken über= 10
liefert haben, die wir nicht besser anstellen können, nicht
richtiger fassen werden.

Von demjenigen nun, der die Geschichte irgend eines
Wissens überliefern will, können wir mit Recht verlangen,
daß er uns Nachricht gebe, wie die Phänomene nach und 15
nach bekannt geworden, was man darüber phantasirt, ge=
wähnt, gemeint und gedacht habe.   Dieses alles im Zu=
sammenhange vorzutragen, hat große Schwierigkeiten, und
eine Geschichte zu schreiben ist immer eine bedenkliche
Sache.   Denn bei dem redlichsten Vorsatz kommt man in 20
Gefahr unredlich zu sein; ja wer eine solche Darstellung
unternimmt erklärt zum voraus, daß er manches in's
Licht, manches in Schatten setzen werde.

Und doch hat sich der Verfasser auf eine solche Arbeit
lange gefreut.   Da aber meist nur der Vorsatz als ein 25
Ganzes vor unserer Seele steht, das Vollbringen aber
gewöhnlich nur stückweise geleistet wird; so ergeben wir
uns darein, statt der Geschichte, Materialien zu derselben
zu liefern.   Sie bestehen in Übersetzungen, Auszügen,

eigenen und fremden Urtheilen, Winken und Andeutungen,
in einer Sammlung, der, wenn sie nicht allen Forderungen
entspricht, doch das Lob nicht mangeln wird, daß sie
mit Ernst und Liebe gemacht sei. Übrigens mögen viel=
5 leicht solche Materialien, zwar nicht ganz unbearbeitet,
aber doch unverarbeitet, dem denkenden Leser um desto
angenehmer sein, als er selbst sich, nach eigener Art und
Weise, ein Ganzes daraus zu bilden die Bequemlichkeit
findet.

10   Mit gedachtem dritten historischen Theil ist jedoch
noch nicht alles gethan. Wir haben daher noch einen
vierten supplementaren hinzugefügt. Dieser enthält die
Revision, um derentwillen vorzüglich die Paragraphen
mit Nummern versehen worden. Denn indem bei der
15 Redaction einer solchen Arbeit einiges vergessen werden
kann, einiges beseitigt werden muß, um die Aufmerksam=
keit nicht abzuleiten, anderes erst hinterdrein erfahren
wird, auch anderes einer Bestimmung und Berichtigung
bedarf; so sind Nachträge, Zusätze und Verbesserungen
20 unerläßlich. Bei dieser Gelegenheit haben wir denn auch
die Citate nachgebracht. Sodann enthält dieser Band
noch einige einzelne Aufsätze, z. B. über die atmosphärischen
Farben, welche, indem sie in dem Entwurf zerstreut vor=
kommen, hier zusammen und auf einmal vor die Phan=
25 tasie gebracht werden.

Führt nun dieser Aufsatz den Leser in das freie Leben,
so sucht ein anderer das künstliche Wissen zu befördern,
indem er den zur Farbenlehre künftig nöthigen Apparat
umständlich beschreibt.

Schließlich bleibt uns nur noch übrig der Tafeln zu
gedenken, welche wir dem Ganzen beigefügt. Und hier
werden wir freilich an jene Unvollständigkeit und Unvoll=
kommenheit erinnert, welche unser Werk mit allen Werken
dieser Art gemein hat.   5

Denn wie ein gutes Theaterstück eigentlich kaum zur
Hälfte zu Papier gebracht werden kann, vielmehr der
größere Theil desselben dem Glanz der Bühne, der Persön=
lichkeit des Schauspielers, der Kraft seiner Stimme, der
Eigenthümlichkeit seiner Bewegungen, ja dem Geiste und 10
der guten Laune des Zuschauers anheim gegeben bleibt;
so ist es noch viel mehr der Fall mit einem Buche, das
von natürlichen Erscheinungen handelt. Wenn es genossen,
wenn es genutzt werden soll, so muß dem Leser die Natur
entweder wirklich oder in lebhafter Phantasie gegenwärtig 15
sein. Denn eigentlich sollte der Schreibende sprechen,
und seinen Zuhörern die Phänomene, theils wie sie uns
ungesucht entgegenkommen, theils wie sie durch absichtliche
Vorrichtungen nach Zweck und Willen dargestellt werden
können, als Text erst anschaulich machen; alsdann würde 20
jedes Erläutern, Erklären, Auslegen einer lebendigen
Wirkung nicht ermangeln.

Ein höchst unzulängliches Surrogat sind hiezu die
Tafeln, die man dergleichen Schriften beizulegen pflegt.
Ein freies physisches Phänomen, das nach allen Seiten 25
wirkt, ist nicht in Linien zu fassen, und im Durchschnitt
anzudeuten. Niemand fällt es ein, chemische Versuche
mit Figuren zu erläutern; bei den physischen nah ver=
wandten ist es jedoch hergebracht, weil sich eins und das

andre dadurch leisten läßt. Aber sehr oft stellen diese
Figuren nur Begriffe dar; es sind symbolische Hülfs=
mittel, hieroglyphische Überlieferungsweisen, welche sich
nach und nach an die Stelle des Phänomens, an die
5 Stelle der Natur setzen und die wahre Erkenntniß hindern,
anstatt sie zu befördern. Entbehren konnten auch wir
der Tafeln nicht; doch haben wir sie so einzurichten ge=
sucht, daß man sie zum didaktischen und polemischen
Gebrauch getrost zur Hand nehmen, ja gewisse derselben
10 als einen Theil des nöthigen Apparats ansehen kann.

Und so bleibt uns denn nichts weiter übrig, als auf
die Arbeit selbst hin zu weisen, und nur vorher noch eine
Bitte zu wiederholen, die schon so mancher Autor ver=
gebens gethan hat, und die besonders der deutsche Leser
15 neuerer Zeit so selten gewährt:

Si quid novisti rectius istis,
Candidus imperti; si non, his utere mecum.

Entwurf

einer

Farbenlehre.

Si vera nostra sunt aut falsa, erunt talia, licet nostra per vitam defendimus. Post fata nostra pueri qui nunc ludunt nostri judices erunt.

Des

Erften Bandes

Erfter, bidaktifcher Theil.

Inhalt.

———

Seite

§

Inhalt. xxv

Fünfte Abtheilung.

Einleitung.

Die Lust zum Wissen wird bei dem Menschen zuerst dadurch angeregt, daß er bedeutende Phänomene gewahr wird, die seine Aufmerksamkeit an sich ziehen. Damit nun diese dauernd bleibe, so muß sich eine innigere Theilnahme finden, die uns nach und nach mit den Gegenständen bekannter macht. Alsdann bemerken wir erst eine große Mannichfaltigkeit, die uns als Menge entgegenbringt. Wir sind genöthigt, zu sondern, zu unterscheiden und wieder zusammenzustellen; wodurch zuletzt eine Ordnung entsteht, die sich mit mehr oder weniger Zufriedenheit übersehen läßt.

Dieses in irgend einem Fache nur einigermaßen zu leisten, wird eine anhaltende strenge Beschäftigung nöthig. Deßwegen finden wir, daß die Menschen lieber durch eine allgemeine theoretische Ansicht, durch irgend eine Erklärungsart die Phänomene bei Seite bringen, anstatt sich die Mühe zu geben, das Einzelne kennen zu lernen und ein Ganzes zu erbauen.

Der Versuch, die Farbenerscheinungen auf= und
zusammenzustellen ist nur zweimal gemacht worden,
das erstemal von Theophrast, sodann von Boyle.
Dem gegenwärtigen wird man die dritte Stelle nicht
streitig machen.   5

Das nähere Verhältniß erzählt uns die Geschichte.
Hier sagen wir nur so viel, daß in dem verflossenen
Jahrhundert an eine solche Zusammenstellung nicht
gedacht werden konnte, weil Newton seiner Hypothese
einen verwickelten und abgeleiteten Versuch zum Grund   10
gelegt hatte, auf welchen man die übrigen zudringen=
den Erscheinungen, wenn man sie nicht verschweigen
und beseitigen konnte, künstlich bezog und sie in ängst=
lichen Verhältnissen umherstellte; wie etwa ein Astro=
nom verfahren müßte, der aus Grille den Mond in   15
die Mitte unseres Systems setzen möchte. Er wäre
genöthigt, die Erde, die Sonne mit allen übrigen
Planeten um den subalternen Körper herum zu be=
wegen, und durch künstliche Berechnungen und Vor=
stellungsweisen das Irrige seines ersten Annehmens   20
zu verstecken und zu beschönigen.

Schreiten wir nun in Erinnerung dessen, was
wir oben vorwortlich beigebracht, weiter vor. Dort
setzten wir das Licht als anerkannt voraus, hier thun
wir ein Gleiches mit dem Auge. Wir sagten: die   25
ganze Natur offenbare sich durch die Farbe dem Sinne
des Auges. Nunmehr behaupten wir, wenn es auch
einigermaßen sonderbar klingen mag, daß das Auge

keine Form sehe, indem Hell, Dunkel und Farbe zusammen allein dasjenige ausmachen, was den Gegenstand vom Gegenstand, die Theile des Gegenstandes
von einander, für's Auge unterscheidet. Und so erbauen wir aus diesen Dreien die sichtbare Welt und
machen dadurch zugleich die Mahlerei möglich, welche
auf der Tafel eine weit vollkommner sichtbare Welt,
als die wirkliche sein kann, hervorzubringen vermag.

Das Auge hat sein Dasein dem Licht zu dauken.
Aus gleichgültigen thierischen Hülfsorganen ruft sich
das Licht ein Organ hervor, das seines Gleichen werde;
und so bildet sich das Auge am Lichte für's Licht,
damit das innere Licht dem äußeren entgegentrete.

Hierbei erinnern wir uns der alten ionischen
Schule, welche mit so großer Bedeutsamkeit immer
wiederholte: nur von Gleichem werde Gleiches erkannt; wie auch der Worte eines alten Mystikers,
die wir in deutschen Reimen folgendermaßen ausdrücken möchten:

Wär' nicht das Auge sonnenhaft,
    Wie könnten wir das Licht erblicken?
Lebt' nicht in uns des Gottes eigne Kraft,
    Wie könnt' uns Göttliches entzücken?

Jene unmittelbare Verwandtschaft des Lichtes und
des Auges wird niemand läugnen, aber sich beide
zugleich als eins und dasselbe zu deuken, hat mehr
Schwierigkeit. Indessen wird es faßlicher, wenn man

behauptet, im Auge wohne ein ruhendes Licht, das
bei der mindesten Veranlassung von innen oder von
außen erregt werde. Wir können in der Finsterniß
durch Forderungen der Einbildungskraft uns die
hellsten Bilder hervorrufen. Im Traume erscheinen 5
uns die Gegenstände wie am vollen Tage. Im
wachenden Zustande wird uns die leiseste äußere Licht=
einwirkung bemerkbar; ja wenn das Organ einen
mechanischen Anstoß erleidet, so springen Licht und
Farben hervor. 10

Vielleicht aber machen hier diejenigen, welche nach
einer gewissen Ordnung zu verfahren pflegen, bemerk=
lich, daß wir ja noch nicht einmal entschieden erklärt,
was denn Farbe sei? Dieser Frage möchten wir gar
gern hier abermals ausweichen und uns auf unsere 15
Ausführung berufen, wo wir umständlich gezeigt, wie
sie erscheine. Denn es bleibt uns auch hier nichts
übrig, als zu wiederholen: die Farbe sei die gesetz=
mäßige Natur in Bezug auf den Sinn des Auges.
Auch hier müssen wir annehmen, daß jemand diesen 20
Sinn habe, daß jemand die Einwirkung der Natur
auf diesen Sinn kenne: denn mit dem Blinden läßt
sich nicht von der Farbe reden.

Damit wir aber nicht gar zu ängstlich eine Er=
klärung zu vermeiden scheinen, so möchten wir das 25
Erstgesagte folgendermaßen umschreiben. Die Farbe
sei ein elementares Naturphänomen für den Sinn
des Auges, das sich, wie die übrigen alle, durch

Trennung und Gegensatz, durch Mischung und Vereinigung, durch Erhöhung und Neutralisation, durch
Mittheilung und Vertheilung und so weiter manife-
stirt, und unter diesen allgemeinen Naturformeln am
5 besten angeschaut und begriffen werden kann.

Diese Art sich die Sache vorzustellen, können wir
niemand aufdringen. Wer sie bequem findet, wie
wir, wird sie gern in sich aufnehmen. Eben so wenig
haben wir Lust, sie künftig durch Kampf und Streit
10 zu vertheidigen. Denn es hatte von jeher etwas Ge-
fährliches, von der Farbe zu handeln, dergestalt daß
einer unserer Vorgänger gelegentlich gar zu äußern
wagt: Hält man dem Stier ein rothes Tuch vor,
so wird er wüthend; aber der Philosoph, wenn
15 man nur überhaupt von Farbe spricht, fängt an zu
rasen.

Sollen wir jedoch nunmehr von unserem Vortrag,
auf den wir uns berufen, einige Rechenschaft geben,
so müssen wir vor allen Dingen anzeigen, wie wir
20 die verschiedenen Bedingungen, unter welchen die Farbe
sich zeigen mag, gesondert. Wir fanden dreierlei Er-
scheinungsweisen, dreierlei Arten von Farben, oder
wenn man lieber will, dreierlei Ansichten derselben,
deren Unterschied sich aussprechen läßt.

25 Wir betrachteten also die Farben zuerst, in sofern
sie dem Auge angehören und auf einer Wirkung und
Gegenwirkung desselben beruhen; ferner zogen sie
unsere Aufmerksamkeit an sich, indem wir sie an

farblosen Mitteln oder durch deren Beihülfe gewahr=
ten; zuletzt aber wurden sie uns merkwürdig, indem
wir sie als den Gegenständen angehörig denken konnten.
Die ersten nannten wir physiologische, die zweiten
physische, die dritten chemische Farben. Jene sind 5
unaufhaltsam flüchtig, die andern vorübergehend, aber
allenfalls verweilend, die letzten festzuhalten bis zur
spätesten Dauer.

Indem wir sie nun in solcher naturgemäßen Ord=
nung, zum Behuf eines didaktischen Vortrags, mög= 10
lichst sonderten und aus einander hielten, gelang es
uns zugleich, sie in einer stetigen Reihe darzustellen,
die flüchtigen mit den verweilenden und diese wieder
mit den dauernden zu verknüpfen, und so die erst
sorgfältig gezogenen Abtheilungen für ein höheres 15
Anschauen wieder aufzuheben.

Hierauf haben wir in einer vierten Abtheilung
unserer Arbeit, was bis dahin von den Farben unter
mannichfaltigen besonderen Bedingungen bemerkt wor=
den, im Allgemeinen ausgesprochen und dadurch eigent= 20
lich den Abriß einer künftigen Farbenlehre entworfen.
Gegenwärtig sagen wir nur so viel voraus, daß zur
Erzeugung der Farbe Licht und Finsterniß, Helles
und Dunkles, oder, wenn man sich einer allgemeineren
Formel bedienen will, Licht und Nichtlicht gefordert 25
werde. Zunächst am Licht entsteht uns eine Farbe,
die wir Gelb nennen, eine andere zunächst an der
Finsterniß, die wir mit dem Worte Blau bezeichnen.

Diese beiden, wenn wir sie in ihrem reinsten Zustand
dergestalt vermischen, daß sie sich völlig das Gleich=
gewicht halten, bringen eine dritte hervor, welche
wir Grün heißen. Jene beiden ersten Farben können
5 aber auch jede an sich selbst eine neue Erscheinung
hervorbringen, indem sie sich verdichten oder ver=
dunkeln. Sie erhalten ein röthliches Ansehen, welches
sich bis auf einen so hohen Grad steigern kann, daß
man das ursprüngliche Blau und Gelb kaum darin
10 mehr erkennen mag. Doch läßt sich das höchste und
reine Roth, vorzüglich in physischen Fällen, dadurch
hervorbringen, daß man die beiden Euden des Gelb=
rothen und Blaurothen vereinigt. Dieses ist die
lebendige Ansicht der Farbenerscheinung und =Er=
15 zeugung. Man kann aber auch zu dem specificirt
fertigen Blauen und Gelben ein fertiges Roth an=
nehmen, und rückwärts durch Mischung hervorbringen,
was wir vorwärts durch Intensiren bewirkt haben.
Mit diesen drei oder sechs Farben, welche sich bequem
20 in einen Kreis einschließen lassen, hat die Elementare
Farbenlehre allein zu thun. Alle übrigen in's Un=
endliche gehenden Abänderungen gehören mehr in das
Angewandte, gehören zur Technik des Mahlers, des
Färbers, überhaupt in's Leben.
25 Sollen wir sodann noch eine allgemeine Eigen=
schaft aussprechen, so sind die Farben durchaus als
Halblichter, als Halbschatten anzusehen, weßhalb sie
denn auch, wenn sie zusammengemischt ihre specifischen

Eigenschaften wechselseitig aufheben, ein Schattiges, ein Graues hervorbringen.

In unserer fünften Abtheilung sollten sodann jene nachbarlichen Verhältnisse dargestellt werden, in welchen unsere Farbenlehre mit dem übrigen Wissen, 5 Thun und Treiben zu stehen wünschte. So wichtig diese Abtheilung ist, so mag sie vielleicht gerade eben deßwegen nicht zum besten gelungen sein. Doch wenn man bedenkt, daß eigentlich nachbarliche Verhältnisse sich nicht eher aussprechen lassen, als bis sie sich ge= 10 macht haben, so kann man sich über das Mißlingen eines solchen ersten Versuches wohl trösten. Denn freilich ist erst abzuwarten, wie diejenigen, denen wir zu dienen suchten, denen wir etwas Gefälliges und Nützliches zu erzeigen dachten, das von uns möglichst 15 Geleistete aufnehmen werden, ob sie sich es zueignen, ob sie es benutzen und weiter führen, oder ob sie es ablehnen, wegdrängen und nothdürftig für sich be= stehen lassen. Indessen dürfen wir sagen, was wir glauben und was wir hoffen. 20

Vom Philosophen glauben wir Dank zu verdienen, daß wir gesucht die Phänomene bis zu ihren Urquellen zu verfolgen, bis dorthin, wo sie bloß erscheinen und sind, und wo sich nichts weiter an ihnen erklären läßt. Ferner wird ihm willkommen sein, daß wir 25 die Erscheinungen in eine leicht übersehbare Ordnung gestellt, wenn er diese Ordnung selbst auch nicht ganz billigen sollte.

Den Arzt, besonders denjenigen, der das Organ des Auges zu beobachten, es zu erhalten, dessen Mängeln abzuhelfen und dessen Übel zu heilen berufen ist, glauben wir uns vorzüglich zum Freunde zu machen. In der Abtheilung von den physiologischen Farben, in dem Anhange, der die pathologischen andeutet, findet er sich ganz zu Hause. Und wir werden gewiß durch die Bemühungen jener Männer, die zu unserer Zeit dieses Fach mit Glück behandeln, jene erste, bisher vernachlässigte und man kann wohl sagen wichtigste Abtheilung der Farbenlehre ausführlich bearbeitet sehen.

Am freundlichsten sollte der Physiker uns entgegenkommen, da wir ihm die Bequemlichkeit verschaffen, die Lehre von den Farben in der Reihe aller übrigen elementaren Erscheinungen vorzutragen und sich dabei einer übereinstimmenden Sprache, ja fast derselbigen Worte und Zeichen, wie unter den übrigen Rubriken, zu bedienen. Freilich machen wir ihm, insofern er Lehrer ist, etwas mehr Mühe: denn das Capitel von den Farben läßt sich künftig nicht wie bisher mit wenig Paragraphen und Versuchen abthun; auch wird sich der Schüler nicht leicht so frugal, als man ihn sonst bedienen mögen, ohne Murren abspeisen lassen. Dagegen findet sich späterhin ein anderer Vortheil. Denn wenn die Newtonische Lehre leicht zu lernen war, so zeigten sich bei ihrer Anwendung unüberwindliche Schwierigkeiten. Unsere

Lehre ist vielleicht schwerer zu fassen, aber alsbann
ist auch alles gethan: denn sie führt ihre Anwendung
mit sich.

Der Chemiker, welcher auf die Farben als Kri=
terien achtet, um die geheimern Eigenschaften körper= 5
licher Wesen zu entdecken, hat bisher bei Benennung
und Bezeichnung der Farben manches Hinderniß ge=
funden; ja man ist nach einer näheren und feineren
Betrachtung bewogen worden, die Farbe als ein un=
sicheres und trügliches Kennzeichen bei chemischen 10
Operationen anzusehen. Doch hoffen wir sie durch
unsere Darstellung und durch die vorgeschlagene
Nomenclatur wieder zu Ehren zu bringen, und die
Überzeugung zu erwecken, daß ein Werdendes, Wachsen=
des, ein Bewegliches, der Umwendung Fähiges nicht 15
betrüglich sei, vielmehr geschickt, die zartesten Wir=
kungen der Natur zu offenbaren.

Blicken wir jedoch weiter umher, so wandelt uns
eine Furcht an, dem Mathematiker zu mißfallen.
Durch eine sonderbare Verknüpfung von Umständen 20
ist die Farbenlehre in das Reich, vor den Gerichts=
stuhl des Mathematikers gezogen worden, wohin sie
nicht gehört. Dieß geschah wegen ihrer Verwandt=
schaft mit den übrigen Gesetzen des Sehens, welche
der Mathematiker zu behandeln eigentlich berufen 25
war. Es geschah ferner dadurch, daß ein großer
Mathematiker die Farbenlehre bearbeitete, und da er
sich als Physiker geirrt hatte, die ganze Kraft seines

Talents aufbot, um diesem Irrthum Consistenz zu
verschaffen. Wird beides eingesehen, so muß jedes
Mißverständniß bald gehoben ‘sein, und der Mathe=
matiker wird gern, besonders die physische Abtheilung
der Farbenlehre, mit bearbeiten helfen.

Dem Techniker, dem Färber hingegen, muß unsre
Arbeit durchaus willkommen sein. Denn gerade die=
jenigen, welche über die Phänomene der Färberei nach=
dachten, waren am wenigsten durch die bisherige Theo=
rie befriedigt. Sie waren die ersten, welche die Un=
zulänglichkeit der Newtonischen Lehre gewahr wurden.
Denn es ist ein großer Unterschied, von welcher Seite
man sich einem Wissen, einer Wissenschaft nähert,
durch welche Pforte man herein kommt. Der echte
Praktiker, der Fabricant, dem sich die Phänomene
täglich mit Gewalt aufdringen, welcher Nutzen oder
Schaden von der Ausübung seiner Überzeugungen
empfindet, dem Geld= und Zeitverlust nicht gleich=
gültig ist, der vorwärts will, von anderen Geleistetes
erreichen, übertreffen soll; er empfindet viel geschwinder
das Hohle, das Falsche einer Theorie, als der Gelehrte,
dem zuletzt die hergebrachten Worte für baare Münze
gelten, als der Mathematiker, dessen Formel immer
noch richtig bleibt, wenn auch die Unterlage nicht zu ihr
paßt, auf die sie angewendet worden. Und so werden
auch wir, da wir von der Seite der Mahlerei, von
der Seite ästhetischer Färbung der Oberflächen, in
die Farbenlehre hereingekommen, für den Mahler das

Dankenswertheste geleistet haben, wenn wir in der
sechsten Abtheilung die sinnlichen und sittlichen Wir=
kungen der Farbe zu bestimmen gesucht, und sie da=
durch dem Kunstgebrauch annähern wollen. Ist auch
hierbei, wie durchaus, manches nur Skizze geblieben, 5
so soll ja alles Theoretische eigentlich nur die Grund=
züge andeuten, auf welchen sich hernach die That le=
bendig ergehen und zu gesetzlichem Hervorbringen ge=
langen mag.

Erste Abtheilung.

Phyſiologiſche Farben.

———

1.

Dieſe Farben, welche wir billig obenan ſetzen, weil ſie dem Subject, weil ſie dem Auge, theils 5 völlig, theils größtens zugehören, dieſe Farben, welche das Fundament der ganzen Lehre machen und uns die chromatiſche Harmonie, worüber ſo viel geſtritten wird, offenbaren, wurden bisher als außerweſentlich, zufällig, als Täuſchung und Gebrechen betrachtet. 10 Die Erſcheinungen derſelben ſind von frühern Zeiten her bekannt, aber weil man ihre Flüchtigkeit nicht haſchen konnte, ſo verbannte man ſie in das Reich der ſchädlichen Geſpenſter und bezeichnete ſie in dieſem Sinne gar verſchiedentlich.

2.

15 Alſo heißen ſie colores adventicii nach Boyle, imaginarii und phantaſtici nach Rizzetti, nach Buffon couleurs accidentelles, nach Scherffer Scheinfarben; Augentäuſchungen und Geſichtsbetrug nach mehreren,

nach Hamberger vitia fugitiva, nach Darwin ocular spectra.

3.

Wir haben sie physiologische genannt, weil sie dem gesunden Auge angehören, weil wir sie als die nothwendigen Bedingungen des Sehens betrachten, auf dessen lebendiges Wechselwirken in sich selbst und nach außen sie hindeuten.

4.

Wir fügen ihnen sogleich die pathologischen hinzu, welche, wie jeder abnorme Zustand auf den gesetz= lichen, so auch hier auf die physiologischen Farben eine vollkommenere Einsicht verbreiten.

I.

Licht und Finsterniß zum Auge.

5.

Die Retina befindet sich, je nachdem Licht oder Finsterniß auf sie wirken, in zwei verschiedenen Zu= ständen, die einander völlig entgegenstehen.

6.

Wenn wir die Augen innerhalb eines ganz fin= stern Raums offen halten, so wird uns ein gewisser

Mangel empfindbar. Das Organ ist sich selbst über=
lassen, es zieht sich in sich selbst zurück, ihm fehlt
jene reizende befriedigende Berührung, durch die es
mit der äußern Welt verbunden und zum Ganzen
5 wird.

7.

Wenden wir das Auge gegen eine stark beleuchtete
weiße Fläche, so wird es geblendet und für eine Zeit
lang unfähig, mäßig beleuchtete Gegenstände zu unter=
scheiden.

8.

10 Jeder dieser äußersten Zustände nimmt auf die
angegebene Weise die ganze Netzhaut ein, und in so
fern werden wir nur einen derselben auf einmal ge=
wahr. Dort (6) fanden wir das Organ in der höch=
sten Abspannung und Empfänglichkeit, hier (7) in
15 der äußersten Überspannung und Unempfindlichkeit.

9.

Gehen wir schnell aus einem dieser Zustände in
den andern über, wenn auch nicht von einer äußersten
Gränze zur andern, sondern etwa nur aus dem Hellen
in's Dämmernde; so ist der Unterschied bedeutend und
20 wir können bemerken, daß die Zustände eine Zeit
lang dauern.

10.

Wer aus der Tageshelle in einen dämmrigen Ort
übergeht, unterscheidet nichts in der ersten Zeit, nach

und nach stellen sich die Augen zur Empfänglichkeit
wieder her, starke früher als schwache, jene schon in
einer Minute, wenn diese sieben bis acht Minuten
brauchen.

11.

Bei wissenschaftlichen Beobachtungen kann die Un= 5
empfänglichkeit des Auges für schwache Lichteindrücke,
wenn man aus dem Hellen in's Dunkle geht, zu
sonderbaren Irrthümern Gelegenheit geben. So
glaubte ein Beobachter, dessen Auge sich langsam
herstellte, eine ganze Zeit, daß saules Holz leuchte 10
nicht um Mittag, selbst in der dunkeln Kammer.
Er sah nämlich das schwache Leuchten nicht, weil er
aus dem hellen Sonnenschein in die dunkle Kammer
zu gehen pflegte und erst später einmal so lange
darin verweilte, bis sich das Auge wieder hergestellt 15
hatte.

Eben so mag es dem Doctor Wall mit dem elektri=
schen Scheine des Bernsteins gegangen sein, den er
bei Tage, selbst im dunkeln Zimmer, kaum gewahr
werden konnte. 20

Das Nichtsehen der Sterne bei Tage, das Besser=
sehen der Gemählde durch eine doppelte Röhre ist auch
hieher zu rechnen.

12.

Wer einen völlig dunkeln Ort mit einem, den die
Sonne bescheint, verwechselt, wird geblendet. Wer 25
aus der Dämmrung in's nicht blendende Helle kommt,

bemerkt alle Gegenftände frifcher und beffer; daher
ein ausgeruhtes Auge durchaus für mäßige Erfchei=
nungen empfänglicher ift.

Bei Gefangenen, welche lange im Finftern ge=
5 feffen, ift die Empfänglichkeit der Retina fo groß,
daß fie im Finftern (wahrfcheinlich in einem wenig
erhellten Dunkel) fchon Gegenftände unterfcheiden.

13.

Die Netzhaut befindet fich bei dem, was wir fehen
heißen, zu gleicher Zeit in verfchiedenen, ja in ent=
10 gegengefetzten Zuftänden. Das höchfte nicht blendende
Helle wirkt neben dem völlig Dunkeln. Zugleich
werden wir alle Mittelftufen des Helldunkeln und
alle Farbenbeftimmungen gewahr.

14.

Wir wollen gedachte Elemente der fichtbaren Welt
15 nach und nach betrachten und bemerken, wie fich das
Organ gegen diefelben verhalte, und zu diefem Zweck
die einfachften Bilder vornehmen.

II.

Schwarze und weiße Bilder zum Auge.

15.

Wie sich die Netzhaut gegen Hell und Dunkel über=
haupt verhält, so verhält sie sich auch gegen dunkle
und helle einzelne Gegenstände. Wenn Licht und
Finsterniß ihr im Ganzen verschiedene Stimmungen 5
geben; so werden schwarze und weiße Bilder, die zu
gleicher Zeit in's Auge fallen, diejenigen Zustände
neben einander bewirken, welche durch Licht und
Finsterniß in einer Folge hervorgebracht wurden.

16.

Ein dunkler Gegenstand erscheint kleiner, als ein 10
heller von derselben Größe. Man sehe zugleich eine
weiße Ruudung auf schwarzem, eine schwarze auf
weißem Grunde, welche nach einerlei Cirkelschlag
ausgeschnitten sind, in einiger Entfernung an, und
wir werden die letztere etwa um ein Fünftel kleiner, 15
als die erste halten. Man mache das schwarze Bild
um soviel größer, und sie werden gleich erscheinen.

17.

So bemerkte Tycho de Brahe, daß der Mond in
der Conjunction (der finstere) um den fünften Theil

kleiner erſcheine, als in der Oppoſition (der volle helle).
Die erſte Mondſichel ſcheint einer größern Scheibe
anzugehören, als der an ſie gränzenden dunkeln, die
man zur Zeit des Neulichtes manchmal unterſcheiden
5 kann. Schwarze Kleider machen die Perſonen viel
ſchmäler ausſehen, als helle. Hinter einem Rand ge=
ſehene Lichter machen in den Rand einen ſcheinbaren
Einſchnitt. Ein Lineal, hinter welchem ein Kerzen=
licht hervorblickt, hat für uns eine Scharte. Die
10 auf= und untergehende Sonne ſcheint einen Einſchnitt
in den Horizont zu machen.

18.

Das Schwarze, als Repräſentant der Finſterniß,
läßt das Organ im Zuſtande der Ruhe, das Weiße,
als Stellvertreter des Lichts, verſetzt es in Thätigkeit.
15 Man ſchlöſſe vielleicht aus gedachtem Phänomen (16),
daß die ruhige Netzhaut, wenn ſie ſich ſelbſt überlaſſen
iſt, in ſich ſelbſt zuſammengezogen ſei, und einen
kleinern Raum einnehme, als in dem Zuſtande der
Thätigkeit, in den ſie durch den Reiz des Lichtes ver=
20 ſetzt wird.

Keppler ſagt daher ſehr ſchön: certum est vel in
retina caussâ picturae, vel in spiritibus caussâ im-
pressionis exsistere dilatationem lucidorum. Paralip.
in Vitellionem p. 220. Pater Scherffer hat eine ähn=
25 liche Muthmaßung.

19.

Wie dem auch sei, beide Zustände, zu welchen das Organ durch ein solches Bild bestimmt wird, bestehen auf demselben örtlich, und dauern eine Zeit lang fort, wenn auch schon der äußre Anlaß entfernt ist. Im gemeinen Leben bemerken wir es kaum: denn selten kommen Bilder vor, die sehr stark von einander abstechen. Wir vermeiden diejenigen anzusehn, die uns blenden. Wir blicken von einem Gegenstand auf den andern, die Succession der Bilder scheint uns rein, wir werden nicht gewahr, daß sich von dem vorhergehenden etwas in's nachfolgende hinüberschleicht.

20.

Wer auf ein Fensterkreuz, das einen dämmernden Himmel zum Hintergrunde hat, Morgens beim Erwachen, wenn das Auge besonders empfänglich ist, scharf hinblickt und sodann die Augen schließt, oder gegen einen ganz dunkeln Ort hinsieht, wird ein schwarzes Kreuz auf hellem Grunde noch eine Weile vor sich sehen.

21.

Jedes Bild nimmt seinen bestimmten Platz auf der Netzhaut ein, und zwar einen größern oder kleinern, nach dem Maße, in welchem es nahe oder fern gesehen wird. Schließen wir das Auge sogleich, wenn wir in die Sonne gesehen haben; so werden wir uns

wundern, wie klein das zurückgebliebene Bild er=
scheint.

22.

Kehren wir dagegen das geöffnete Auge nach einer
Wand, und betrachten das uns vorschwebende Gespenst
in Bezug auf andre Gegenstände; so werden wir es
immer größer erblicken, je weiter von uns es durch
irgend eine Fläche aufgefangen wird. Dieses Phäno=
men erklärt sich wohl aus dem perspectivischen Gesetz,
daß uns der kleine nähere Gegenstand den größern
entfernten zudeckt.

23.

Nach Beschaffenheit der Augen ist die Dauer dieses
Eindrucks verschieden. Sie verhält sich wie die Her=
stellung der Netzhaut bei dem Übergang aus dem
Hellen in's Dunkle (10), und kann also nach Mi=
nuten und Secunden abgemessen werden, und zwar
viel genauer, als es bisher durch eine geschwungene
brennende Lunte, die dem hinblickenden Auge als ein
Cirkel erscheint, geschehen konnte.

24.

Besonders auch kommt die Energie in Betracht,
womit eine Lichtwirkung das Auge trifft. Am läng=
sten bleibt das Bild der Sonne, andre mehr oder
weniger leuchtende Körper lassen ihre Spur länger
oder kürzer zurück.

25.

Diese Bilder verschwinden nach und nach, und zwar indem sie sowohl an Deutlichkeit als an Größe verlieren.

26.

Sie nehmen von der Peripherie herein ab, und man glaubt bemerkt zu haben, daß bei vierecken Bildern sich nach und nach die Ecken abstumpfen, und zuletzt ein immer kleineres rundes Bild vorschwebt.

27.

Ein solches Bild, dessen Eindruck nicht mehr bemerklich ist, läßt sich auf der Retina gleichsam wieder beleben, wenn wir die Augen öffnen und schließen und mit Erregung und Schonung abwechseln.

28.

Daß Bilder sich bei Augenkrankheiten vierzehn bis siebzehn Minuten, ja länger auf der Retina erhielten, deutet auf äußerste Schwäche des Organs, auf dessen Unfähigkeit sich wieder herzustellen, so wie das Vorschweben leidenschaftlich geliebter oder verhaßter Gegenstände aus dem Sinnlichen in's Geistige deutet.

29.

Blickt man, indessen der Eindruck obgedachten Fensterbildes noch dauert, nach einer hellgrauen Fläche, so erscheint das Kreuz hell und der Scheiben-

raum dunkel. In jenem Falle (20) blieb der Zu=
stand sich selbst gleich, so daß auch der Eindruck
identisch verharren konnte; hier aber wird eine Um=
kehrung bewirkt, die unsere Aufmerksamkeit aufregt
und von der uns die Beobachter mehrere Fälle über=
liefert haben.

30.

Die Gelehrten, welche auf den Cordilleras ihre
Beobachtungen aufstellten, sahen um den Schatten ihrer
Köpfe, der auf Wolken fiel, einen hellen Schein.
Dieser Fall gehört wohl hieher: denn indem sie das
dunkle Bild des Schattens fixirten und sich zugleich
von der Stelle bewegten, so schien ihnen das gefor=
derte helle Bild um das dunkle zu schweben. Man
betrachte ein schwarzes Rund auf einer hellgrauen
Fläche, so wird man bald, wenn man die Richtung
des Blicks im geringsten verändert, einen hellen Schein
um das dunkle Rund schweben sehen.

Auch mir ist ein Ähnliches begegnet. Indem ich
nämlich auf dem Felde sitzend mit einem Manne
sprach, der, in einiger Entfernung vor mir stehend,
einen grauen Himmel zum Hintergrund hatte, so
erschien mir, nachdem ich ihn lange scharf und un=
verwandt angesehen, als ich den Blick ein wenig ge=
wendet, sein Kopf von einem blendenden Schein um=
geben.

Wahrscheinlich gehört hieher auch das Phänomen,
daß Personen, die bei Aufgang der Sonne an feuchten

Wiesen hergehen, einen Schein um ihr Haupt erblicken, der zugleich farbig sein mag, weil sich von
den Phänomenen der Refraction etwas einmischt.

So hat man auch um die Schatten der Luft-
ballone, welche auf Wolken fielen, helle und einigermaßen gefärbte Kreise bemerken wollen.

Pater Beccaria stellte einige Versuche an über die
Wetterelektricität, wobei er den papiernen Drachen
in die Höhe steigen ließ. Es zeigte sich um diese
Maschine ein kleines glänzendes Wölkchen von ab-
wechselnder Größe, ja auch um einen Theil der
Schnur. Es verschwand zuweilen, und wenn der
Drache sich schneller bewegte, schien es auf dem
vorigen Platze einige Augenblicke hin und wieder zu
schweben. Diese Erscheinung, welche die damaligen
Beobachter nicht erklären konnten, war das im Auge
zurückgebliebene, gegen den hellen Himmel in ein
helles verwandelte Bild des dunkeln Drachen.

Bei optischen, besonders chromatischen Versuchen,
wo man oft mit blendenden Lichtern, sie seien farblos oder farbig, zu thun hat, muß man sich sehr
vorsehen, daß nicht das zurückgebliebene Spectrum
einer vorhergehenden Beobachtung sich mit in eine
folgende Beobachtung mische und dieselbe verwirrt
und unrein mache.

31.

Diese Erscheinungen hat man sich folgendermaßen
zu erklären gesucht. Der Ort der Retina, auf wel-

chen das Bild des dunklen Kreuzes fiel, iſt als aus=
geruht und empfänglich anzuſehen. Auf ihn wirkt
die mäßig erhellte Fläche lebhafter, als auf die übri=
gen Theile der Netzhaut, welche durch die Fenſter=
5 ſcheiben das Licht empfingen, und nachdem ſie durch
einen ſo viel ſtärkern Reiz in Thätigkeit geſetzt wor=
den, die graue Fläche nur als dunkel gewahr werden.

32.

Dieſe Erklärungsart ſcheint für den gegenwärtigen
Fall ziemlich hinreichend; in Betrachtung künftiger
10 Erſcheinungen aber ſind wir genöthigt das Phänomen
aus höhern Quellen abzuleiten.

33.

Das Auge eines Wachenden äußert ſeine Lebendig=
keit beſonders darin, daß es durchaus in ſeinen Zu=
ſtänden abzuwechſeln verlangt, die ſich am einfachſten
15 vom Dunkeln zum Hellen und umgekehrt bewegen.
Das Auge kann und mag nicht einen Moment in
einem beſondern, in einem durch das Object ſpecifi=
cirten Zuſtande identiſch verharren. Es iſt vielmehr
zu einer Art von Oppoſition genöthigt, die, indem
20 ſie das Extrem dem Extreme, das Mittlere dem Mitt=
leren entgegenſetzt, ſogleich das Entgegengeſetzte ver=
bindet, und in der Succeſſion ſowohl als in der
Gleichzeitigkeit und Gleichörtlichkeit nach einem Gan=
zen ſtrebt.

34.

Vielleicht entsteht das außerordentliche Behagen, das wir bei dem wohlbehandelten Helldunkel farbloser Gemählde und ähnlicher Kunstwerke empfinden, vorzüglich aus dem gleichzeitigen Gewahrwerden eines Ganzen, das von dem Organ sonst nur in einer Folge mehr gesucht, als hervorgebracht wird, und wie es auch gelingen möge, niemals festgehalten werden kann.

III.

Graue Flächen und Bilder.

35.

Ein großer Theil chromatischer Versuche verlangt ein mäßiges Licht. Dieses können wir sogleich durch mehr oder minder graue Flächen bewirken, und wir haben uns daher mit dem Grauen zeitig bekannt zu machen, wobei wir kaum zu bemerken brauchen, daß in manchen Fällen eine im Schatten oder in der Dämmerung stehende weiße Fläche für eine graue gelten kann.

36.

Da eine graue Fläche zwischen Hell und Dunkel innen steht, so läßt sich das, was wir oben (29)

als Phänomen vorgetragen, zum bequemen Verſuch
erheben.

37.

Man halte ein ſchwarzes Bild vor eine graue Fläche
und ſehe unverwandt, indem es weggenommen wird,
5 auf denſelben Fleck; der Raum, den es einnahm, erſcheint um vieles heller. Man halte auf eben dieſe
Art ein weißes Bild hin, und der Raum wird nachher dunkler als die übrige Fläche erſcheinen. Man
verwende das Auge auf der Tafel hin und wieder; ſo
10 werden in beideu Fällen die Bilder ſich gleichfalls hin
und her bewegen.

38.

Ein graues Bild auf ſchwarzem Grunde erſcheint
viel heller, als daſſelbe Bild auf weißem. Stellt man
beide Fälle neben einander, ſo kann man ſich kaum
15 überzeugen, daß beide Bilder aus Einem Topf geſärbt
ſeien. Wir glauben hier abermals die große Regſam-
keit der Netzhaut zu bemerken und den ſtillen Wider-
ſpruch, den jedes Lebendige zu äußern gedrungen iſt,
wenn ihm irgend ein beſtimmter Zuſtand dargeboten
20 wird. So ſetzt das Einathmen ſchon das Ausathmen
voraus und umgekehrt; ſo jede Syſtole ihre Diaſtole.
Es iſt die ewige Formel des Lebens, die ſich auch hier
äußert. Wie dem Auge das Dunkle geboten wird, ſo
fordert es das Helle; es fordert Dunkel, wenn man
25 ihm Hell entgegenbringt und zeigt eben dadurch ſeine
Lebendigkeit, ſein Recht das Object zu faſſen, indem

es etwas, das dem Object entgegengeſetzt iſt, aus ſich
ſelbſt hervorbringt.

IV.

Blendendes farbloſes Bild.

39.

Wenn man ein blendendes völlig farbloſes Bild
anſieht, ſo macht ſolches einen ſtarken dauernden Ein=
druck, und das Abklingen deſſelben iſt von einer Farben=
erſcheinung begleitet.

40.

In einem Zimmer, das möglichſt verdunkelt wor=
den, habe man im Laden eine runde Öffnung, etwa
drei Zoll im Durchmeſſer, die man nach Belieben auf=
und zudecken kann; durch ſelbige laſſe man die Sonne
auf ein weißes Papier ſcheinen und ſehe in einiger
Entfernung ſtarr das erleuchtete Rund an; man ſchließe
darauf die Öffnung und blicke nach dem dunkelſten
Orte des Zimmers; ſo wird man eine runde Erſchei=
nung vor ſich ſchweben ſehen. Die Mitte des Kreiſes
wird man hell, farblos, einigermaßen gelb ſehen, der
Rand aber wird ſogleich purpurfarben erſcheinen.

Es dauert eine Zeit lang, bis dieſe Purpurfarbe
von außen herein den ganzen Kreis zudeckt, und end=

lich den hellen Mittelpunct völlig vertreibt. Kaum
erscheint aber das ganze Rund purpurfarben, so fängt
der Rand an blau zu werden, das Blaue verdrängt
nach und nach hereinwärts den Purpur. Ist die Er=
5 scheinung vollkommen blau, so wird der Rand dunkel
und unfärbig. Es währet lange, bis der unfärbige
Rand völlig das Blaue vertreibt und der ganze Raum
unfärbig wird. Das Bild nimmt sodann nach und
nach ab und zwar dergestalt, daß es zugleich schwächer
10 und kleiner wird. Hier sehen wir abermals, wie sich
die Netzhaut, durch eine Succession von Schwingungen,
gegen den gewaltsamen äußern Eindruck nach und
nach wieder herstellt (25, 26).

41.

Die Verhältnisse des Zeitmaßes dieser Erscheinung
15 habe ich an meinem Auge, bei mehrern Versuchen
übereinstimmend, folgendermaßen gefunden.

Auf das blendende Bild hatte ich fünf Secunden
gesehen, darauf den Schieber geschlossen; da erblick'
ich das farbige Scheinbild schwebend, und nach drei=
20 zehn Secunden erschien es ganz purpurfarben. Nun
vergingen wieder neun und zwanzig Secunden, bis das
Ganze blau erschien, und acht und vierzig, bis es mir
farblos vorschwebte. Durch Schließen und Öffnen
des Auges belebte ich das Bild immer wieder (27),
25 so daß es sich erst nach Verlauf von sieben Minuten
ganz verlor.

Künftige Beobachter werden diese Zeiten kürzer oder länger finden, je nachdem sie stärkere oder schwächere Augen haben (23). Sehr merkwürdig aber wäre es, wenn man demungeachtet durchaus ein gewisses Zahlen= 5
verhältniß dabei entdecken könnte.

42.

Aber dieses sonderbare Phänomen erregt nicht so bald unsre Aufmerksamkeit, als wir schon eine neue Modification desselben gewahr werden.

Haben wir, wie oben gedacht, den Lichteindruck im Auge aufgenommen und sehen in einem mäßig erleuch= 10
teten Zimmer auf einen hellgrauen Gegenstand; so schwebt abermals ein Phänomen vor uns, aber ein dunkles, das sich nach und nach von außen mit einem grünen Rande einfaßt, welcher eben so, wie vorher der purpurne Rand, sich über das ganze Rund hinein= 15
wärts verbreitet. Ist dieses geschehen, so sieht man nunmehr ein schmutziges Gelb, das, wie in dem vo=
rigen Versuche das Blau, die Scheibe ausfüllt und zuletzt von einer Unfarbe verschlungen wird.

43.

Diese beiden Versuche lassen sich combiniren, wenn 20
man in einem mäßig hellen Zimmer eine schwarze und weiße Tafel neben einander hinsetzt und, so lange das Auge den Lichteindruck behält, bald auf die weiße, bald auf die schwarze Tafel scharf hinblickt. Man

wird alsdann im Anfange bald ein purpurnes, bald
ein grünes Phänomen und so weiter das Übrige ge=
wahr werden. Ja, wenn man sich geübt hat, so
lassen sich, indem man das schwebende Phänomen da=
5 hin bringt, wo die zwei Tafeln an einander stoßen,
die beiden entgegengesetzten Farben zugleich erblicken;
welches um so bequemer geschehen kann, als die Tafeln
entfernter stehen, indem das Spectrum alsdann größer
erscheint.

44.

10 Ich befand mich gegen Abend in einer Eisenschmiede,
als eben die glühende Masse unter den Hammer ge=
bracht wurde. Ich hatte scharf darauf gesehen, wen=
dete mich um und blickte zufällig in einen offenstehen=
den Kohlenschoppen. Ein ungeheures purpurfarbnes
15 Bild schwebte nun vor meinen Angen, und als ich
den Blick von der dunkeln Öffnung weg, nach dem
hellen Bretterverschlag wendete, so erschien mir das
Phänomen halb grün, halb purpurfarben, je nachdem
es einen dunklern oder hellern Grund hinter sich hatte.
20 Auf das Abklingen dieser Erscheinung merkte ich da=
mals nicht.

45.

Wie das Abklingen eines umschriebenen Glanz=
bildes verhält sich auch das Abklingen einer totalen
Blendung der Retina. Die Purpurfarbe, welche die
25 vom Schnee Geblendeten erblicken, gehört hieher, so
wie die ungemein schöne grüne Farbe dunkler Gegen=

stände, nachdem man auf ein weißes Papier in der
Sonne lange hingesehen. Wie es sich näher damit
verhalte, werden diejenigen künftig untersuchen, deren
jugendliche Augen, um der Wissenschaft willen, noch
etwas auszustehen fähig sind.

46.

Hieher gehören gleichfalls die schwarzen Buchstaben,
die im Abendlichte roth erscheinen. Vielleicht gehört
auch die Geschichte hieher, daß sich Blutstropfen auf
dem Tische zeigten, an den sich Heinrich der Vierte
von Frankreich mit dem Herzog von Guise, um Würfel
zu spielen, gesetzt hatte.

V.

Farbige Bilder.

47.

Wir wurden die physiologischen Farben zuerst bei'm
Abklingen farbloser blendender Bilder, so wie auch
bei abklingenden allgemeinen farblosen Blendungen
gewahr. Nun finden wir analoge Erscheinungen, wenn
dem Auge eine schon specificirte Farbe geboten wird,
wobei uns alles, was wir bisher erfahren haben,
immer gegenwärtig bleiben muß.

48.

Wie von den farblosen Bildern, so bleibt auch von den farbigen der Eindruck im Auge, nur daß uns die zur Opposition aufgeforderte, und durch den Gegensatz eine Totalität hervorbringende Lebendigkeit
5 der Netzhaut anschaulicher wird.

49.

Man halte ein kleines Stück lebhaft farbigen Papiers, oder seidnen Zeuges, vor eine mäßig er= leuchtete weiße Tafel, schaue unverwandt auf die kleine farbige Fläche und hebe sie, ohne das Auge
10 zu verrücken, nach einiger Zeit hinweg; so wird das Spectrum einer andern Farbe auf der weißen Tafel zu sehen sein. Man kann auch das farbige Papier an seinem Orte lassen, und mit dem Auge auf einen andern Fleck der weißen Tafel hinblicken; so wird
15 jene farbige Erscheinung sich auch dort sehen lassen: denn sie entspringt aus einem Bilde, das nunmehr dem Auge angehört.

50.

Um in der Kürze zu bemerken, welche Farben denn eigentlich durch diesen Gegensatz hervorgerufen
20 werden, bediene man sich des illuminirten Farben= kreises unserer Tafeln, der überhaupt naturgemäß eingerichtet ist, und auch hier seine guten Dienste leistet, indem die in demselben diametral einander entgegengesetzten Farben diejenigen sind, welche sich

im Auge wechselsweise fordern. So fordert Gelb das
Violette, Orange das Blaue, Purpur das Grüne,
und umgekehrt. So fordern sich alle Abstufungen
wechselsweise, die einfachere Farbe fordert die zu=
sammengesetztere, und umgekehrt.

51.

Öfter, als wir denken, kommen uns die hieher
gehörigen Fälle im gemeinen Leben vor, ja der Auf=
merksame sieht diese Erscheinungen überall, da sie
hingegen von dem ununterrichteten Theil der Men=
schen, wie von unsern Vorfahren, als flüchtige Fehler
angesehen werden, ja manchmal gar, als wären es
Vorbedeutungen von Augenkrankheiten, sorgliches Nach=
denken erregen. Einige bedeutende Fälle mögen hier
Platz nehmen.

52.

Als ich gegen Abend in ein Wirthshaus eintrat
und ein wohlgewachsenes Mädchen mit blendendweißem
Gesicht, schwarzen Haaren und einem scharlachrothen
Mieder zu mir in's Zimmer trat, blickte ich sie, die
in einiger Entfernung vor mir stand, in der Halb=
dämmerung scharf an. Indem sie sich nun darauf
hinwegbewegte, sah ich auf der mir entgegenstehenden
weißen Wand ein schwarzes Gesicht, mit einem hellen
Schein umgeben, und die übrige Bekleidung der völlig
deutlichen Figur erschien von einem schönen Meer=
grün.

53.

Unter dem optifchen Apparat befinden fich Bruft=
bilder von Farben und Schattirungen, denen ent=
gegengefetzt, welche die Natur zeigt, und man will,
wenn man fie eine Zeit lang angefchaut, die Schein=
⁵ geftalt alsdann ziemlich natürlich gefehen haben. Die
Sache ift an fich felbft richtig und der Erfahrung
gemäß: denn in obigem Falle hätte mir eine Mohrin
mit weißer Biude ein weißes Gefiht fchwarz um=
geben hervorgebracht; nur will es bei jenen gewöhn=
¹⁰ lich klein gemahlten Bildern nicht jedermann glücken,
die Theile der Scheinfigur gewahr zu werden.

54.

Ein Phänomen, das fchon früher bei den Natur=
forfchern Aufmerkfamkeit erregt, läßt fich, wie ich über=
zeugt bin, auch aus diefen Erfcheinungen ableiten.

¹⁵ Mau erzählt, daß gewiffe Blumen im Sommer
bei Abendzeit gleichfam blitzen, phosphoresciren oder
ein augenblickliches Licht ausftrömen. Einige Beob=
achter geben diefe Erfahrungen genauer an.

Diefes Phänomen felbft zu fehen hatte ich mich
²⁰ oft bemüht, ja fogar, um es hervorzubringen, künft=
liche Verfuche angeftellt.

Am 19. Jun. 1799, als ich zu fpäter Abendzeit,
bei der in eine klare Nacht übergehenden Dämmerung,
mit einem Freunde im Garten auf= und abging, be=
²⁵ merkten wir fehr deutlich an den Blumen des orien=

talischen Mohns, die vor allen andern eine sehr
mächtig rothe Farbe haben, etwas Flammenähnliches,
das sich in ihrer Nähe zeigte. Wir stellten uns vor
die Stauden hin, sahen aufmerksam darauf, konnten
aber nichts weiter bemerken, bis uns endlich, bei   5
abermaligem Hin= und Wiedergehen, gelang, indem
wir seitwärts darauf blickten, die Erscheinung so oft
zu wiederholen, als uns beliebte. Es zeigte sich, daß
es ein physiologisches Farbenphänomen, und der
scheinbare Blitz eigentlich das Scheinbild der Blume,   10
in der geforderten blaugrünen Farbe sei.

Wenn man eine Blume gerad ansieht, so kommt
die Erscheinung nicht hervor; doch müßte es auch ge=
schehen, sobald man mit dem Blick wankte. Schielt
man aber mit dem Augenwinkel hin, so entsteht eine   15
momentane Doppelerscheinung, bei welcher das Schein=
bild gleich neben und an dem wahren Bilde erblickt
wird.

Die Dämmerung ist Ursache, daß das Auge völlig
ausgeruht und empfänglich ist, und die Farbe des   20
Mohns ist mächtig genug, bei einer Sommerdämme=
rung der längsten Tage, noch vollkommen zu wirken
und ein gefordertes Bild hervorzurufen.

Ich bin überzeugt, daß man diese Erscheinung
zum Versuche erheben und den gleichen Effect durch   25
Papierblumen hervorbringen könnte.

Will man indessen sich auf die Erfahrung in der
Natur vorbereiten, so gewöhne man sich, indem man

durch den Garten geht, die ſarbigen Blumen ſcharf
anzuſehen und ſogleich auf den Sandweg hinzublicken;
man wird dieſen alsdann mit Flecken der entgegen=
geſetzten Farbe beſtreut ſehen. Dieſe Erfahrung glückt
bei bedecktem Himmel, aber auch ſelbſt beim hellſten
Sonnenſchein, der, indem er die Farbe der Blume
erhöht, ſie ſähig macht die geforderte Farbe mächtig
genug hervorzubringen, daß ſie ſelbſt bei einem blen=
denden Lichte noch bemerkt werden kann. So bringen
die Päonien ſchön grüne, die Calendeln lebhaft blaue
Spectra hervor.

55.

So wie bei den Verſuchen mit ſarbigen Bildern
auf einzelnen Theilen der Retina ein Farbenwechſel
geſetzmäßig entſteht, ſo geſchieht daſſelbe, wenn die
ganze Netzhaut von Einer Farbe afficirt wird. Hie=
von können wir uns überzeugen, wenn wir ſarbige
Glasſcheiben vor's Auge nehmen. Man blicke eine
Zeit lang durch eine blaue Scheibe, ſo wird die Welt
nachher dem befreiten Ange, wie von der Sonne er=
leuchtet erſcheinen, wenn auch gleich der Tag gran
und die Gegend herbſtlich farblos wäre. Eben ſo
ſehen wir, indem wir eine grüne Brille weglegen,
die Gegenſtände mit einem röthlichen Schein über=
glänzt. Ich ſollte daher glauben, daß es nicht wohl=
gethan ſei, zu Schonung der Angen ſich grüner Gläſer,
oder grünen Papiers zu bedienen, weil jede Farb=

specification dem Auge Gewalt anthut, und das Organ zur Opposition nöthigt.

56.

Haben wir bisher die entgegengesetzten Farben sich einander successiv auf der Retina fordern sehen; so bleibt uns noch übrig zu erfahren, daß diese gesetz= liche Forderung auch simultan bestehen könne. Mahlt sich auf einem Theile der Netzhaut ein farbiges Bild, so findet sich der übrige Theil sogleich in einer Dis= position, die bemerkten correspondirenden Farben her= vorzubringen. Setzt man obige Versuche fort, und blickt z. B. vor einer weißen Fläche auf ein gelbes Stück Papier; so ist der übrige Theil des Auges schon disponirt, auf gedachter farbloser Fläche das Violette hervorzubringen. Allein das wenige Gelbe ist nicht mächtig genug jene Wirkung deutlich zu leisten. Bringt man aber auf eine gelbe Wand weiße Papiere, so wird man sie mit einem violetten Ton überzogen sehen.

57.

Ob man gleich mit allen Farben diese Versuche anstellen kann, so sind doch besonders dazu Grün und Purpur zu empfehlen, weil diese Farben ein= ander auffallend hervorrufen. Auch im Leben be= gegnen uns diese Fälle häufig. Blickt ein grünes Papier durch gestreiften oder geblümten Musselin hindurch, so werden die Streifen oder Blumen röth=

lich erscheinen. Durch grüne Schaltern ein graues
Haus gesehen, erscheint gleichfalls röthlich. Die Pur=
purfarbe an dem bewegten Meer ist auch eine ge=
forderte Farbe. Der beleuchtete Theil der Wellen
erscheint grün in seiner eigenen Farbe, und der be=
schattete in der entgegengesetzten purpurnen. Die ver=
schiedene Richtung der Wellen gegen das Auge bringt
eben die Wirkung hervor. Durch eine Öffnung rother
oder grüner Vorhänge erscheinen die Gegenstände
draußen mit der geforderten Farbe. Übrigens werden
sich diese Erscheinungen dem Aufmerksamen überall,
ja bis zur Unbequemlichkeit zeigen.

58.

Haben wir das Simultane dieser Wirkungen bis=
her in den directen Fällen kennen gelernt; so können
wir solche auch in den umgekehrten bemerken. Nimmt
man ein sehr lebhaft orange gefärbtes Stückchen
Papier vor die weiße Fläche, so wird man, wenn
man es scharf ansieht, das auf der übrigen Fläche
geforderte Blau schwerlich gewahr werden. Nimmt
man aber das orange Papier weg, und erscheint an
dessen Platz das blaue Scheinbild; so wird sich in
dem Augenblick, da dieses völlig wirksam ist, die
übrige Fläche, wie in einer Art von Wetterleuchten,
mit einem röthlich gelben Schein überziehen, und
wird dem Beobachter die productive Forderung dieser
Gesetzlichkeit zum lebhaften Anschauen bringen.

59.

Wie die geforderten Farben, da wo sie nicht sind,
neben und nach der fordernden leicht erscheinen; so
werden sie erhöht, da wo sie sind. In einem Hofe,
der mit grauen Kalksteinen gepflastert und mit Gras
durchwachsen war, erschien das Gras von einer un= 5
endlich schönen Grüne, als Abendwolken einen röth=
lichen kaum bemerklichen Schein auf das Pflaster war=
fen. Im umgekehrten Falle sieht derjenige, der bei
einer mittleren Helle des Himmels auf Wiesen wan=
delt, und nichts als Grün vor sich sieht, öfters die 10
Baumstämme und Wege mit einem röthlichen Scheine
leuchten. Bei Landschaftmahlern, besonders denjenigen,
die mit Aquarellfarben arbeiten, kommt dieser Ton
öfters vor. Wahrscheinlich sehen sie ihn in der Natur,
ahmen ihn unbewußt nach und ihre Arbeit wird als 15
unnatürlich getadelt.

60.

Diese Phänomene sind von der größten Wichtig=
keit, indem sie uns auf die Gesetze des Sehens hin=
deuten, und zu künftiger Betrachtung der Farben eine
nothwendige Vorbereitung sind. Das Ange verlangt 20
dabei ganz eigentlich Totalität und schließt in sich
selbst den Farbenkreis ab. In dem vom Gelben ge=
forderten Violetten liegt das Rothe und Blaue; im
Orange das Gelbe und Rothe, dem das Blane ent=
spricht; das Grüne vereinigt Blau und Gelb und for= 25
dert das Rothe, und so in allen Abstufungen der ver=

ſchiedenſten Miſchungen. Daß man in dieſem Falle
genöthigt werde, drei Hauptfarben anzunehmen, iſt
ſchon früher von den Beobachtern bemerkt worden.

61.

Wenn in der Totalität die Elemente, woraus ſie
5 zuſammenwächſ't, noch bemerklich ſind, nennen wir
ſie billig Harmonie, und wie die Lehre von der Har=
monie der Farben ſich aus dieſen Phänomenen her=
leite, wie nur durch dieſe Eigenſchaften die Farbe fähig
ſei, zu äſthetiſchem Gebrauch angewendet zu werden,
10 muß ſich in der Folge zeigen, wenn wir den ganzen
Kreis der Beobachtungen durchlaufen haben und auf
den Punct, wovon wir ausgegangen ſind, zurückkehren.

VI.
Farbige Schatten.

62.

Ehe wir jedoch weiter ſchreiten, haben wir noch
15 höchſt merkwürdige Fälle dieſer lebendig geforderten,
neben einander beſtehenden Farben zu beobachten, und
zwar indem wir unſre Aufmerkſamkeit auf die far=
bigen Schatten richten. Um zu dieſen überzugehen,
wenden wir uns vorerſt zur Betrachtung der farb=
20 loſen Schatten.

63.

Ein Schatten von der Sonne auf eine weiße Fläche
geworfen gibt uns keine Empfindung von Farbe, so
lange die Sonne in ihrer völligen Kraft wirkt. Er
scheint schwarz oder, wenn ein Gegenlicht hinzu dringen
kann, schwächer, halberhellt, grau.   5

64.

Zu den farbigen Schatten gehören zwei Bedin=
gungen, erstlich, daß das wirksame Licht auf irgend
eine Art die weiße Fläche färbe, zweitens, daß ein
Gegenlicht den geworfenen Schatten auf einen gewissen
Grad erleuchte.   10

65.

Man setze bei der Dämmerung auf ein weißes Pa=
pier eine niedrig brennende Kerze; zwischen sie und
das abnehmende Tageslicht stelle man einen Bleistift
aufrecht, so daß der Schatten, welchen die Kerze wirst,
von dem schwachen Tageslicht erhellt, aber nicht auf= 15
gehoben werden kann, und der Schatten wird von dem
schönsten Blau erscheinen.

66.

Daß dieser Schatten blau sei, bemerkt man also=
bald; aber man überzeugt sich nur durch Aufmerk=
samkeit, daß das weiße Papier als eine röthlich gelbe 20
Fläche wirkt, durch welchen Schein jene blaue Farbe
im Auge gefordert wird.

67.

Bei allen farbigen Schatten daher muß man auf
der Fläche, auf welche er geworfen wird, eine erregte
Farbe vermuthen, welche ſich auch bei aufmerkſamerer
Betrachtung wohl erkennen läßt. Doch überzeuge man
5 ſich vorher durch folgenden Verſuch.

68.

Man nehme zu Nachtzeit zwei brennende Kerzen
und ſtelle ſie gegen einander auf eine weiße Fläche;
man halte einen dünnen Stab zwiſchen beiden auf=
recht, ſo daß zwei Schatten entſtehen; man nehme ein
10 farbiges Glas und halte es vor das eine Licht, alſo
daß die weiße Fläche gefärbt erſcheine, und in dem=
ſelben Augenblick wird der von dem nunmehr färben=
den Lichte geworfene, und von dem farbloſen Lichte
beleuchtete Schatten die geforderte Farbe anzeigen.

69.

15 Es tritt hier eine wichtige Betrachtung ein, auf
die wir noch öfters zurückkommen werden. Die Farbe
ſelbſt iſt ein Schattiges (σκιερόν); deßwegen Kircher
vollkommen recht hat, ſie Lumen opacatum zu nennen;
und wie ſie mit dem Schatten verwandt iſt, ſo ver=
20 bindet ſie ſich auch gern mit ihm, ſie erſcheint uns
gern in ihm und durch ihn, ſobald der Anlaß nur
gegeben iſt; und ſo müſſen wir bei Gelegenheit der
farbigen Schatten zugleich eines Phänomens erwähnen,

dessen Ableitung und Entwickelung erst später vor=
genommen werden kann.

70.

Man wähle in der Dämmerung den Zeitpunct,
wo das einfallende Himmelslicht noch einen Schatten
zu werfen im Stande ist, der von dem Kerzenlichte 5
nicht ganz aufgehoben werden kann, so daß vielmehr
ein doppelter fällt, einmal vom Kerzenlicht gegen das
Himmelslicht, und sodann vom Himmelslicht gegen
das Kerzenlicht. Wenn der erstere blau ist, so wird
der letztere hochgelb erscheinen. Dieses hohe Gelb ist 10
aber eigentlich nur der über das ganze Papier von
dem Kerzenlicht verbreitete gelbröthliche Schein, der
im Schatten sichtbar wird.

71.

Hievon kann man sich bei dem obigen Versuche
mit zwei Kerzen und farbigen Gläsern am besten über= 15
zeugen, so wie die unglaubliche Leichtigkeit, womit der
Schatten eine Farbe annimmt, bei der nähern Be=
trachtung der Widerscheine und sonst mehrmals zur
Sprache kommt.

72.

Und so wäre denn auch die Erscheinung der far= 20
bigen Schatten, welche den Beobachtern bisher so viel
zu schaffen gemacht, bequem abgeleitet. Ein jeder, der
künftighin farbige Schatten bemerkt, beobachte nur,

mit welcher Farbe die helle Fläche, worauf sie erscheinen, etwa tingirt sein möchte. Ja man kann die
Farbe des Schattens als ein Chromatoskop der beleuchteten Flächen ansehen, indem man die der Farbe
5 des Schattens entgegenstehende Farbe auf der Fläche
vermuthen und bei näherer Aufmerksamkeit in jedem
Falle gewahr werden kann.

73.

Wegen dieser nunmehr bequem abzuleitenden farbigen Schatten hat man sich bisher viel gequält und
10 sie, weil sie meistentheils unter freiem Himmel beobachtet wurden und vorzüglich blau erschienen, einer
gewissen heimlich blauen und blau färbenden Eigenschaft der Luft zugeschrieben. Man kann sich aber
bei jenem Versuche mit dem Kerzenlicht im Zimmer
15 überzeugen, daß keine Art von blauem Schein oder
Widerschein dazu nöthig ist, indem man den Versuch
an einem grauen trüben Tag, ja hinter zugezogenen
weißen Vorhängen anstellen kann, in einem Zimmer,
wo sich auch nicht das mindeste Blaue befindet, und
20 der blaue Schatten wird sich nur um desto schöner
zeigen.

74.

Saussure sagt in der Beschreibung seiner Reise auf
den Montblanc:

„Eine zweite nicht uninteressante Bemerkung be-
25 trifft die Farben der Schatten, die wir troß der ge-

nausten Beobachtung nie dunkelblau fanden, ob es
gleich in der Ebene häufig der Fall gewesen war.
Wir sahen sie im Gegentheil von neunundfunfzigmal
einmal gelblich, sechsmal blaßbläulich, achtzehnmal
farbenlos oder schwarz, und vierunddreißigmal blaß- 5
violett.

Wenn also einige Physiker annehmen, daß diese
Farben mehr von zufälligen in der Luft zerstreuten,
den Schatten ihre eigenthümlichen Nüancen mittheilen-
den Dünsten herrühren, nicht aber durch eine bestimmte 10
Luft- oder reflectirte Himmelsfarbe verursacht werden;
so scheinen jene Beobachtungen ihrer Meinung günstig
zu sein."

Die von de Saussure angezeigten Erfahrungen werden wir nun bequem einrangiren können. 15

Auf der großen Höhe war der Himmel meistentheils rein von Dünsten. Die Sonne wirkte in ihrer
ganzen Kraft auf den weißen Schnee, so daß er dem
Auge völlig weiß erschien, und sie sahen bei dieser
Gelegenheit die Schatten völlig farbenlos. War die 20
Luft mit wenigen Dünsten geschwängert und entstand
dadurch ein gelblicher Ton des Schnees, so folgten
violette Schatten und zwar waren diese die meisten.
Auch sahen sie bläuliche Schatten, jedoch seltener; und
daß die blauen und violetten nur blaß waren, kam 25
von der hellen und heiteren Umgebung, wodurch die
Schattenstärke gemindert wurde. Nur einmal sahen
sie den Schatten gelblich, welches, wie wir oben (70)

gesehen haben, ein Schatten ist, der von einem farb=
losen Gegenlichte geworfen und von dem färbenden
Hauptlichte erleuchtet worden.

75.

Auf einer Harzreise im Winter stieg ich gegen Abend
5 vom Brocken herunter, die weiten Flächen auf= und
abwärts waren beschneit, die Heide von Schnee bedeckt,
alle zerstreut stehenden Bäume und vorragenden Klip=
pen, auch alle Baum= und Felsenmassen völlig bereift,
die Sonne senkte sich eben gegen die Oberteiche hin=
10 unter.

Wären den Tag über, bei dem gelblichen Ton des
Schnees, schon leise violette Schatten bemerklich ge=
wesen, so mußte man sie nun für hochblau ansprechen,
als ein gesteigertes Gelb von den beleuchteten Theilen
15 widerschien.

Als aber die Sonne sich endlich ihrem Niedergang
näherte, und ihr durch die stärkeren Dünste höchst ge=
mäßigter Strahl die ganze mich umgebende Welt mit
der schönsten Purpurfarbe überzog, da verwandelte sich
20 die Schattenfarbe in ein Grün, das nach seiner Klar=
heit einem Meergrün, nach seiner Schönheit einem
Smaragdgrün verglichen werden konnte. Die Er=
scheinung ward immer lebhafter, man glaubte sich in
einer Feenwelt zu befinden, denn alles hatte sich in die
25 zwei lebhaften und so schön übereinstimmenden Farben
gekleidet, bis endlich mit dem Sonnenuntergang die

Prachterscheinung sich in eine graue Dämmerung, und
nach und nach in eine mond= und sternhelle Nacht
verlor.

76.

Einer der schönsten Fälle farbiger Schatten kann
bei dem Vollmonde beobachtet werden. Der Kerzen=
und Mondenschein lassen sich völlig in's Gleichgewicht
bringen. Beide Schatten können gleich stark und
deutlich dargestellt werden, so daß beide Farben sich
vollkommen balanciren. Man setzt die Tafel dem
Scheine des Vollmondes entgegen, das Kerzenlicht ein
wenig an die Seite, in gehöriger Entfernung, vor die
Tafel hält man einen undurchsichtigen Körper; als=
dann entsteht ein doppelter Schatten, und zwar wird
derjenige, den der Mond wirft und das Kerzenlicht
bescheint, gewaltig rothgelb, und umgekehrt der, den
das Licht wirft und der Mond bescheint, vom schön=
sten Blau gesehen werden. Wo beide Schatten zu=
sammentreffen und sich zu Einem vereinigen, ist er
schwarz. Der gelbe Schatten läßt sich vielleicht auf
keine Weise auffallender darstellen. Die unmittel=
bare Nähe des blauen, der dazwischentretende schwarze
Schatten machen die Erscheinung desto angenehmer.
Ja, wenn der Blick lange auf der Tafel verweilt, so
wird das geforderte Blau das fordernde Gelb wieder
gegenseitig fordernd steigern und in's Gelbrothe trei=
ben, welches denn wieder seinen Gegensatz, eine Art
von Meergrün, hervorbringt.

77.

Hier ist der Ort zu bemerken, daß es wahrschein=
lich eines Zeitmomentes bedarf, um die geforderte
Farbe hervorzubringen. Die Retina muß von der
fordernden Farbe erst recht afficirt sein, ehe die ge=
5 forderte lebhaft bemerklich wird.

78.

Wenn Taucher sich unter dem Meere befinden und
das Sonnenlicht in ihre Glocke scheint, so ist alles
Beleuchtete, was sie umgibt, purpurfarbig (wovon
künftig die Ursache anzugeben ist); die Schatten da=
10 gegen sehen grün aus. Eben dasselbe Phänomen, was
ich auf einem hohen Berge gewahr wurde (75), be=
merken sie in der Tiefe des Meers, und so ist die
Natur mit sich selbst durchaus übereinstimmend.

79.

Einige Erfahrungen und Versuche, welche sich
15 zwischen die Capitel von farbigen Bildern und von
farbigen Schatten gleichsam einschieben, werden hier
nachgebracht.

Man habe an einem Winterabende einen weißen
Papierladen inwendig vor dem Fenster eines Zimmers;
20 in diesem Laden sei eine Öffnung, wodurch man den
Schnee eines etwa benachbarten Daches sehen köune;
es sei draußen noch einigermaßen dämmrig und ein
Licht komme in das Zimmer; so wird der Schnee

durch die Öffnung vollkommen blau erscheinen, weil
nämlich das Papier durch das Kerzenlicht gelb ge=
färbt wird.   Der Schnee, welchen man durch die
Öffnung sieht, tritt hier an die Stelle eines durch
ein Gegenlicht erhellten Schattens, oder, wenn man 5
will, eines grauen Bildes auf gelber Fläche.

80.

Ein andrer sehr interessanter Versuch mache den
Schluß.

Nimmt man eine Tafel grünen Glases von einiger
Stärke und läßt darin die Fensterstäbe sich spiegeln; 10
so wird man sie doppelt sehen, und zwar wird das
Bild, das von der untern Fläche des Glases kommt,
grün sein, das Bild hingegen, das sich von der obern
Fläche herleitet und eigentlich farblos sein sollte,
wird purpurfarben erscheinen.   15

An einem Gefäß, dessen Boden spiegelartig ist,
welches man mit Wasser füllen kann, läßt sich der
Versuch sehr artig anstellen, indem man bei reinem
Wasser erst die farblosen Bilder zeigen, und durch
Färbung desselben sodann die farbigen Bilder produ= 20
ciren kann.

VII.
Schwachwirkende Lichter.

81.

Das energische Licht erscheint rein weiß, und diesen
Eindruck macht es auch im höchsten Grade der Blen=
dung. Das nicht in seiner ganzen Gewalt wirkende
5 Licht kann auch noch unter verschiedenen Bedingungen
farblos bleiben. Mehrere Naturforscher und Mathe=
matiker. haben die Stufen desselben zu messen gesucht.
Lambert, Bouguer, Rumford.

82.

Jedoch findet sich bei schwächer wirkenden Lichtern
10 bald eine Farbenerscheinung, indem sie sich wie ab=
klingende Bilder verhalten (39).

83.

Irgend ein Licht wirkt schwächer, entweder wenn
seine Energie, es geschehe wie es wolle, gemindert
wird, oder wenn das Auge in eine Disposition ge=
15 räth, die Wirkung nicht genugsam erfahren zu können.
Jene Erscheinungen, welche objectiv genannt werden
können, finden ihren Platz bei den physischen Farben.
Wir erwähnen hier nur des Übergangs vom Weiß=
glühen bis zum Rothglühen des erhitzten Eisens.

Nicht weniger bemerken wir, daß Kerzen, auch bei
Nachtzeit, nach Maßgabe wie man sie vom Auge ent=
fernt, röther scheinen.

84.

Der Kerzenschein bei Nacht wirkt in der Nähe
als ein gelbes Licht; wir können es an der Wirkung 5
bemerken, welche auf die übrigen Farben hervor=
gebracht wird.   Ein Blaßgelb ist bei Nacht wenig
von dem Weißen zu unterscheiden; das Blaue nähert
sich dem Grünen und ein Rosenfarb dem Orangen.

85.

Der Schein des Kerzenlichts bei der Dämmrung 10
wirkt lebhaft als ein gelbes Licht, welches die blauen
Schatten am besten beweisen, die bei dieser Gelegen=
heit im Auge hervorgerufen werden.

86.

Die Retina kann durch ein starkes Licht dergestalt
gereizt werden, daß sie schwächere Lichter nicht erkennen 15
kann (11).   Erkennt sie solche, so erscheinen sie farbig;
daher sieht ein Kerzenlicht bei Tage röthlich aus, es
verhält sich wie ein abklingendes; ja ein Kerzenlicht,
das man bei Nacht länger und schärfer ansieht, er=
scheint immer röther.
                                                        20

87.

Es gibt schwach wirkende Lichter, welche demun=
geachtet eine weiße, höchstens hellgelbliche Erscheinung

auf der Retina machen, wie der Mond in seiner vollen Klarheit. Das faule Holz hat sogar eine Art von bläulichem Schein. Dieses alles wird künftig wieder zur Sprache kommen.

88.

Wenn man nahe an eine weiße oder grauliche Wand Nachts ein Licht stellt, so wird sie von diesem Mittelpunct aus auf eine ziemliche Weite erleuchtet sein. Betrachtet man den daher entstehenden Kreis aus einiger Ferne, so erscheint uns der Rand der erleuchteten Fläche mit einem gelben, nach außen rothgelben Kreise umgeben, und wir werden aufmerksam gemacht, daß das Licht, wenn es scheinend oder widerscheinend nicht in seiner größten Energie auf uns wirkt, unserm Auge den Eindruck vom Gelben, Röthlichen, und zuletzt sogar vom Rothen gebe. Hier finden wir den Übergang zu den Höfen, die wir um leuchtende Puncte auf eine oder die andre Weise zu sehen pflegen.

VIII.
Subjective Höfe.

89.

Man kann die Höfe in subjective und objective eintheilen. Die letzten werden unter den physischen

Farben abgehandelt, nur die ersten gehören hieher. Sie unterscheiden sich von den objectiven darin, daß sie verschwinden, wenn man den leuchtenden Gegenstand, der sie auf der Netzhaut hervorbringt, zudeckt.

90.

Wir haben oben den Eindruck des leuchtenden Bildes auf die Retina gesehen und wie es sich auf derselben vergrößert; aber damit ist die Wirkung noch nicht vollendet. Es wirkt nicht allein als Bild, sondern auch als Energie über sich hinaus; es verbreitet sich vom Mittelpuncte aus nach der Peripherie.

91.

Daß ein solcher Nimbus um das leuchtende Bild in unserm Auge bewirket werde, kann man am besten in der dunkeln Kammer sehen, wenn man gegen eine mäßig große Öffnung im Fensterladen hinblickt. Hier ist das helle Bild von einem runden Nebelschein umgeben.

Einen solchen Nebelschein sah ich mit einem gelben und gelbrothen Kreise umgeben, als ich mehrere Nächte in einem Schlafwagen zubrachte und Morgens bei dämmerndem Tageslichte die Augen aufschlug.

92.

Die Höfe erscheinen am lebhaftesten, wenn das Auge ausgeruht und empfänglich ist. Nicht weniger

vor einem dunklen Hintergrund. Beides ist die Ur=
sache, daß wir sie so stark sehen, wenn wir Nachts
aufwachen und uns ein Licht entgegengebracht wird.
Diese Bedingungen fanden sich auch zusammen, als
5 Descartes im Schiff sitzend geschlafen hatte und so
lebhafte farbige Scheine um das Licht bemerkte.

93.

Ein Licht muß mäßig leuchten, nicht blenden, wenn
es einen Hof im Auge erregen soll, wenigstens würden
die Höfe eines blendenden Lichtes nicht bemerkt werden
10 können. Wir sehen einen solchen Glanzhof um die
Sonne, welche von einer Wasserfläche in's Ange fällt.

94.

Genau beobachtet ist ein solcher Hof an seinem
Rande mit einem gelben Saume eingefaßt. Aber auch
hier ist jene energische Wirkung noch nicht geendigt,
15 sondern sie scheint sich in abwechselnden Kreisen weiter
fort zu bewegen.

95.

Es gibt viele Fälle, die auf eine kreisartige Wir=
kung der Retina deuten, es sei nun, daß sie durch die
runde Form des Auges selbst und seiner verschiedenen
20 Theile, oder sonst hervorgebracht werde.

96.

Wenn man das Ange von dem innern Augenwinkel
her nur ein wenig drückt, so entstehen dunklere oder

hellere Kreise. Man kann bei Nachtzeit manchmal
auch ohne Druck eine Succession solcher Kreise gewahr
werden, von denen sich einer aus dem andern ent=
wickelt, einer vom andern verschlungen wird.

97.

Wir haben schon einen gelben Rand um den von
einem nah gestellten Licht erleuchteten weißen Raum
gesehen. Dieß wäre eine Art von objectivem Hof (88).

98.

Die subjectiven Höfe können wir uns als den Con=
flict des Lichtes mit einem lebendigen Raume denken.
Aus dem Conflict des Bewegenden mit dem Bewegten
entsteht eine undulirende Bewegung. Man kann das
Gleichniß von den Ringen im Wasser hernehmen.
Der hineingeworfene Stein treibt das Wasser nach
allen Seiten, die Wirkung erreicht eine höchste Stufe,
sie klingt ab und gelangt, im Gegensatz, zur Tiefe.
Die Wirkung geht fort, culminirt auf's neue und so
wiederholen sich die Kreise. Erinnert man sich der
concentrischen Ringe, die in einem mit Wasser gefüllten
Trinkglase entstehen, wenn man versucht, einen Ton
durch Reiben des Randes hervorzubringen, gedenkt man
der intermittirenden Schwingungen bei'm Abklingen
der Glocken; so nähert man sich wohl in der Vor=
stellung demjenigen, was auf der Retina vorgehen
mag, wenn sie von einem leuchtenden Gegenstand ge=

troffen wird, nur daß sie als lebendig schon eine ge=
wiffe kreisartige Disposition in ihrer Organisation hat.

99.

Die um das leuchtende Bild sich zeigende helle
Kreisfläche ist gelb mit Roth geendigt. Darauf folgt
ein grünlicher Kreis, der mit einem rothen Raude ge=
schloffen ist. Dieß scheint das gewöhnliche Phänomen
zu sein bei einer gewiffen Größe des leuchtenden Kör=
pers. Diese Höfe werden größer, je weiter man sich
von dem leuchtenden Bilde entfernt.

100.

Die Höfe können aber auch im Auge unendlich
klein und vielfach erscheinen, wenn der erste Anstoß
klein und mächtig ist. Der Versuch macht sich am
besten mit einer auf der Erde liegenden, von der Sonne
beschienenen Goldflinter. In diesen Fällen erscheinen
die Höfe in bunten Strahlen. Jene farbige Erschei=
nung, welche die Sonne im Ange macht, indem sie
durch Baumblätter dringt, scheint auch hieher zu ge=
hören.

Pathologische Farben.
Anhang.

101.

Die physiologischen Farben kennen wir nunmehr
hinreichend, um sie von den pathologischen zu unter=
scheiden. Wir wissen, welche Erscheinungen dem ge= 5
sunden Auge zugehören und nöthig sind, damit sich
das Organ vollkommen lebendig und thätig erzeige.

102.

Die krankhaften Phänomene deuten gleichfalls auf
organische und physische Gesetze: denn wenn ein be=
sonderes lebendiges Wesen von derjenigen Regel ab= 10
weicht, durch die es gebildet ist, so strebt es in's all=
gemeine Leben hin, immer auf einem gesetzlichen Wege,
und macht uns auf seiner ganzen Bahn jene Maximen
anschaulich, aus welchen die Welt entsprungen ist und
durch welche sie zusammengehalten wird. 15

103.

Wir sprechen hier zuerst von einem sehr merkwür=
digen Zustande, in welchem sich die Augen mancher

Personen befinden. Indem er eine Abweichung von
der gewöhnlichen Art die Farben zu sehen anzeigt, so
gehört er wohl zu den krankhaften; da er aber regel=
mäßig ist, öfter vorkommt, sich auf mehrere Familien=
glieder erstreckt und sich wahrscheinlich nicht heilen
läßt, so stellen wir ihn billig auf die Gränze.

104.

Ich kannte zwei Subjecte, die damit behaftet
waren, nicht über zwanzig Jahr alt; beide hatten
blaugraue Augen, ein scharfes Gesicht in der Nähe
und Ferne, bei Tages= und Kerzenlicht, und ihre Art
die Farben zu sehen war in der Hauptsache völlig
übereinstimmend.

105.

Mit uns treffen sie zusammen, daß sie Weiß,
Schwarz und Grau nach unsrer Weise benennen;
Weiß sahen sie beide ohne Beimischung. Der eine
wollte bei Schwarz etwas Bräunliches und bei Grau
etwas Röthliches bemerken. Überhaupt scheinen sie
die Abstufung von Hell und Dunkel sehr zart zu
empfinden.

106.

Mit uns scheinen sie Gelb, Rothgelb und Gelb=
roth zu sehen; bei dem letzten sagen sie, sie sähen
das Gelbe gleichsam über dem Roth schweben, wie
lasirt. Carmin in der Mitte einer Untertasse dicht
aufgetrocknet nannten sie roth.

107.

Nun aber tritt eine auffallende Differenz ein.
Man streiche mit einem genetzten Pinsel den Carmin
leicht über die weiße Schale, so werden sie diese ent=
stehende helle Farbe der Farbe des Himmels ver=
gleichen und solche blau nennen. Zeigt man ihnen 5
daneben eine Rose, so nennen sie diese auch blau, und
können bei allen Proben, die man anstellt, das Hell=
blau nicht von dem Rosenfarb unterscheiden. Sie
verwechseln Rosenfarb, Blau und Violett durchaus;
nur durch kleine Schattirungen des Helleren, Dunkleren, 10
Lebhafteren, Schwächeren scheinen sich diese Farben
für sie von einander abzusondern.

108.

Ferner können sie Grün von einem Dunkel=
orange, besonders aber von einem Rothbraun nicht
unterscheiden.   15

109.

Wenn man die Unterhaltung mit ihnen dem Zu=
fall überläßt und sie bloß über vorliegende Gegen=
stände befragt, so geräth man in die größte Ver=
wirrung und fürchtet wahnsinnig zu werden. Mit
einiger Methode hingegen kommt man dem Gesetz 20
dieser Gesetzwidrigkeit schon um vieles näher.

110.

Sie haben, wie man aus dem Obigen sehen kann,
weniger Farben als wir; daher denn die Verwechse=

lung von verschiedenen Farben entsteht. Sie nennen
den Himmel rosenfarb und die Rose blau, oder um=
gekehrt. Nun fragt sich: sehen sie beides blau, oder
beides rosenfarb? sehen sie das Grün orange, oder
5 das Orange grün?

111.

Diese seltsamen Räthsel scheinen sich zu lösen, wenn
man annimmt, daß sie kein Blau, sondern an dessen
Statt einen diluirten Purpur, ein Rosenfarb, ein helles
reines Roth sehen. Symbolisch kann man sich diese
10 Lösung einstweilen folgendermaßen vorstellen.

112.

Nehmen wir aus unserm Farbenkreise das Blaue
heraus, so fehlt uns Blau, Violett und Grün. Das
reine Roth verbreitet sich an der Stelle der beiden
ersten, und wenn es wieder das Gelbe berührt, bringt
15 es anstatt des Grünen abermals ein Orange hervor.

113.

Indem wir uns von dieser Erklärungsart über=
zeugt halten, haben wir diese merkwürdige Abweichung
vom gewöhnlichen Sehen Akyanoblepsie genannt,
und zu besserer Einsicht mehrere Figuren gezeichnet
20 und illuminirt, bei deren Erklärung wir künftig das
Weitere beizubringen gedenken. Auch findet man da=
selbst eine Landschaft, gefärbt nach der Weise, wie diese
Menschen wahrscheinlich die Natur sehen, den Himmel

rosenfarb und alles Grüne in Tönen vom Gelben bis
zum Braunrothen, ungefähr wie es uns im Herbst
erscheint.

114.

Wir sprechen nunmehr von krankhaften sowohl
als allen widernatürlichen, außernatürlichen, seltenen
Affectionen der Retina, wobei, ohne äußres Licht, das
Auge zu einer Lichterscheinung disponirt werden kann,
und behalten uns vor, des galvanischen Lichtes künftig
zu erwähnen.

115.

Bei einem Schlag auf's Auge scheinen Funken
umher zu sprühen. Ferner, wenn man in gewissen
körperlichen Dispositionen, besonders bei erhitztem
Blute und reger Empfindlichkeit, das Auge erst sachte,
dann immer stärker drückt, so kann man ein blendendes
unerträgliches Licht erregen.

116.

Operirte Staarkranke, wenn sie Schmerz und Hitze
im Auge haben, sehen häufig feurige Blitze und Fun=
ken, welche zuweilen acht bis vierzehn Tage bleiben,
oder doch so lange, bis Schmerz und Hitze weicht.

117.

Ein Kranker, wenn er Ohrenschmerz bekam, sah
jederzeit Lichtfunken und Kugeln im Auge, so lange
der Schmerz dauerte.

118.

Wurmkranke haben oft sonderbare Erscheinungen im Auge, bald Feuerfunken, bald Lichtgespenster, bald schreckhafte Figuren, die sie nicht entfernen können. Bald sehen sie doppelt.

119.

⁵ Hypochondristen sehen häufig schwarze Figuren als Fäden, Haare, Spinnen, Fliegen, Wespen. Diese Erscheinungen zeigen sich auch bei anfangendem schwarzen Staar. Manche sehen halbdurchsichtige kleine Röhren, wie Flügel von Insecten, Wasserbläschen von ¹⁰ verschiedener Größe, welche bei'm Heben des Auges niedersinken, zuweilen gerade so in Verbindung hängen, wie Froschlaich, und bald als völlige Sphären, bald als Linsen bemerkt werden.

120.

Wie dort das Licht ohne äußeres Licht, so ent= ¹⁵ springen auch diese Bilder ohne äußre Bilder. Sie sind theils vorübergehend, theils lebenslänglich dauernd. Hiebei tritt auch manchmal eine Farbe ein: denn Hy= pochondristen sehen auch häufig gelbrothe schmale Bänder im Auge, oft heftiger und häufiger am ²⁰ Morgen, oder bei leerem Magen.

121.

Daß der Eindruck irgend eines Bildes im Auge einige Zeit verharre, kennen wir als ein physiologisches

Phänomen (23), die allzulange Dauer eines solchen
Eindrucks hingegen kann als krankhaft angesehen
werden.

122.

Je schwächer das Auge ist, desto länger bleibt das
Bild in demselben. Die Retina stellt sich nicht so bald 5
wieder her, und man kann die Wirkung als eine Art
von Paralyse ansehen (28).

123.

Von blendenden Bildern ist es nicht zu verwun=
dern. Wenn man in die Sonne sieht, so kann man
das Bild mehrere Tage mit sich herumtragen. Boyle 10
erzählt einen Fall von zehn Jahren.

124.

Das Gleiche findet auch verhältnißmäßig von
Bildern, welche nicht blendend sind, statt. Büsch er=
zählt von sich selbst, daß ihm ein Kupferstich voll=
kommen mit allen seinen Theilen bei siebzehn Minuten 15
im Auge geblieben.

125.

Mehrere Personen, welche zu Krampf und Voll=
blütigkeit geneigt waren, behielten das Bild eines
hochrothen Cattuns mit weißen Muscheln viele
Minuten lang im Auge und sahen es wie einen Flor 20
vor allem schweben. Nur nach langem Reiben des
Auges verlor sich's.

126.

Scherffer bemerkt, daß die Purpurfarbe eines ab=
klingenden starken Lichteindrucks einige Stunden dauern
könne.

127.

Wie wir durch Druck auf den Augapfel eine Licht=
erscheinung auf der Retina hervorbringen können, so
entsteht bei schwachem Druck eine rothe Farbe und
wird gleichsam ein abklingendes Licht hervorgebracht.

.

128.

Viele Kranke, wenn sie erwachen, sehen alles in
der Farbe des Morgenroths, wie durch einen rothen
Flor; auch wenn sie am Abend lesen, und zwischen=
durch einnicken und wieder aufwachen, pflegt es zu
geschehen. Dieses bleibt minutenlang und vergeht
allenfalls, wenn das Auge etwas gerieben wird. Da=
bei sind zuweilen rothe Sterne und Kugeln. Dieses
Rothsehen dauert auch wohl eine lange Zeit.

129.

Die Luftfahrer, besonders Zambeccari und seine
Gefährten, wollen in ihrer höchsten Erhebung den
Mond blutroth gesehen haben. Da sie sich über die
irdischen Dünste emporgeschwungen hatten, durch welche
wir den Mond und die Sonne wohl in einer solchen
Farbe sehen; so läßt sich vermuthen, daß diese Er=
scheinung zu den pathologischen Farben gehöre. Es

mögen nämlich die Sinne durch den ungewohnten
Zustand dergestalt afficirt sein, daß der ganze Körper
und besonders auch die Retina in eine Art von Un=
rührbarkeit und Unreizbarkeit verfällt. Es ist daher
nicht unmöglich, daß der Mond als ein höchst abge= 5
stumpftes Licht wirke, und also das Gefühl der rothen
Farbe hervorbringe. Den Hamburger Luftfahrern
erschien auch die Sonne blutroth.

Wenn die Luftfahrenden zusammen sprechen und
sich kaum hören, sollte nicht auch dieses der Unreizbar= 10
keit der Nerven eben so gut als der Dünne der Luft
zugeschrieben werden können?

130.

Die Gegenstände werden von Kranken auch manch=
mal vielfärbig gesehen. Bohle erzählt von einer Dame,
daß sie nach einem Sturze, wobei ein Auge gequetscht 15
worden, die Gegenstände, besonders aber die weißen,
lebhaft bis zum Unerträglichen, schimmern gesehen.

131.

Die Ärzte nennen Chrupsie, wenn in typhischen
Krankheiten, besonders der Augen, die Patienten an
den Rändern der Bilder, wo Hell und Dunkel an 20
einander gränzen, farbige Umgebungen zu sehen ver=
sichern. Wahrscheinlich entsteht in den Liquoren eine
Veränderung, wodurch ihre Achromasie aufgehoben
wird.

132.

Bei'm grauen Staar läßt eine starkgetrübte Kry=
stalllinse den Kranken einen rothen Schein sehen. In
einem solchen Falle, der durch Elektricität behandelt
wurde, veränderte sich der rothe Schein nach und nach
5 in einen gelben, zuletzt in einen weißen, und der
Kranke fing an wieder Gegenstände gewahr zu werden;
woraus man schließen konnte, daß der trübe Zustand
der Linse sich nach und nach der Durchsichtigkeit nähere.
Diese Erscheinung wird sich, sobald wir mit den phy=
10 sischen Farben nähere Bekanntschaft gemacht, bequem
ableiten lassen.

133.

Kann man nun annehmen, daß ein gelbsüchtiger
Kranker durch einen wirklich gelbgefärbten Liquor hin=
durchsehe; so werden wir schon in die Abtheilung der
15 chemischen Farben verwiesen, und wir sehen leicht ein,
daß wir das Capitel von den pathologischen Farben
nur dann erst vollkommen ausarbeiten können, wenn
wir uns mit der Farbenlehre in ihrem ganzen Umfang
bekannt gemacht; deßhalb sei es an dem Gegenwärtigen
20 genug, bis wir später das Angedeutete weiter aus=
führen können.

134.

Nur möchte hier zum Schlusse noch einiger be=
sondern Dispositionen des Auges vorläufig zu er=
wähnen sein.

Es gibt Mahler, welche, anſtatt daß ſie die natür=
liche Farbe wiedergeben ſollten, einen allgemeinen Ton,
einen warmen oder kalten über das Bild verbreiten.
So zeigt ſich auch bei manchen eine Vorliebe für ge=
wiſſe Farben, bei andern ein Ungefühl für Harmonie. 5

135.

Endlich iſt noch bemerkenswerth, daß wilde Natio=
nen, ungebildete Menſchen, Kinder eine große Vor=
liebe für lebhafte Farben empfinden, daß Thiere bei
gewiſſen Farben in Zorn gerathen, daß gebildete
Menſchen in Kleidung und ſonſtiger Umgebung die 10
lebhaften Farben vermeiden und ſie durchgängig von
ſich zu entfernen ſuchen.

Zweite Abtheilung.

Physische Farben.

—— -

136.

Physische Farben nennen wir diejenigen, zu deren
Hervorbringung gewisse materielle Mittel nöthig sind,
5 welche aber selbst keine Farbe haben, und theils durchsichtig, theils trüb und durchscheinend, theils völlig
undurchsichtig sein können. Dergleichen Farben werden also in unserm Auge durch solche äußere bestimmte
Anlässe erzeugt, oder, wenn sie schon auf irgend eine
10 Weise außer uns erzeugt sind, in unser Auge zurückgeworfen. Ob wir nun schon hiedurch denselben eine
Art von Objectivität zuschreiben, so bleibt doch das
Vorübergehende, Nichtfestzuhaltende meistens ihr Kennzeichen.

137.

15 Sie heißen daher auch bei den frühern Naturforschern Colores apparentes, fluxi, fugitivi, phanta-
stici, falsi, variantes. Zugleich werden sie speciosi
und emphatici, wegen ihrer auffallenden Herrlichkeit,
genannt. Sie schließen sich unmittelbar an die physio-

logischen an, und scheinen nur um einen geringen
Grad mehr Realität zu haben. Denn wenn bei jenen
vorzüglich das Auge wirksam war, und wir die Phä=
nomene derselben nur in uns, nicht aber außer uns
darzustellen vermochten; so tritt nun hier der Fall 5
ein, daß zwar Farben im Auge durch farblose Gegen=
stände erregt werden, daß wir aber auch eine farb=
lose Fläche an die Stelle unserer Retina setzen und
auf derselben die Erscheinung außer uns gewahr wer=
den können; wobei uns jedoch alle Erfahrungen auf 10
das bestimmteste überzeugen, daß hier nicht von serti=
gen, sondern von werdenden und wechselnden Farben
die Rede sei.

138.

Wir sehen uns deßhalb bei diesen physischen Farben
durchaus im Staude, einem subjectiven Phänomen ein 15
objectives an die Seite zu setzen, und öfters, durch die
Verbindung beider, mit Glück tiefer in die Natur der
Erscheinung einzudringen.

139.

Bei den Erfahrungen also, wobei wir die physi=
schen Farben gewahr werden, wird das Auge nicht 20
für sich als wirkend, das Licht niemals in unmittel=
barem Bezuge auf das Auge betrachtet; sondern wir
richten unsere Aufmerksamkeit besonders darauf, wie
durch Mittel, und zwar farblose Mittel, verschiedene
Bedingungen entstehen.   25

140.

Das Licht kann auf dreierlei Weise unter diesen Umständen bedingt werden. Erstlich, wenn es von der Oberfläche eines Mittels zurückstrahlt, da denn die katoptrischen Versuche zur Sprache kommen. Zweitens, wenn es an dem Rande eines Mittels herstrahlt. Die dabei eintretenden Erscheinungen wurden ehmals perioptische genannt, wir nennen sie paroptische. Drittens, wenn es durch einen durchscheinenden oder durchsichtigen Körper durchgeht, welches die dioptrischen Versuche sind. Eine vierte Art physischer Farben haben wir epoptische genannt, indem sich die Erscheinung, ohne vorgängige Mittheilung (βαφή), auf einer farblosen Oberfläche der Körper unter verschiedenen Bedingungen sehen läßt.

141.

Beurtheilen wir diese Rubriken in Bezug auf die von uns beliebten Hauptabtheilungen, nach welchen wir die Farben in physiologischer, physischer und chemischer Rücksicht betrachten; so finden wir, daß die katoptrischen Farben sich nahe an die physiologischen anschließen, die paroptischen sich schon etwas mehr ablösen und gewissermaßen selbstständig werden, die dioptrischen sich ganz eigentlich physisch erweisen und eine entschieden objective Seite haben; die epoptischen, obgleich in ihren Anfängen auch nur apparent, machen den Übergang zu den chemischen Farben.

142.

Wenn wir also unsern Vortrag stetig nach An=
leitung der Natur fortführen wollten, so dürften wir
nur in der jetzt eben bezeichneten Ordnung auch ferner=
hin verfahren; weil aber bei didaktischen Vorträgen
es nicht sowohl darauf ankommt, dasjenige, wovon 5
die Rede ist, an einander zu knüpfen, vielmehr solches
wohl aus einander zu sondern, damit erst zuletzt,
wenn alles Einzelne vor die Seele gebracht ist, eine
große Einheit das Besondere verschlinge: so wollen
wir uns gleich zu den dioptrischen Farben wenden, 10
um den Leser alsbald in die Mitte der physischen
Farben zu versetzen, und ihm ihre Eigenschaften auf=
fallender zu machen.

IX.

Dioptrische Farben.

143.

Man nennt dioptrische Farben diejenigen, zu deren 15
Entstehung ein farbloses Mittel gefordert wird, der=
gestalt daß Licht und Finsterniß hindurchwirken, ent=
weder auf's Auge, oder auf entgegenstehende Flächen.
Es wird also gefordert, daß das Mittel durchsichtig
oder wenigstens bis auf einen gewissen Grad durch= 20
scheinend sei.

144.

Nach dieſen Bedingungen theilen wir die dioptri=
ſchen Erſcheinungen in zwei Claſſen, und ſetzen in die
erſte diejenigen, welche bei durchſcheinenden trüben
Mitteln entſtehen, in die zweite aber ſolche, die ſich
5 alsdann zeigen, wenn das Mittel in dem höchſt mög=
lichen Grade durchſichtig iſt.

X.

Dioptriſche Farben

der erſten Claſſe.

145.

Der Raum, den wir uns leer denken, hätte durch=
10 aus für uns die Eigenſchaft der Durchſichtigkeit. Wenn
ſich nun derſelbe dergeſtalt füllt, daß unſer Auge die
Ausfüllung nicht gewahr wird; ſo entſteht ein mate=
rielles, mehr oder weniger körperliches, durchſichtiges
Mittel, das luft= und gasartig, flüſſig oder auch feſt
15 ſein kann.

146.

Die reine durchſcheinende Trübe leitet ſich aus
dem Durchſichtigen her. Sie kann ſich uns alſo auch
auf gedachte dreifache Weiſe darſtellen.

147.

Die vollendete Trübe ist das Weiße, die gleich=
gültigste, hellste, erste undurchsichtige Raumerfüllung.

148.

Das Durchsichtige selbst, empirisch betrachtet, ist
schon der erste Grad des Trüben. Die ferneren Grade
des Trüben bis zum undurchsichtigen Weißen sind 5
unendlich.

149.

Auf welcher Stufe wir auch das Trübe vor seiner
Undurchsichtigkeit festhalten, gewährt es uns, wenn
wir es in Verhältniß zum Hellen und Dunkeln setzen,
einfache und bedeutende Phänomene. 10

150.

Das höchstenergische Licht, wie das der Sonne,
des Phosphors in Lebensluft verbrennend, ist blendend
und farblos. So kommt auch das Licht der Fixsterne
meistens farblos zu uns. Dieses Licht aber durch ein
auch nur wenig trübes Mittel gesehen, erscheint uns 15
gelb. Nimmt die Trübe eines solchen Mittels zu, oder
wird seine Tiefe vermehrt, so sehen wir das Licht nach
und nach eine gelbrothe Farbe annehmen, die sich
endlich bis zum Rubinrothen steigert.

151.

Wird hingegen durch ein trübes, von einem dar= 20
auffallenden Lichte erleuchtetes Mittel die Finsterniß

gesehen, so erscheint uns eine blaue Farbe, welche
immer heller und blässer wird, je mehr sich die Trübe
des Mittels vermehrt, hingegen immer dunkler und
satter sich zeigt, je durchsichtiger das Trübe werden
kann, ja bei dem mindesten Grad der reinsten Trübe,
als das schönste Violett dem Auge fühlbar wird.

152.

Wenn diese Wirkung auf die beschriebene Weise in
unserm Auge vorgeht und also subjectiv genannt
werden kann; so haben wir uns auch durch objective
Erscheinungen von derselben noch mehr zu vergewissern.
Denn ein so gemäßigtes und getrübtes Licht wirft auch
auf die Gegenstände einen gelben, gelbrothen oder pur=
puruen Schein; und ob sich gleich die Wirkung der
Finsterniß durch das Trübe nicht eben so mächtig
äußert; so zeigt sich doch der blaue Himmel in der
Camera obscura ganz deutlich auf dem weißen Papier
neben jeder andern körperlichen Farbe.

153.

Wenn wir die Fälle durchgehn, unter welchen uns
dieses wichtige Grundphänomen erscheint, so erwähnen
wir billig zuerst der atmosphärischen Farben, deren
meiste hieher geordnet werden können.

154.

Die Sonne, durch einen gewissen Grad von Dünsten
gesehen, zeigt sich mit`einer gelblichen Scheibe. Oft

ist die Mitte noch blendend gelb, wenn sich die Ränder
schon roth zeigen. Bei'm Heerrauch, (wie 1794 auch
im Norden der Fall war) und noch mehr bei der
Disposition der Atmosphäre, wenn in südlichen Ge=
genden der Scirocco herrscht, erscheint die Sonne
rubinroth mit allen sie im letzten Falle gewöhnlich
umgebenden Wolken, die alsdann jene Farbe im
Widerschein zurückwerfen.

Morgen= und Abendröthe entsteht aus derselben
Ursache. Die Sonne wird durch eine Röthe verkün=
digt, indem sie durch eine größere Masse von Dünsten
zu uns strahlt. Je weiter sie herauf kommt, desto
heller und gelber wird der Schein.

155.

Wird die Finsterniß des unendlichen Raums durch
atmosphärische vom Tageslicht erleuchtete Dünste hin=
durch angesehen, so erscheint die blaue Farbe. Auf
hohen Gebirgen sieht man am Tage den Himmel
königsblau, weil nur wenig seine Dünste vor dem
unendlichen finstern Raum schweben; sobald man in
die Thäler herabsteigt, wird das Blaue heller, bis
es endlich, in gewissen Regionen und bei zunehmenden
Dünsten, ganz in ein Weißblau übergeht.

156.

Eben so scheinen uns auch die Berge blau: denn
indem wir sie in einer solchen Ferne erblicken, daß

wir die Localfarben nicht mehr fehen, und kein Licht
von ihrer Oberfläche mehr auf unfer Auge wirkt; fo
gelten fie als ein reiner finfterer Gegenftand, der
nun durch die dazwifchen tretenden trüben Dünfte
5 blau erfcheint.

157.

Auch fprechen wir die Schattentheile näherer Gegen=
ftände für blau an, wenn die Luft mit feinen Dünften
gefättigt ift.

158.

Die Eisberge hingegen erfcheinen in großer Ent=
10 fernung noch immer weiß und eher gelblich, weil fie
immer noch als hell durch den Dunftkreis auf unfer
Auge wirkeu.

159.

Die blaue Erfcheinung an dem untern Theil des
Kerzenlichtes gehört auch hieher. Man halte die
15 Flamme vor einen weißen Grund, und man wird
nichts Blaues fehen; welche Farbe hingegen fogleich
erfcheinen wird, wenn man die Flamme gegen einen
fchwarzen Grund hält. Diefes Phänomen erfcheint
am lebhafteften bei einem angezündeten Löffel Wein=
20 geift. Wir können alfo den untern Theil der Flamme
für einen Dunft aufprechen, welcher, obgleich unend=
lich fein, doch vor der dunklen Fläche fichtbar wird:
er ift fo fein, daß man bequem durch ihn lefeu kann;
dahingegen die Spitze der Flamme, welche uns die

Gegenstände verdeckt, als ein selbstleuchtender Körper anzusehen ist.

160.

Übrigens ist der Rauch gleichfalls als ein trübes Mittel anzusehen, das uns vor einem hellen Grunde gelb oder röthlich, vor einem dunklen aber blau erscheint.

161.

Wenden wir uns nun zu den flüssigen Mitteln, so finden wir, daß ein jedes Wasser, auf eine zarte Weise getrübt, denselben Effect hervorbringe.

162.

Die Infusion des nephritischen Holzes (der Guilandina Linnaei), welche früher so großes Aufsehen machte, ist nur ein trüber Liquor, der im dunklen hölzernen Becher blau aussehen, in einem durchsichtigen Glase aber gegen die Sonne gehalten, eine gelbe Erscheinung hervorbringen muß.

163.

Einige Tropfen wohlriechender Wasser, eines Weingeistfirnisses, mancher metallischen Solutionen können das Wasser zu solchen Versuchen in allen Graden trübe machen. Seifenspiritus thut fast die beste Wirkung.

164.

Der Grund des Meeres erscheint den Tauchern bei hellem Sonnenschein purpurfarb, wobei das Meer=

wasser als ein trübes und tiefes Mittel wirkt. Sie
bemerken bei dieser Gelegenheit die Schatten grün,
welches die geforderte Farbe ist (78).

165.

Unter den festen Mitteln begegnet uns in der
Natur zuerst der Opal, dessen Farben wenigstens
zum Theil daraus zu erklären sind, daß er eigentlich
ein trübes Mittel sei, wodurch bald helle, bald dunkle
Unterlagen sichtbar werden.

166.

Zu allen Versuchen aber ist das Opalglas (vitrum
astroides, girasole) der erwünschteste Körper. Es wird
auf verschiedene Weise verfertigt und seine Trübe
durch Metallkalke hervorgebracht. Auch trübt man
das Glas dadurch, daß man gepülverte und calcinirte
Knochen mit ihm zusammenschmelzt, deßwegen man
es auch Beinglas nennt; doch geht dieses gar zu
leicht in's Undurchsichtige über.

167.

Man kann dieses Glas zu Versuchen auf vielerlei
Weise zurichten: denn entweder man macht es nur
wenig trüb, da man denn durch mehrere Schichten
über einander das Licht vom hellsten Gelb bis zum
tiefsten Purpur führen kann; oder man kann auch
stark getrübtes Glas in dünnern und stärkeren Schei=

5*

ben anwenden. Auf beide Arten lassen sich die Ver=
suche anstellen; besonders darf man aber, um die hohe
blaue Farbe zu sehen, das Glas weder allzutrüb noch
allzustark nehmen. Denn da es natürlich ist, daß
das Finstere nur schwach durch die Trübe hindurch 5
wirke, so geht die Trübe, wenn sie zu dicht wird,
gar schnell in das Weiße hinüber.

168.

Fensterscheiben durch die Stellen, an welchen sie
blind geworden sind, werfen einen gelben Schein auf
die Gegenstände, und eben diese Stellen sehen blau 10
aus, wenn wir durch sie nach einem dunklen Gegen=
stande blicken.

169.

Das angerauchte Glas gehört auch hieher, und
ist gleichfalls als ein trübes Mittel anzusehen. Es
zeigt uns die Sonne mehr oder weniger rubinroth; 15
und ob man gleich diese Erscheinung der schwarz=
braunen Farbe des Rußes zuschreiben könnte, so kann
man sich doch überzeugen, daß hier ein trübes Mittel
wirke, wenn man ein solches mäßig angerauchtes
Glas, auf der vordern Seite durch die Sonne er= 20
leuchtet, vor einen dunklen Gegenstand hält, da wir
denn einen blaulichen Schein gewahr werden.

170.

Mit Pergamentblättern läßt sich in der dunkeln
Kammer ein auffallender Versuch anstellen. Wenn

man vor die Öffnung des eben von der Sonne be=
schienenen Fensterladens ein Stück Pergament befestigt,
so wird es weißlich erscheinen; fügt man ein zweites
hinzu, so entsteht eine gelbliche Farbe, die immer
5 zunimmt und endlich bis in's Rothe übergeht, je
mehr man Blätter nach und nach hinzufügt.

171.

Einer solchen Wirkung der getrübten Kryhstalllinse
bei'm grauen Staar ist schon oben gedacht (132).

172.

Sind wir nun auf diesem Wege schon bis zu der
10 Wirkung eines kaum noch durchscheinenden Trüben
gelangt; so bleibt uns noch übrig, einer wunderbaren
Erscheinung augenblicklicher Trübe zu gedenken.

Das Porträt eines angesehenen Theologen war
von einem Künstler, welcher praktisch besonders gut
15 mit der Farbe umzugehen wußte, vor mehrern Jahren,
gemahlt worden. Der hochwürdige Mann stand in
einem glänzenden Sammtrocke da, welcher fast mehr
als das Gesicht die Augen der Anschauer auf sich
zog und Bewunderung erregte. Indessen hatte das
20 Bild nach und nach durch Lichterdampf und Staub
von seiner ersten Lebhaftigkeit vieles verloren. Man
übergab es daher einem Mahler, der es reinigen und
mit einem neuen Firniß überziehen sollte. Dieser
fängt nun sorgfältig an zuerst das Bild mit einem

feuchten Schwamm abzuwaschen; kaum aber hat er
es einigemal übersahren und den stärksten Schmutz
weggewischt, als zu seinem Erstaunen der schwarze
Sammtrock sich plötzlich in einen hellblauen Plüsch=
rock verwandelt, wodurch der geistliche Herr ein sehr 5
weltliches, obgleich altmodisches Ansehn gewinnt. Der
Mahler getraut sich nicht weiter zu waschen, begreift
nicht, wie ein Hellblau zum Grunde des tiefsten
Schwarzen liegen, noch weniger wie er eine Lasur
so schnell könne weggescheuert haben, welche ein solches 10
Blau, wie er vor sich sah, in Schwarz zu verwan=
deln im Staude gewesen wäre.

Genug er fühlte sich sehr bestürzt, das Bild auf
diesen Grad verdorben zu haben: es war nichts Geist=
liches mehr daran zu sehen, als nur die vielgelockte 15
runde Perrücke, wobei der Tausch eines verschossenen
Plüschrocks gegen einen trefflichen neuen Sammtrock
durchaus unerwünscht blieb. Das Übel schien in=
dessen unheilbar, und unser guter Künstler lehnte
mißmuthig das Bild gegen die Wand und legte sich 20
nicht ohne Sorgen zu Bette.

Wie erfreut aber war er den andern Morgen, als
er das Gemählde wieder vornahm und den schwarzen
Sammtrock in völligem Glanze wieder erblickte. Er
konnte sich nicht enthalten, den Rock an einem Ende 25
abermals zu benetzen, da denn die blaue Farbe wieder
erschien, und nach einiger Zeit verschwand.

Als ich Nachricht von diesem Phänomen erhielt,

begab ich mich sogleich zu dem Wunderbilde. Es ward
in meiner Gegenwart mit einem feuchten Schwamme
überfahren, und die Veränderung zeigte sich sehr
schnell. Ich sah einen zwar etwas verschossenen aber
5 völlig hellblauen Plüschrock, auf welchem an dem
Ärmel einige braune Striche die Falten andeuteten.

Ich erklärte mir dieses Phänomen aus der Lehre
von den trüben Mitteln. Der Künstler mochte seine
schon gemahlte schwarze Farbe, um sie recht tief zu
10 machen, mit einem besondern Firniß lasiren, welcher
bei'm Waschen einige Feuchtigkeit in sich sog und da=
durch trübe ward, wodurch das unterliegende Schwarz
sogleich als Blau erschien. Vielleicht kommen die=
jenigen, welche viel mit Firnissen umgehen, durch
15 Zufall oder Nachdenken, auf den Weg, diese sonder=
bare Erscheinung, den Freunden der Naturforschung,
als Experiment darzustellen. Mir hat es nach
mancherlei Proben nicht gelingen wollen.

173.

Haben wir nun die herrlichsten Fälle atmosphäri=
20 scher Erscheinungen, so wie andre geringere, aber doch
immer genugsam bedeutende, aus der Haupterfahrung
mit trüben Mitteln hergeleitet; so zweifeln wir nicht,
daß aufmerksame Naturfreunde immer weiter gehen
und sich üben werden, die im Leben mannichfaltig
25 vorkommenden Erscheinungen auf eben diesem Wege
abzuleiten und zu erklären; so wie wir hoffen können,

daß die Naturforscher sich nach einem hinlänglichen
Apparat umsehen werden, um so bedeutende Erfah=
rungen den Wißbegierigen vor Augen zu bringen.

174.

Ja wir möchten jene im Allgemeinen ausgesprochene
Haupterscheinung ein Grund= und Urphänomen nennen,
und es sei uns erlaubt, hier, was wir darunter ver=
stehen, sogleich beizubringen.

175.

Das was wir in der Erfahrung gewahr werden,
sind meistens nur Fälle, welche sich mit einiger Auf=
merksamkeit unter allgemeine empirische Rubriken brin=
gen lassen. Diese subordiniren sich abermals unter
wissenschaftliche Rubriken, welche weiter hinaufdeuten,
wobei uns gewisse unerläßliche Bedingungen des Er=
scheinenden näher bekannt werden. Von nun an fügt
sich alles nach und nach unter höhere Regeln und
Gesetze, die sich aber nicht durch Worte und Hypo=
thesen dem Verstande, sondern gleichfalls durch Phä=
nomene dem Anschauen offenbaren. Wir nennen sie
Urphänomene, weil nichts in der Erscheinung über
ihnen liegt, sie aber dagegen völlig geeignet sind, daß
man stufenweise, wie wir vorhin hinaufgestiegen, von
ihnen herab bis zu dem gemeinsten Falle der täg=
lichen Erfahrung niedersteigen kann. Ein solches Ur=
phänomen ist dasjenige, das wir bisher dargestellt
haben. Wir sehen auf der einen Seite das Licht,

das Helle, auf der andern die Finsterniß, das Dnukle,
wir bringen die Trübe zwischen beide, und aus diesen
Gegensätzen, mit Hülfe gedachter Vermittlung, ent=
wickeln sich, gleichfalls in einem Gegensatz, die Farben,
5 deuten aber alsbald, durch einen Wechselbezug, un=
mittelbar auf ein Gemeinsames wieder zurück.

176.

In diesem Sinne halten wir den in der Natur=
forschung begangenen Fehler für sehr groß, daß man
ein abgeleitetes Phänomen an die obere Stelle, das
10 Urphänomen an die niedere Stelle setzte, ja sogar das
abgeleitete Phänomen wieder auf den Kopf stellte,
und an ihm das Zusammengesetzte für ein Einfaches,
das Einfache für ein Zusammengesetztes gelten ließ;
durch welches Hinterstzuvörderst die wunderlichsten
15 Verwicklungen und Verwirrungen in die Naturlehre
gekommen sind, an welchen sie noch leidet.

177.

Wäre denn aber auch ein solches Urphänomen ge=
funden, so bleibt immer noch das Übel, daß man es
nicht als ein solches anerkennen will, daß wir hinter
20 ihm und über ihm noch etwas Weiteres aufsuchen,
da wir doch hier die Gränze des Schauens eingestehen
sollten. Der Naturforscher lasse die Urphänomene in
ihrer ewigen Ruhe und Herrlichkeit dastehen, der
Philosoph nehme sie in seine Region auf, und er
25 wird finden, daß ihm nicht in einzelnen Fällen,

allgemeinen Rubriken, Meinungen und Hypothesen,
sondern im Grund= und Urphänomen ein würdiger
Stoff zu weiterer Behandlung und Bearbeitung über=
liefert werde.

XI.

Dioptrische Farben

der zweiten Classe.

Refraction.

178.

Die dioptrischen Farben der beiden Classen schließen
sich genau an einander an, wie sich bei einiger Be=
trachtung sogleich finden läßt. Die der ersten Classe 10
erschienen in dem Felde der trüben Mittel, die der
zweiten sollen uns nun in durchsichtigen Mitteln er=
scheinen. Da aber jedes empirisch Durchsichtige an
sich schon als trüb angesehen werden kann, wie uns
jede vermehrte Masse eines durchsichtig genannten 15
Mittels zeigt; so ist die nahe Verwandtschaft beider
Arten genugsam einleuchtend.

179.

Doch wir abstrahiren vorerst, indem wir uns zu
den durchsichtigen Mitteln wenden, von aller ihnen

einigermaßen beiwohnenden Trübe, und richten unfre
ganze Aufmerkfamkeit auf das hier eintretende Phä=
nomen, das unter dem Kunftnamen der Refraction
bekannt ift.

180.

5 Wir haben fchon bei Gelegenheit der phyfiologi=
fchen Farben dasjenige, was man fonft Augen=
täufchungen zu nennen pflegte, als Thätigkeiten des
gefunden und richtig wirkenden Auges gerettet (2)
und wir kommen hier abermals in den Fall, zu
10 Ehren unferer Sinne und zu Beftätigung ihrer Zu=
verläffigkeit einiges auszuführen.

181.

In der ganzen finnlichen Welt kommt alles über=
haupt auf das Verhältniß der Gegenftände unter=
einander an, vorzüglich aber auf das Verhältniß des
15 bedeutendften irdifchen Gegenftandes, des Menfchen,
zu den übrigen. Hierdurch trennt fich die Welt in
zwei Theile, und der Menfch ftellt fich als ein Sub=
ject dem Object entgegen. Hier ift es, wo fich der
Praktiker in der Erfahrung, der Denker in der Spe=
20 culation abmüdet und einen Kampf zu beftehen auf=
gefordert ift, der durch keinen Frieden und durch keine
Entfcheidung gefchloffen werden kann.

182.

Immer bleibt es aber auch hier die Hauptfache,
daß die Beziehungen wahrhaft eingefehen werden.

Da nun unsre Sinne, in so fern sie gesund sind, die äußern Beziehungen am wahrhaftesten aussprechen; so können wir uns überzeugen, daß sie überall, wo sie dem Wirklichen zu widersprechen scheinen, das wahre Verhältniß desto sichrer bezeichnen. So er= 5 scheint uns das Entfernte kleiner, und eben dadurch werden wir die Entfernung gewahr. An farblosen Gegenständen brachten wir durch farblose Mittel farbige Erscheinungen hervor, und wurden zugleich auf die Grade des Trüben solcher Mittel aufmerksam. 10

183.

Eben so werden unserm Auge die verschiedenen Grade der Dichtigkeit durchsichtiger Mittel, ja sogar noch andre physische und chemische Eigenschaften der= selben, bei Gelegenheit der Refraction, bekannt, und fordern uns auf, andre Prüfungen anzustellen, um 15 in die von einer Seite schon eröffneten Geheimnisse auf physischem und chemischem Wege völlig einzu= bringen.

184.

Gegenstände durch mehr oder weniger dichte Mittel gesehen, erscheinen uns nicht an der Stelle, an der 20 sie sich, nach den Gesetzen der Perspective, befinden sollten. Hierauf beruhen die dioptrischen Erschei= nungen der zweiten Classe.

185.

Diejenigen Geſetze des Sehens, welche ſich durch mathematiſche Formeln ausdrücken laſſen, haben zum Grunde, daß, ſo wie das Licht ſich in gerader Linie bewegt, auch eine gerade Linie zwiſchen dem ſehenden Organ und dem geſehenen Gegenſtand müſſe zu ziehen ſein. Kommt alſo der Fall, daß das Licht zu uns in einer gebogenen oder gebrochenen Linie anlangt, daß wir die Gegenſtände in einer gebogenen oder gebrochenen Linie ſehen; ſo werden wir alsbald er= innert, daß die dazwiſchen liegenden Mittel ſich ver= dichtet, daß ſie dieſe oder jene fremde Natur ange= nommen haben.

186.

Dieſe Abweichung vom Geſetz des geradlinigen Sehens wird im Allgemeinen die Refraction genannt, und ob wir gleich vorausſetzen können, daß unſre Leſer damit bekannt ſind; ſo wollen wir ſie doch kürzlich von ihrer objectiven und ſubjectiven Seite hier nochmals darſtellen.

187.

Mau laſſe in ein leeres cubiſches Gefäß das Sonnenlicht ſchräg in der Diagonale hineinſcheinen, dergeſtalt daß nur die dem Licht entgegengeſetzte Wand, nicht aber der Boden erleuchtet ſei; man gieße ſo= dann Waſſer in dieſes Gefäß und der Bezug des Lichtes zu demſelben wird ſogleich verändert ſein.

Das Licht zieht sich gegen die Seite, wo es her=
kommt, zurück, und ein Theil des Bodens wird gleich=
falls erleuchtet. An dem Puncte, wo nunmehr das
Licht in das dichtere Mittel tritt, weicht es von
seiner geradlinigen Richtung ab und scheint gebrochen, 5
deßwegen man auch dieses Phänomen die Brechung
genannt hat. So viel von dem objectiven Versuche.

188.

Zu der subjectiven Erfahrung gelangen wir aber
folgendermaßen. Man setze das Auge an die Stelle
der Sonne; das Auge schaue gleichfalls in der Dia= 10
gonale über die eine Wand, so daß es die ihm ent=
gegenstehende jenseitige inure Wand=Fläche vollkommen,
nichts aber vom Boden sehen köune. Man gieße
Wasser in das Gefäß und das Auge wird nun einen
Theil des Bodens gleichfalls erblicken, und zwar ge= 15
schieht es auf eine Weise, daß wir glauben, wir sehen
noch immer in gerader Linie: denn der Boden scheint
uns heraufgehoben, daher wir das subjective Phä=
nomen mit dem Namen der Hebung bezeichnen. Eini=
ges, was noch besonders merkwürdig hiebei ist, wird 20
künftig vorgetragen werden.

189.

Sprechen wir dieses Phänomen nunmehr im All=
gemeinen aus, so können wir, was wir oben ange=
deutet, hier wiederholen: daß nehmlich der Bezug der
Gegenstände verändert, verrückt werde. 25

190.

Da wir aber bei unserer gegenwärtigen Dar=
stellung die objectiven Erscheinungen von den sub=
jectiven zu trennen gemeint sind; so sprechen wir das
Phänomen vorerst subjectiv aus, und sagen: es zeige
5 sich eine Verrückung des Gesehenen, oder des zu
Sehenden.

191.

Es kann nun aber das unbegränzt Gesehene ver=
rückt werden, ohne daß uns die Wirkung bemerklich
wird. Verrückt sich hingegen das begränzt Gesehene,
10 so haben wir Merkzeichen, daß eine Verrückung ge=
schieht. Wollen wir uns also von einer solchen Ver=
änderung des Bezuges unterrichten; so werden wir
uns vorzüglich an die Verrückung des begränzt Ge=
sehenen, an die Verrückung des Bildes zu halten haben.

192.

15 Diese Wirkung überhaupt kann aber geschehen
durch parallele Mittel: denn jedes parallele Mittel
verrückt den Gegenstand und bringt ihn sogar im
Perpendikel dem Auge entgegen. Merklicher aber wird
dieses Verrücken durch nicht parallele Mittel.

193.

20 Diese können eine völlig sphärische Gestalt haben,
auch als convexe, oder als concave Linsen angewandt

werden. Wir bedienen uns derselben gleichfalls bei
unsern Erfahrungen. Weil sie aber nicht allein das
Bild von der Stelle verrücken, sondern dasselbe auch
auf mancherlei Weise verändern; so gebrauchen wir
lieber solche Mittel, deren Flächen zwar nicht parallel 5
gegen einander, aber doch sämmtlich eben sind, nehm=
lich Prismen, die einen Triangel zur Base haben,
die man zwar auch als Theile einer Linse betrachten
kann, die aber zu unsern Erfahrungen deßhalb be=
sonders tauglich sind, weil sie das Bild sehr stark 10
von der Stelle verrücken, ohne jedoch an seiner Gestalt
eine bedeutende Veränderung hervorzubringen. ·

194.

Nunmehr, um unsre Erfahrungen mit möglichster
Genauigkeit anzustellen und alle Verwechslung abzu=
lehnen, halten wir uns zuerst an   15

Subjective Versuche,

bei welchen nehmlich der Gegenstand durch ein brechen=
des Mittel von dem Beobachter gesehen wird. Sobald
wir diese der Reihe nach abgehandelt, sollen die ob=
jectiven Versuche in gleicher Ordnung folgen.   20

XII.
Refraction ohne Farbenerscheinung.

195.

Die Refraction kann ihre Wirkung äußern, ohne daß man eine Farbenerscheinung gewahr werde. So sehr auch durch Refraction das unbegränzt Gesehene, eine farblose oder einfach gefärbte Fläche verrückt werde, so entsteht innerhalb derselben doch keine Farbe. Man kann sich hievon auf mancherlei Weise überzeugen.

196.

Man setze einen gläsernen Cubus auf irgend eine Fläche und schaue im Perpendikel oder im Winkel darauf; so wird die reine Fläche dem Auge völlig entgegen gehoben, aber es zeigt sich keine Farbe. Wenn man durch's Prisma einen rein grauen oder blauen Himmel, eine rein weiße oder farbige Wand betrachtet; so wird der Theil der Fläche, den wir eben in's Auge gefaßt haben, völlig von seiner Stelle gerückt sein, ohne daß wir deßhalb die mindeste Farbenerscheinung darauf bemerken.

XIII.
Bedingungen der Farbenerscheinung.

197.

Haben wir bei den vorigen Versuchen und Beob=
achtungen alle reinen Flächen, groß oder klein, farb=
los gefunden; so bemerken wir an den Rändern, da
wo sich eine solche Fläche gegen einen hellern oder
dunklern Gegenstand abschneidet, eine farbige Erschei=
nung.

198.

Durch Verbindung von Rand und Fläche entstehen
Bilder. Wir sprechen daher die Haupterfahrung der=
gestalt aus: es müssen Bilder verrückt werden, wenn
eine Farbenerscheinung sich zeigen soll.

199.

Wir nehmen das einfachste Bild vor uns, ein
helles Rund auf dunklem Grunde A. An diesem findet
eine Verrückung statt, wenn wir seine Ränder von
dem Mittelpuncte aus scheinbar nach außen dehnen,
indem wir es vergrößern. Dieses geschieht durch jedes
convexe Glas, und wir erblicken in diesem Falle einen
blauen Rand B.

200.

Den Umkreis eben desselben Bildes können wir
nach dem Mittelpuncte zu scheinbar hineinbewegen, in=

dem wir das Rund zusammenziehen; da alsdann die
Ränder gelb erscheinen C. Dieses geschieht durch ein
concaves Glas, das aber nicht, wie die gewöhnlichen
Lorgnetten, dünn geschliffen sein darf, sondern einige
5 Masse haben muß. Damit man aber diesen Versuch
auf einmal mit dem convexen Glas machen könne, so
bringe man in das helle Rund auf schwarzem Grunde
eine kleinere schwarze Scheibe. Denn vergrößert man
durch ein convexes Glas die schwarze Scheibe auf
10 weißem Grund, so geschieht dieselbe Operation, als
wenn man ein weißes Rund verkleinerte: denn wir
führen den schwarzen Rand nach dem weißen zu; und
wir erblicken also den gelblichen Farbenrand zugleich
mit dem blauen D.

.

201.

15 Diese beiden Erscheinungen, die blaue nnd gelbe,
zeigen sich an und über dem Weißen. Sie nehmen,
in so fern sie über das Schwarze reichen, einen röth=
lichen Schein an.

202.

Und hiermit sind die Grundphänomene aller Far=
20 benerscheinung bei Gelegenheit der Refraction ausge=
sprochen, welche denn freilich auf mancherlei Weise
wiederholt, variirt, erhöht, verringert, verbunden,
verwickelt, verwirrt, zuletzt aber immer wieder auf
ihre ursprüngliche Einfalt zurückgeführt werden
25 können.

203.

Untersuchen wir nun die Operation, welche wir
vorgenommen, so finden wir, daß wir in dem einen
Falle den hellen Rand gegen die dunkle, in dem an=
dern den dunkeln Rand gegen die helle Fläche schein=
bar geführt, eins durch das andre verdrängt, eins
über das andre weggeschoben haben. Wir wollen
nunmehr sämmtliche Erfahrungen schrittweise zu ent=
wickeln suchen.

204.

Rückt man die helle Scheibe, wie es besonders
durch Prismen geschehen kann, im Ganzen von ihrer
Stelle; so wird sie in der Richtung gefärbt, in der
sie scheinbar bewegt wird, und zwar nach jenen Ge=
setzen. Man betrachte durch ein Prisma die in a be=
findliche Scheibe dergestalt, daß sie nach b verrückt
erscheine; so wird der obere Rand, nach dem Gesetz der
Figur B, blau und blauroth erscheinen, der untere,
nach dem Gesetz der Scheibe C, gelb und gelbroth.
Denn im ersten Fall wird das helle Bild in den
dunklen Rand hinüber=, und in dem andern der duukle
Rand über das helle Bild gleichsam hineingeführt. Ein
Gleiches gilt, wenn man die Scheibe von a nach c,
von a nach d, und so im ganzen Kreise scheinbar
herumführt.

205.

Wie sich nun die einfache Wirkung verhält, so ver=
hält sich auch die zusammengesetzte. Man sehe durch

das horizontale Prisma a b nach einer hinter demsel=
ben in einiger Entfernung befindlichen weißen Scheibe
in e; so wird die Scheibe nach f erhoben und nach dem
obigen Gesetz gefärbt sein. Man hebe dieß Prisma
5 weg und schaue durch ein verticales c d nach eben dem
Bilde; so wird es in h erscheinen, und nach eben
demselben Gesetze gefärbt. Man bringe nun beide
Prismen über einander, so erscheint die Scheibe, nach
einem allgemeinen Naturgesetz, in der Diagonale ver=
10 rückt und gefärbt, wie es die Richtung e g mit sich
bringt.

206.

Geben wir auf diese entgegengesetzten Farbenränder
der Scheibe wohl Acht; so finden wir, daß sie nur in
der Richtung ihrer scheinbaren Bewegung entstehen.
15 Ein rundes Bild läßt uns über dieses Verhältniß
einigermaßen ungewiß; ein vierecktes hingegen belehrt
uns klärlich darüber.

207.

Das viereckte Bild a, in der Richtung a b oder
a d verrückt, zeigt uns an den Seiten, die mit der
20 Richtung parallel gehen, keine Farben; in der Richtung
a c hingegen, da sich das Quadrat in seiner eignen
Diagonale bewegt, erscheinen alle Gränzen des Bildes
gefärbt.

208.

Hier bestätigt sich also jener Ausspruch (203 f.),
25 ein Bild müsse dergestalt verrückt werden, daß seine

helle Gränze über die dunkle, die dunkle Gränze aber
über die helle, das Bild über seine Begränzung, die
Begränzung über das Bild scheinbar hingeführt werde.
Bewegen sich aber die geradlinigen Gränzen eines
Bildes durch Refraction immerfort, daß sie nur neben
einander, nicht aber über einander ihren Weg zurück-
legen; so entstehen keine Farben, und wenn sie auch
bis in's Unendliche fortgeführt würden.

XIV.

Bedingungen unter welchen die Farbenerscheinung zunimmt.

209.

Wir haben in dem Vorigen gesehen, daß alle
Farbenerscheinung bei Gelegenheit der Refraction darauf beruht, daß der Rand eines Bildes gegen das
Bild selbst oder über den Grund gerückt, daß das
Bild gleichsam über sich selbst oder über den Grund
hingeführt werde. Und nun zeigt sich auch, bei ver-
mehrter Verrückung des Bildes, die Farbenerscheinung
in einem breitern Maße, und zwar bei subjectiven
Versuchen, bei denen wir immer noch verweilen, unter
folgenden Bedingungen.

210.

Erstlich, wenn das Auge gegen parallele Mittel eine schiefere Richtung annimmt.

Zweitens, wenn das Mittel aufhört, parallel zu sein, und einen mehr oder weniger spitzen Winkel 5 bildet.

Drittens, durch das verstärkte Maß des Mittels; es sei nun, daß parallele Mittel am Volumen zu= nehmen, oder die Grade des spitzen Winkels verstärkt werden, doch so, daß sie keinen rechten Winkel er= 10 reichen.

Viertens, durch Entfernung des mit brechenden Mitteln bewaffneten Auges von dem zu verrückenden Bilde.

Fünftens, durch eine chemische Eigenschaft, welche 15 dem Glase mitgetheilt, auch in demselben erhöht werden kann.

211.

Die größte Verrückung des Bildes, ohne daß des= selben Gestalt bedeutend verändert werde, bringen wir durch Prismen hervor, und dieß ist die Ursache, warum 20 durch so gestaltete Gläser die Farbenerscheinung höchst mächtig werden kann. Wir wollen uns jedoch bei dem Gebrauch derselben von jenen glänzenden Er= scheinungen nicht blenden lassen, vielmehr die oben festgesetzten einfachen Anfänge ruhig im Sinne be= 25 halten.

212.

Diejenige Farbe, welche bei Verrückung eines Bildes vorausgeht, ist immer die breitere, und wir nennen sie einen Saum; diejenige Farbe, welche an der Gränze zurückbleibt, ist die schmälere, und wir nennen sie einen Raud.

213.

Bewegen wir eine dunkle Gränze gegen das Helle, so geht der gelbe breitere Saum voran, und der schmälere gelbrothe Raud folgt mit der Gränze. Rücken wir eine helle Gränze gegen das Dunkle, so geht der breitere violette Saum voraus und der schmälere blaue Raud folgt.

214.

Ist das Bild groß, so bleibt dessen Mitte unge= färbt. Sie ist als eine unbegränzte Fläche anzusehen, die verrückt, aber nicht verändert wird. Ist es aber so schmal, daß unter obgedachten vier Bedingungen der gelbe Saum den blauen Raud erreichen kann; so wird die Mitte völlig durch Farben zugedeckt. Man mache diesen Versuch mit einem weißen Streifen auf schwarzem Grunde; über einem solchen werden sich die beiden Extreme bald vereinigen und das Grün erzeugen. Man erblickt alsdann folgende Reihe von Farben:

Gelbroth
Gelb
Grün
Blau
Blauroth.

215.

Bringt man auf weiß Papier einen ſchwarzen
Streifen; ſo wird ſich der violette Saum darüber
hinbreiten, und den gelbrothen Rand erreichen. Hier
wird das dazwiſchen liegende Schwarz, ſo wie vorher
5 das dazwiſchen liegende Weiß aufgehoben, und an
ſeiner Stelle ein prächtig reines Roth erſcheinen, das
wir oft mit dem Namen Purpur bezeichnet haben.
Nunmehr iſt die Farbenfolge nachſtehende:

> Blau
10 > Blauroth
> Purpur
> Gelbroth
> Gelb.

216.

Nach und nach können in dem erſten Falle (214)
15 Gelb und Blau dergeſtalt über einander greifen, daß
dieſe beiden Farben ſich völlig zu Grün verbinden,
und das farbige Bild folgendermaßen erſcheint:

> Gelbroth
> Grün
20 > Blauroth.

Im zweiten Falle (215) ſieht man unter ähnlichen
Umſtänden nur:

> Blau
> Purpur
25 > Gelb.

Welche Erscheinung am schönsten sich an Fenster=
stäben zeigt, die einen grauen Himmel zum Hinter=
grunde haben.

217.

Bei allem diesem lassen wir niemals aus dem
Sinne, daß diese Erscheinung nie als eine fertige, 5
vollendete, sondern immer als eine werdende, zu=
nehmende, und in manchem Sinn bestimmbare Er=
scheinung anzusehen sei. Deßwegen sie auch bei
Negation obiger fünf Bedingungen (210) wieder nach
und nach abnimmt, und zuletzt völlig verschwindet. 10

XV.
Ableitung der angezeigten Phänomene.

218.

Ehe wir nun weiter gehen, haben wir die erst=
gedachten ziemlich einfachen Phänomene aus dem Vor=
hergehenden abzuleiten, oder wenn man will, zu er=
klären, damit eine deutliche Einsicht in die folgenden 15
mehr zusammengesetzten Erscheinungen dem Liebhaber
der Natur werden könne.

219.

Vor allen Dingen erinnern wir uns, daß wir im
Reiche der Bilder wandeln. Bei'm Sehen überhaupt

ist das begränzt Gesehene immer das, worauf wir
vorzüglich merken; und in dem gegenwärtigen Falle,
da wir von Farbenerscheinung bei Gelegenheit der
Refraction sprechen, kommt nur das begränzt Gesehene,
5 kommt nur das Bild in Betrachtung.

220.

Wir können aber die Bilder überhaupt zu unsern
chromatischen Darstellungen in primäre und secun=
däre Bilder eintheilen. Die Ausdrücke selbst be=
zeichnen, was wir darunter verstehen, und Nachfol=
10 gendes wird unsern Sinn noch deutlicher machen.

221.

Man kann die primären Bilder ansehen, erstlich
als ursprüngliche, als Bilder, die von dem an=
wesenden Gegenstande in unserm Auge erregt werden,
und die uns von seinem wirklichen Dasein versichern.
15 Diesen kann man die secundären Bilder entgegensetzen,
als abgeleitete Bilder, die, wenn der Gegenstand
weggenommen ist, im Auge zurückbleiben, jene Schein=
und Gegenbilder, welche wir in der Lehre von phy=
siologischen Farben umständlich abgehandelt haben.

222.

20 Man kann die primären Bilder zweitens auch als
directe Bilder ansehen, welche wie jene ursprüng=
lichen unmittelbar von dem Gegenstande zu unserm
Auge gelangen. Diesen kann man die secundären,
als indirecte Bilder entgegensetzen, welche erst von

einer spiegelnden Fläche aus der zweiten Hand uns
überliefert werden. Es sind dieses die katoptrischen
Bilder, welche auch in gewissen Fällen zu Doppel=
bildern werden können.

223.

Wenn nämlich der spiegelnde Körper durchsichtig
ist und zwei hinter einander liegende parallele Flächen
hat; so kann von jeder Fläche ein Bild in's Auge
kommen, und so entstehen Doppelbilder, in so fern
das obere Bild das untere nicht ganz deckt, welches
auf mehr als eine Weise der Fall ist.

Man halte eine Spielkarte nahe vor einen Spiegel.
Man wird alsdann zuerst das starke lebhafte Bild
der Karte erscheinen sehen; allein den Rand des ganzen
sowohl als jedes einzelnen darauf befindlichen Bildes
mit einem Saume verbrämt, welcher der Anfang des
zweiten Bildes ist. Diese Wirkung ist bei verschie=
denen Spiegeln, nach Verschiedenheit der Stärke des
Glases und nach vorgekommenen Zufälligkeiten bei'm
Schleifen, gleichfalls verschieden. Tritt man mit
einer weißen Weste auf schwarzen Unterkleidern vor
manchen Spiegel, so erscheint der Saum sehr stark,
wobei man auch sehr deutlich die Doppelbilder der
Metallknöpfe auf dunklem Tuche erkennen kann.

224.

Wer sich mit andern, von uns früher angedeuteten
Versuchen (80) schon bekannt gemacht hat, der wird

sich auch hier eher zurecht finden. Die Fensterstäbe
von Glastafeln zurückgeworfen zeigen sich doppelt
und lassen sich, bei mehrerer Stärke der Tafel und
vergrößertem Zurückwerfungswinkel gegen das Auge,
5 völlig trennen. So zeigt auch ein Gefäß voll Wasser
mit flachem spiegelndem Boden die ihm vorgehaltnen
Gegenstände doppelt, und nach Verhältniß mehr oder
weniger von einander getrennt; wobei zu bemerken
ist, daß da, wo beide Bilder einander decken, eigent=
10 lich das vollkommen lebhafte Bild entsteht, wo es
aber aus einander tritt und doppelt wird, sich nun
mehr schwache, durchscheinende und gespensterhafte
Bilder zeigen.

225.

Will man wissen, welches das untere, und welches
15 das obere Bild sei; so nehme man gefärbte Mittel,
da denn ein helles Bild, das von der untern Fläche
zurückgeworfen wird, die Farbe des Mittels, das aber
von der obern zurückgeworfen wird, die geforderte
Farbe hat. Umgekehrt ist es mit dunklen Bildern;
20 weßwegen man auch hier schwarze und weiße Tafeln
sehr wohl brauchen kann. Wie leicht die Doppel=
bilder sich Farbe mittheilen lassen, Farbe hervor=
rufen, wird auch hier wieder auffallend sein.

226.

Drittens kann man die primären Bilder auch als
25 Hauptbilder ansehen und ihnen die secundären als

Nebenbilder gleichsam anfügen. Ein solches Neben=
bild ist eine Art von Doppelbild, nur daß es sich
von dem Hauptbilde nicht trennen läßt, ob es sich
gleich immer von demselben zu entfernen strebt. Von
solchen ist nun bei den prismatischen Erscheinungen
die Rede.

227.

Das unbegränzt durch Refraction Gesehene zeigt
keine Farbenerscheinung (195). Das Gesehene muß
begränzt sein. Es wird daher ein Bild gefordert;
dieses Bild wird durch Refraction verrückt, aber nicht
vollkommen, nicht rein, nicht scharf verrückt, sondern
unvollkommen, dergestalt, daß ein Nebenbild entstehet.

228.

Bei einer jeden Erscheinung der Natur, besonders
aber bei einer bedeutenden, auffallenden, muß man
nicht stehen bleiben, man muß sich nicht an sie
heften, nicht an ihr kleben, sie nicht isolirt betrachten;
sondern in der ganzen Natur umhersehen, wo sich
etwas Ähnliches, etwas Verwandtes zeigt: denn nur
durch Zusammenstellen des Verwandten entsteht nach
und nach eine Totalität, die sich selbst ausspricht
und keiner weitern Erklärung bedarf.

229.

Wir erinnern uns also hier, daß bei gewissen
Fällen Refraction unläugbare Doppelbilder hervor=

bringt, wie es bei dem sogenannten Isländischen
Krystalle der Fall ist. Dergleichen Doppelbilder entstehen aber auch bei Refraction durch große Berg-
krystalle und sonst; Phänomene, die noch nicht genug-
5 sam beobachtet sind.

230.

Da nun aber in gedachtem Falle (227) nicht von
Doppel=, sondern von Nebenbildern die Rede ist; so
gedenken wir einer von uns schon dargelegten, aber
noch nicht vollkommen ausgeführten Erscheinung.
10 Man erinnere sich jener frühern Erfahrung, daß ein
helles Bild mit einem dunklen Grunde, ein dunkles
mit einem hellen Grunde schon in Absicht auf unsre
Retina in einer Art von Conflict stehe (16). Das
Helle erscheint in diesem Falle größer, das Dunkle
15 kleiner.

231.

Bei genauer Beobachtung dieses Phänomens läßt
sich bemerken, daß die Bilder nicht scharf vom Grunde
abgeschnitten, sondern mit einer Art von grauem,
einigermaßen gefärbtem Raude, mit einem Nebenbild
20 erscheinen. Bringen nun Bilder schon in dem nackten
Auge solche Wirkungen hervor, was wird erst geschehen, wenn ein dichtes Mittel dazwischen tritt.
Nicht das allein, was uns im höchsten Sinne lebendig erscheint, übt Wirkungen aus und erleidet sie;
25 sondern auch alles, was nur irgend einen Bezug auf

einander hat, ist wirksam auf einander und zwar oft
in sehr hohem Maße.

232.

Es entstehet also, wenn die Refraction auf ein
Bild wirkt, an dem Hauptbilde ein Nebenbild, und
zwar scheint es, daß das wahre Bild einigermaßen 5
zurückbleibe und sich dem Verrücken gleichsam wider=
setze. Ein Nebenbild aber in der Richtung, wie das
Bild durch Refraction über sich selbst und über den
Grund hin bewegt wird, eilt vor und zwar schmäler
oder breiter, wie oben schon ausgeführt worden 10
(212—216).

233.

Auch haben wir bemerkt (224), daß Doppelbilder
als halbirte Bilder, als eine Art von durchsichtigem
Gespenst erscheinen, so wie sich die Doppelschatten
jedesmal als Halbschatten zeigen müssen. Diese 15
nehmen die Farbe leicht an und bringen sie schnell
hervor (69). Jene gleichfalls (80). Und eben der
Fall tritt auch bei den Nebenbildern ein, welche zwar
von dem Hauptbilde nicht ab=, aber auch als halbirte
Bilder aus demselben hervortreten, und daher so 20
schnell, so leicht und so energisch gefärbt erscheinen
können.

234.

Daß nun die prismatische Farbenerscheinung ein
Nebenbild sei, davon kann man sich auf mehr als
eine Weise überzeugen. Es entsteht genau nach der 25

Form des Hauptbildes. Dieses sei nun gerade oder im Bogen begränzt, gezackt oder wellenförmig, durch= aus hält sich das Nebenbild genau an den Umriß des Hauptbildes.

235.

Aber nicht allein die Form des wahren Bildes, sondern auch andre Bestimmungen desselben theilen sich dem Nebenbilde mit. Schneidet sich das Haupt= bild scharf vom Grunde ab, wie Weiß auf Schwarz, so erscheint das farbige Nebenbild gleichfalls in seiner höchsten Energie. Es ist lebhaft, deutlich und ge= waltig. Am allermächtigsten aber ist es, wenn ein leuchtendes Bild sich auf einem dunkeln Grunde zeigt, wozu man verschiedene Vorrichtungen machen kann.

236.

Stuft sich aber das Hauptbild schwach von dem Grunde ab, wie sich graue Bilder gegen Schwarz und Weiß, oder gar gegen einander verhalten; so ist auch das Nebenbild schwach, und kann bei einer geringen Differenz von Tinten beinahe unmerklich werden.

237.

So ist es ferner höchst merkwürdig, was an far= bigen Bildern auf hellem, dunklem oder farbigem Grunde beobachtet wird. Hier entsteht ein Zusammen= tritt der Farbe des Nebenbildes mit der realen Farbe des Hauptbildes, und es erscheint daher eine zu=

sammengesetzte, entweder durch Übereinstimmung be=
günstigte oder durch Widerwärtigkeit verkümmerte
Farbe.

238.

Überhaupt aber ist das Kennzeichen des Doppel=
und Nebenbildes die Halbdurchsichtigkeit. Man denke
sich daher innerhalb eines durchsichtigen Mittels,
dessen innre Anlage nur halbdurchsichtig, nur durch=
scheinend zu werden schon oben ausgeführt ist (147);
man denke sich innerhalb desselben ein halbdurch=
sichtiges Scheinbild, so wird man dieses sogleich für
ein trübes Bild ansprechen.

239.

Und so lassen sich die Farben bei Gelegenheit der
Refraction aus der Lehre von den trüben Mitteln
gar bequem ableiten. Denn wo der voreilende Saum
des trüben Nebenbildes sich vom Dunklen über das
Helle zieht, erscheint das Gelbe; umgekehrt wo eine
helle Gränze über die dunkle Umgebung hinaustritt,
erscheint das Blaue (150, 151).

240.

Die voreilende Farbe ist immer die breitere. So
greift die gelbe über das Licht mit einem breiten
Saume; da wo sie aber an das Dunkle gränzt, ent=
steht, nach der Lehre der Steigerung und Beschattung,
das Gelbrothe als ein schmälerer Raud.

241.

An der entgegengesetzten Seite hält sich das ge=
drängte Blau an der Gränze, der vorstrebende Saum
aber, als ein leichtes Trübes über das Schwarze ver=
breitet, läßt uns die violette Farbe sehen, nach eben
5 denselben Bedingungen, welche oben bei der Lehre von
den trüben Mitteln angegeben worden, und welche
sich künftig in mehreren andern Fällen gleichmäßig
wirksam zeigen werden.

242.

Da eine Ableitung wie die gegenwärtige sich eigent=
10 lich vor dem Anschauen des Forschers legitimiren muß;
so verlangen wir von jedem, daß er sich nicht auf
eine flüchtige, sondern gründliche Weise mit dem bis=
her Vorgeführten bekannt mache. Hier werden nicht
willkürliche Zeichen, Buchstaben und was man sonst
15 belieben möchte, statt der Erscheinungen hingestellt;
hier werden nicht Redensarten überliefert, die man
hundertmal wiederholen kann, ohne etwas dabei zu
denken, noch jemanden etwas dadurch denken zu machen;
sondern es ist von Erscheinungen die Rede, die man
20 vor den Augen des Leibes und des Geistes gegen=
wärtig haben muß, um ihre Abkunft, ihre Herleitung
sich und andern mit Klarheit entwickeln zu können.

XVI.
Abnahme der farbigen Erscheinung.

———

243.

Da man jene vorschreitenden fünf Bedingungen
(210), unter welchen die Farbenerscheinung zunimmt,
nur rückgängig annehmen darf, um die Abnahme des
Phänomens leicht einzusehen und zu bewirken; so
wäre nur noch dasjenige, was dabei das Auge gewahr
wird, kürzlich zu beschreiben und durchzuführen.

244.

Auf dem höchsten Puncte wechselseitiger Deckung
der entgegengesetzten Ränder erscheinen die Farben
folgendermaßen (216):

Gelbroth	Blau
Grün	Purpur
Blauroth	Gelb.

245.

Bei minderer Deckung zeigt sich das Phänomen
folgendermaßen (214, 215):

Gelbroth	Blau
Gelb	Blauroth
Grün	Purpur
Blau	Gelbroth
Blauroth	Gelb.

Hier erscheinen also die Bilder noch völlig gefärbt, aber diese Reihen sind nicht als ursprüngliche, stetig sich auseinander entwickelnde stufen= und scalenartige Reihen anzusehen; sie können und müssen vielmehr in ihre Elemente zerlegt werden, wobei man denn ihre Natur und Eigenschaft besser kennen lernt.

246.

Diese Elemente aber sind (199, 200, 201):

Gelbroth	Blau
Gelb	Blauroth
Weißes	Schwarzes
Blau	Gelbroth
Blauroth	Gelb.

Hier tritt nun das Hauptbild, das bisher ganz zugedeckt und gleichsam verloren gewesen, in der Mitte der Erscheinung wieder hervor, behauptet sein Recht und läßt uns die secundäre Natur der Nebenbilder, die sich als Ränder und Säume zeigen, völlig erkennen.

247.

Es hängt von uns ab, diese Ränder und Säume so schmal werden zu lassen, als es uns beliebt, ja noch Refraction übrig zu behalten, ohne daß uns deß= wegen eine Farbe an der Gränze erschiene:

Dieses nunmehr genugsam entwickelte farbige Phä= nomen lassen wir denn nicht als ein ursprüngliches gelten; sondern wir haben es auf ein früheres und einfacheres zurückgeführt, und solches aus dem Ur=

phänomen des Lichtes und der Finsterniß durch die
Trübe vermittelt, in Verbindung mit der Lehre von
den secundären Bildern abgeleitet, und so gerüstet
werden wir die Erscheinungen, welche graue und far=
bige Bilder durch Brechung verrückt hervorbringen, 5
zuletzt umständlich vortragen und damit den Abschnitt
subjectiver Erscheinungen völlig abschließen.

XVII.
Graue Bilder durch Brechung verrückt.

248.

Wir haben bisher nur schwarze und weiße Bilder
auf entgegengesetztem Grunde durch's Prisma betrachtet, 10
weil sich an denselben die farbigen Ränder und Säume
am deutlichsten ausnehmen. Gegenwärtig wiederholen
wir jene Versuche mit grauen Bildern und finden
abermals die bekannten Wirkungen.

249.

Nannten wir das Schwarze den Repräsentanten 15
der Finsterniß, das Weiße den Stellvertreter des Lichts
(18); so können wir sagen, daß das Graue den Halb=
schatten repräsentire, welcher mehr oder weniger an
Licht und Finsterniß Theil nimmt und also zwischen

beiden inne steht (36). Zu unserm gegenwärtigen
Zwecke rufen wir folgende Phänomene in's Gedächtniß.

250.

Graue Bilder erscheinen heller auf schwarzem als
auf weißem Grunde (33), und erscheinen in solchen
Fällen, als ein Helles auf dem Schwarzen, größer;
als ein Dunkles auf dem Weißen, kleiner (16).

251.

Je dunkler das Grau ist, desto mehr erscheint es
als ein schwaches Bild auf Schwarz, als ein starkes
Bild auf Weiß, und umgekehrt; daher gibt Dunkel=
grau auf Schwarz nur schwache, dasselbe auf Weiß
starke, Hellgrau auf Weiß schwache, auf Schwarz
starke Nebenbilder.

252.

Grau auf Schwarz wird uns durch's Prisma
jene Phänomene zeigen, die wir bisher mit Weiß auf
Schwarz hervorgebracht haben; die Ränder werden
nach eben der Regel gefärbt, die Säume zeigen sich
nur schwächer. Bringen wir Grau auf Weiß, so er=
blicken wir eben die Ränder und Säume, welche her=
vorgebracht wurden, wenn wir Schwarz auf Weiß
durch's Prisma betrachteten.

253.

Verschiedene Schattirungen von Grau, stufenweise
an einander gesetzt, werden, je nachdem man das

Dunklere oben= oder untenhin bringt, entweder nur
Blau und Violett, oder nur Roth und Gelb an den
Rändern zeigen.

254.

Eine Reihe grauer Schattirungen, horizontal an
einander gestellt, wird, wie sie oben oder unten an
eine schwarze oder weiße Fläche stößt, nach den be=
kannten Regeln gefärbt.

255.

Auf der zu diesem Abschnitt bestimmten, von jedem
Naturfreund für seinen Apparat zu vergrößernden
Tafel kann man diese Phänomene durch's Prisma mit
einem Blicke gewahr werden.

256.

Höchst wichtig aber ist die Beobachtung und Be=
trachtung eines grauen Bildes, welches zwischen einer
schwarzen und einer weißen Fläche dergestalt ange=
bracht ist, daß die Theilungslinie vertical durch das
Bild durchgeht.

257.

An diesem grauen Bilde werden die Farben nach
der bekannten Regel, aber nach dem verschiedenen Ver=
hältnisse des Hellen zum Dunklen, auf einer Linie
entgegengesetzt erscheinen. Denn indem das Graue
zum Schwarzen sich als hell zeigt; so hat es oben
das Rothe und Gelbe, unten das Blaue und Violette.

Indem es ſich zum Weißen als dunkel. verhält; ſo ſieht man oben den blauen und violetten, unten hingegen den rothen und gelben Rand. Dieſe Beobachtung wird für die nächſte Abtheilung höchſt wichtig.

XVIII.

5 Farbige Bilder durch Brechung verrückt.

258.

Eine farbige große Fläche zeigt innerhalb ihrer ſelbſt, ſo wenig als eine ſchwarze, weiße oder graue, irgend eine prismatiſche Farbe; es müßte denn zu. fällig oder vorſätzlich auf ihr Hell und Dunkel ab-
10 wechſeln. Es ſind alſo auch nur Beobachtungen durch's Prisma an farbigen Flächen anzuſtellen, in ſo fern ſie durch einen Raud von einer andern verſchieden tingirten Fläche abgeſondert werden, alſo auch nur an farbigen Bildern.

259.

15 Es kommen alle Farben, welcher Art ſie auch ſein mögen, darin mit dem Grauen überein, daß ſie dunkler als Weiß, und heller als Schwarz erſcheinen. Dieſes Schattenhafte der Farbe (σκιερόν) iſt ſchon früher angedeutet worden (69), und wird uns immer

bedeutender werden. Wenn wir also vorerst farbige
Bilder auf schwarze und weiße Flächen bringen, und
sie durch's Prisma betrachten; so werden wir alles,
was wir bei grauen Flächen bemerkt haben, hier
abermals finden. 5

260.

Verrücken wir ein farbiges Bild, so entsteht, wie
bei farblosen Bildern, nach eben den Gesetzen, ein
Nebenbild. Dieses Nebenbild behält, was die Farbe
betrifft, seine ursprüngliche Natur bei und wirkt auf
der einen Seite als ein Blaues und Blaurothes, auf 10
der entgegengesetzten als ein Gelbes und Gelbrothes.
Daher muß der Fall eintreten, daß die Scheinfarbe
des Randes und des Saumes mit der realen Farbe
eines farbigen Bildes homogen sei; es kann aber auch
im andern Falle das mit einem Pigment gefärbte 15
Bild mit dem erscheinenden Rand und Saum sich
heterogen finden. In dem ersten Falle identificirt sich
das Scheinbild mit dem wahren und scheint dasselbe
zu vergrößern; dahingegen in dem zweiten Falle das
wahre Bild durch das Scheinbild verunreinigt, un= 20
deutlich gemacht und verkleinert werden kann. Wir
wollen die Fälle durchgehen, wo diese Wirkungen sich
am sonderbarsten zeigen.

261.

Man nehme die zu diesen Versuchen vorbereitete
Tafel vor sich, und betrachte das rothe und blaue 25

Viereck auf schwarzem Grunde neben einander, nach
der gewöhnlichen Weise durch's Prisma; so werden,
da beide Farben heller sind als der Grund, an beiden,
sowohl oben als unten, gleiche farbige Ränder und
5 Säume entstehen, nur werden sie dem Auge des Beobachters nicht gleich deutlich erscheinen.

262.

Das Rothe ist verhältnißmäßig gegen das Schwarze
viel heller als das Blaue. Die Farben der Ränder
werden also an dem Rothen stärker als an dem
10 Blauen erscheinen, welches hier wie ein Dunkelgraues
wirkt, das wenig von dem Schwarzen unterschieden
ist (251).

263.

Der obere rothe Rand wird sich mit der Zinnober-
farbe des Vierecks identificiren und so wird das rothe
15 Viereck hinaufwärts ein wenig vergrößert erscheinen;
der gelbe herabwärtsstrebende Saum aber gibt der
rothen Fläche nur einen höhern Glanz und wird erst
bei genauerer Aufmerksamkeit bemerkbar.

264.

Dagegen ist der rothe Rand und der gelbe Saum
20 mit dem blauen Viereck heterogen; es wird also an
dem Rande eine schmutzig rothe, und hereinwärts in
das Viereck eine schmutzig grüne Farbe entstehen, und
so wird bei'm flüchtigen Anblick das blaue Viereck
von dieser Seite zu verlieren scheinen.

265.

An der untern Gränze der beiden Vierecke wird ein blauer Rand und ein violetter Saum entstehen und die entgegengesetzte Wirkung hervorbringen. Denn der blaue Rand, der mit der Zinnoberfläche heterogen ist, wird das Gelbrothe beschmutzen und eine Art von Grün hervorbringen, so daß das Rothe von dieser Seite verkürzt und hinaufgerückt erscheint, und der violette Saum nach dem Schwarzen zu kaum bemerkt wird.

266.

Dagegen wird der blaue Scheinrand sich mit der blauen Fläche identificiren, ihr nicht allein nichts nehmen, sondern vielmehr noch geben; und dieselbe wird also dadurch und durch den violetten benachbarten Saum, dem Anscheine nach, vergrößert und scheinbar herunter gerückt werden.

267.

Die Wirkung der homogenen und heterogenen Ränder, wie ich sie gegenwärtig genau beschrieben habe, ist so mächtig und so sonderbar, daß einem flüchtigen Beschauer bei'm ersten Anblicke die beiden Vierecke aus ihrer wechselseitig horizontalen Lage geschoben und im entgegengesetzten Sinne verrückt scheinen, das Rothe hinaufwärts, das Blaue herabwärts. Doch niemand, der in einer gewissen Folge zu beobachten, Versuche an einander zu knüpfen; aus einander herzu-

leiten verſteht, wird ſich von einer ſolchen Scheinwir=
kung täuſchen laſſen.

268.

Eine richtige Einſicht in dieſes bedeutende Phäno=
men wird aber dadurch erleichtert, daß gewiſſe ſcharfe,
5 ja ängſtliche Bedingungen nöthig ſind, wenn dieſe
Täuſchung ſtatt finden ſoll. Man muß nämlich zu
dem rothen Viereck ein mit Zinnober oder dem beſten
Mennig, zu dem blauen ein mit Indig recht ſatt ge=
färbtes Papier beſorgen. Alsdann verbindet ſich der
10 blaue und rothe prismatiſche Rand, da wo er homogen
iſt, unmerklich mit dem Bilde, da wo er heterogen
iſt, beſchmutzt er die Farbe des Vierecks, ohne eine
ſehr deutliche Mittelfarbe hervorzubringen. Das Roth
des Vierecks darf nicht zu ſehr in's Gelbe fallen, ſonſt
15 wird oben der dunkelrothe Scheinrand zu ſehr bemerk=
lich; es muß aber von der andern Seite genug vom
Gelben haben, ſonſt wird die Veränderung durch den
gelben Saum zu deutlich. Das Blaue darf nicht
hell ſein, ſonſt wird der rothe Rand ſichtbar, und der
20 gelbe Saum bringt zu offenbar ein Grün hervor,
und man kann den untern violetten Saum nicht mehr
für die verrückte Geſtalt eines hellblauen Vierecks an=
ſehen oder ausgeben.

269.

Von allem dieſem wird künftig umſtändlicher die
25 Rede ſein, wenn wir vom Apparate zu dieſer Abthei=

lung handeln werden. Jeder Naturforscher bereite sich
die Tafeln selbst, um dieses Taschenspielerstückchen
hervorbringen zu können, und sich dabei zu über-
zengen, daß die farbigen Ränder selbst in diesem Falle
einer geschärften Aufmerksamkeit nicht entgehen können. 5

270.

Indessen sind andere mannichfaltige Zusammenstellungen, wie sie unsre Tafel zeigt, völlig geeignet,
allen Zweifel über diesen Punct jedem Aufmerksamen
zu benehmen.

271.

Man betrachte dagegen ein weißes, neben dem 10
blauen stehendes Viereck auf schwarzem Grunde; so
werden an dem weißen, welches hier an der Stelle
des rothen steht, die entgegengesetzten Ränder in ihrer
höchsten Energie sich zeigen. Es erstreckt sich an demselben der rothe Rand fast noch mehr als oben am 15
rothen selbst über die Horizontallinie des blauen
hinauf; der untere blaue Rand aber ist an dem weißen
in seiner ganzen Schöne sichtbar; dagegen verliert er
sich in dem blauen Viereck durch Identification. Der
violette Saum hinabwärts ist viel deutlicher an dem 20
weißen, als an dem blauen.

272.

Man vergleiche nun die mit Fleiß über einander
gestellten Paare gedachter Vierecke, das rothe mit dem

weißen, die beiden blauen Vierecke mit einander, das
blaue mit dem rothen, das blaue mit dem weißen,
und man wird die Verhältnisse dieser Flächen zu
ihren farbigen Rändern und Säumen deutlich ein-
5 sehen.

273.

Noch auffallender erscheinen die Ränder und ihre
Verhältnisse zu den farbigen Bildern, wenn man die
farbigen Vierecke und das schwarze auf weißem Grunde
betrachtet. Denn hier fällt jene Täuschung völlig weg,
10 und die Wirkungen der Ränder sind so sichtbar, als
wir sie nur in irgend einem andern Falle bemerkt
haben. Man betrachte zuerst das blaue und rothe
Viereck durch's Prisma. An beiden entsteht der blaue
Rand nunmehr oben. Dieser, homogen mit dem
15 blauen Bilde, verbindet sich demselben und scheint es
in die Höhe zu heben; nur daß der hellblaue Rand
oberwärts zu sehr absticht. Der violette Saum ist
auch herabwärts in's Blaue deutlich genug. Eben-
dieser obere blaue Scheinrand ist nun mit dem rothen
20 Viereck heterogen, er ist in der Gegenwirkung begriffen
und kaum sichtbar. Der violette Saum indessen
bringt, verbunden mit dem Gelbrothen des Bildes,
eine Pfirsichblüthfarbe zu Wege.

274.

Wenn nun aus der angegebenen Ursache die oberen
25 Ränder dieser Vierecke nicht horizontal erscheinen, so

erscheinen die untern desto gleicher: denn indem beide
Farben, die rothe und die blaue, gegen das Weiße
gerechnet, dunkler sind, als sie gegen das Schwarze
hell waren, welches besonders von der letztern gilt; so
entsteht unter beiden der rothe Rand mit seinem gelben 5
Saume sehr deutlich.   Er zeigt sich unter dem gelb=
rothen Bilde in seiner ganzen Schönheit, und unter
dem dunkelblauen beinahe wie er unter dem schwarzen
erschien; wie man bemerken kann, wenn man aber=
mals die übereinandergesetzten Bilder und ihre Ränder 10
und Säume vergleicht.

275.

Um nun diesen Versuchen die größte Mannichfal=
tigkeit und Deutlichkeit zu geben, sind Vierecke von
verschiedenen Farben in der Mitte der Tafel dergestalt
angebracht, daß die Gränze des Schwarzen und Weißen 15
vertical durch sie durchgeht.   Man wird sie, nach
jenen uns überhaupt und besonders bei farbigen
Bildern genugsam bekannt gewordenen Regeln, an
jedem Rand zwiefach gefärbt finden, und die Vierecke
werden in sich selbst entzwei gerissen und hinauf= oder 20
herunterwärts gerückt erscheinen.   Wir erinnern uns
hiebei jenes grauen, gleichfalls auf der Gränzscheidung
des Schwarzen und Weißen beobachteten Bildes (257).

276.

Da nun das Phänomen, das wir vorhin an einem
rothen und blauen Viereck auf schwarzem Grunde bis 25

zur Täuſchung geſehen haben, das Hinauf= und Hinab=
rücken zweier verſchieden gefärbten Bilder uns hier an
zwei Hälften eines und deſſelben Bildes von einer
und derſelben Farbe ſichtbar wird; ſo werden wir da=
5 durch abermals auf die farbigen Ränder, ihre Säume
und auf die Wirkungen ihrer homogenen und hetero=
genen Natur hingewieſen, wie ſie ſich zu den Bildern
verhält, an denen die Erſcheinung vorgeht.

Ich überlaſſe den Beobachtern die mannichfaltigen
10 Schattirungen der halb auf Schwarz, halb auf Weiß
angebrachten farbigen Vierecke ſelbſt zu vergleichen,
und bemerke nur noch die widerſinnige ſcheinbare Ver=
zerrung, da Roth und Gelb auf Schwarz hinaufwärts,
auf Weiß herunterwärts, Blau auf Schwarz herunter=
15 wärts, und auf Weiß hinaufwärts gezogen ſcheinen;
welches doch alles dem bisher weitläuftig Abgehan=
delten gemäß iſt.

277.

Nun ſtelle der Beobachter die Tafel dergeſtalt vor
ſich, daß die vorgedachten, auf der Gränze des Schwar=
20 zen und Weißen ſtehenden Vierecke ſich vor ihm in
einer horizontalen Reihe befinden, und daß zugleich
der ſchwarze Theil oben, der weiße aber unten ſei. Er
betrachte durch's Prisma jene Vierecke, und er wird
bemerken, daß das rothe Viereck durch den Anſatz
25 zweier rothen Ränder gewinnt; er wird bei genauer
Aufmerkſamkeit den gelben Saum auf dem rothen

Bilde bemerken, und der untere gelbe Saum nach dem
Weißen zu wird völlig deutlich sein.

278.

Oben an dem gelben Viereck ist der rothe Rand
sehr merklich, weil das Gelbe als hell gegen das
Schwarz genugsam absticht. Der gelbe Saum iden=
tificirt sich mit der gelben Fläche, nur wird solche
etwas schöner dadurch; der untere Rand zeigt nur
wenig Roth, weil das helle Gelb gegen das Weiße
nicht genugsam absticht. Der untere gelbe Saum
aber ist deutlich genug.

279.

An dem blauen Viereck hingegen ist der obere rothe
Rand kaum sichtbar; der gelbe Saum bringt herunter=
wärts ein schmutziges Grün im Bilde hervor; der
untere rothe Rand und der gelbe Saum zeigen sich in
lebhaften Farben.

280.

Bemerkt man nun in diesen Fällen, daß das
rothe Bild durch einen Ansatz auf beiden Seiten zu
gewinnen, das dunkelblaue von einer Seite wenigstens
zu verlieren scheint; so wird man, wenn man die
Pappe umkehrt, so daß der weiße Theil sich oben,
der schwarze sich unten befindet, das umgekehrte Phä=
nomen erblicken.

281.

Denn da nunmehr die homogenen Ränder und
Säume an den blauen Vierecken oben und unten ent=
ſtehen; ſo ſcheinen dieſe vergrößert, ja ein Theil der
Bilder ſelbſt ſchöner gefärbt, und nur eine genaue
5 Beobachtung wird die Ränder und Säume von der
Farbe der Fläche ſelbſt unterſcheiden lehren.

282.

Das gelbe und rothe dagegen werden in dieſer
Stellung der Tafel von den heterogenen Rändern ein=
geſchränkt und die Wirkung der Localfarbe verkümmert.
10 Der obere blaue Rand iſt an beiden faſt gar nicht
ſichtbar. Der violette Saum zeigt ſich als ein ſchönes
Pfirſichblüth auf dem rothen, als ein ſehr blaſſes auf
dem gelben; die beiden untern Ränder ſind grün; an
dem rothen ſchmutzig, lebhaft an dem gelben; den
15 violetten Saum bemerkt man unter dem rothen wenig,
mehr unter dem gelben.

283.

Ein jeder Naturfreund mache ſich zur Pflicht, mit
allen den vorgetragenen Erſcheinungen genau bekannt
zu werden, und halte es nicht für läſtig, ein einziges
20 Phänomen durch ſo manche bedingende Umſtände durch=
zuführen. Ja dieſe Erfahrungen laſſen ſich noch in's
Unendliche durch Bilder von verſchiedenen Farben,
auf und zwiſchen verſchiedenfarbigen Flächen, verviel=

fältigen. Unter allen Umständen aber wird jedem
Aufmerksamen deutlich werden, daß farbige Vierecke
neben einander nur deßwegen durch das Prisma ver=
schoben erscheinen, weil ein Ansatz von homogenen
und heterogenen Rändern eine Täuschung hervorbringt. 5
Diese ist man nur alsdann zu verbannen fähig, wenn
man eine Reihe von Versuchen neben einander zu
stellen und ihre Übereinstimmung darzuthun genug=
same Geduld hat.

Warum wir aber vorstehende Versuche mit farbigen 10
Bildern, welche auf mehr als eine Weise vorgetragen
werden konnten, gerade so und so umständlich darge=
stellt, wird in der Folge deutlicher werden. Gedachte
Phänomene waren früher zwar nicht unbekannt, aber
sehr verkannt; deßwegen wir sie, zu Erleichterung 15
eines künftigen historischen Vortrags, genau entwickeln
mußten.

284.

Wir wollen nunmehr zum Schlusse den Freunden
der Natur eine Vorrichtung anzeigen, durch welche
diese Erscheinungen auf einmal deutlich, ja in ihrem 20
größten Glanze, gesehen werden können.

Man schneide aus einer Pappe fünf, ungefähr einen
Zoll große, völlig gleiche Vierecke neben einander aus,
genau in horizontaler Linie. Man bringe dahinter
fünf farbige Gläser, in der bekannten Ordnung, 25
Orange, Gelb, Grün, Blau, Violett. Man befestige
diese Tafel in einer Öffnung der Camera obscura, so

daß der helle Himmel durch sie gesehen wird, oder
daß die Sonne darauf scheint, und man wird höchst
energische Bilder vor sich haben. Man betrachte sie
nun durch's Prisma und beobachte die durch jene
Versuche an gemahlten Bildern schon bekannten Phäno=
mene, nämlich die theils begünstigenden, theils ver=
kümmernden Ränder und Säume, und die dadurch
bewirkte scheinbare Verrückung der specifisch gefärbten
Bilder aus der horizontalen Linie.

Das was der Beobachter hier sehen wird, folgt
genugsam aus dem früher Abgeleiteten; daher wir es
auch nicht einzeln abermals durchführen, um so weni=
ger, als wir auf diese Erscheinungen zurückzukehren
noch öfteren Anlaß finden werden.

XIX.

Achromasie und Hyperchromasie.

285.

In der frühern Zeit, da man noch manches, was
in der Natur regelmäßig und constant war, für ein
bloßes Abirren, für zufällig hielt, gab man auf die
Farben weniger Acht, welche bei Gelegenheit der Re=
fraction entstehen, und hielt sie für eine Erscheinung,
die sich von besondern Nebenumständen herschreiben
möchte.

286.

Nachdem man sich aber überzeugt hatte, daß diese
Farbenerscheinung die Refraction jederzeit begleite;
so war es natürlich, daß man sie auch als innig
und einzig mit der Refraction verwandt ansah, und
nicht anders glaubte, als daß das Maß der Farben= 5
erscheinung sich nach dem Maße der Brechung richten
und beide gleichen Schritt mit einander halten müßten.

287.

Wenn man also nicht gänzlich, doch einigermaßen,
das Phänomen einer stärkeren oder schwächeren Brechung
der verschiedenen Dichtigkeit der Mittel zuschrieb; wie 10
denn auch reinere atmosphärische Luft, mit Dünsten
angefüllte, Wasser, Glas, nach ihren steigenden Dich=
tigkeiten, die sogenannte Brechung, die Verrückung des
Bildes vermehren: so mußte man kaum zweifeln, daß
auch in selbiger Maße die Farbenerscheinung sich 15
steigern müsse, und man glaubte völlig gewiß zu
sein, daß bei verschiedenen Mitteln, welche man im
Gegensinne der Brechung zu einander brachte, sich,
so lange Brechung vorhanden sei, die Farbe zeigen,
sobald aber die Farbe verschwände, auch die Brechung 20
aufgehoben sein müsse.

288.

In späterer Zeit hingegen ward entdeckt, daß dieses
als gleich angenommene Verhältniß ungleich sei, daß

zwei Mittel das Bild gleich weit verrücken, und doch
sehr ungleiche Farbensäume hervorbringen können.

289.

Man fand, daß man zu jener physischen Eigen=
schaft, welcher man die Refraction zuschrieb, noch
5 eine chemische hinzu zu denken habe (210); wie wir
solches künftig, wenn wir uns chemischen Rücksichten
nähern, weiter auszuführen denken, so wie wir die
nähern Umstände dieser wichtigen Entdeckung in der
Geschichte der Farbenlehre aufzuzeichnen haben. Ge=
10 genwärtig sei Folgendes genug.

290.

Es zeigt sich bei Mitteln von gleicher, oder wenig=
stens nahezu gleicher, Brechungskraft der merkwürdige
Umstand, daß ein Mehr und Weniger der Farben=
erscheinung durch eine chemische Behandlung hervor=
15 gebracht werden kann; das Mehr wird nämlich durch
Säuren, das Weniger durch Alkalien bestimmt. Bringt
man unter eine gemeine Glasmasse Metalloxyde, so
wird die Farbenerscheinung solcher Gläser, ohne daß
die Refraction merklich verändert werde, sehr erhöht.
20 Daß das Mindere hingegen auf der alkalischen Seite
liege, kann leicht vermuthet werden.

291.

Diejenigen Glasarten, welche nach der Entdeckung
zuerst angewendet worden, nennen die Engländer

Flint= und Crownglas, und zwar gehört jenem ersten
die stärkere, diesem zweiten die geringere Farben=
erscheinung an.

292.

Zu unserer gegenwärtigen Darstellung bedienen
wir uns dieser beiden Ausdrücke als Kunstwörter, 5
und nehmen an, daß in beiden die Refraction gleich
sei, das Flintglas aber die Farbenerscheinung um
ein Drittel stärker als das Crownglas hervorbringe;
wobei wir unserm Leser eine, gewissermaßen symbo=
lische, Zeichnung zur Hand geben. 10

293.

Man denke sich auf einer schwarzen Tafel, welche
hier, des bequemeren Vortrags wegen, in Casen ge=
theilt ist, zwischen den Parallellinien a b und c d
fünf weiße Vierecke. Das Viereck Nr. 1 stehe vor dem
nackten Auge unverrückt auf seinem Platz. 15

294.

Das Viereck Nr. 2 aber sei, durch ein vor das
Auge gehaltenes Prisma von Crownglas g, um drei
Casen verrückt und zeige die Farbensäume in einer
gewissen Breite; ferner sei das Viereck Nr. 3, durch
ein Prisma von Flintglas h, gleichfalls um drei 20
Casen heruntergerückt, dergestalt daß es die farbigen
Säume nunmehr um ein Drittel breiter als Nr. 2
zeige.

295.

Ferner stelle man sich vor, das Viereck Nr. 4 sei eben wie das Nr. 2, durch ein Prisma von Crown= glas, erst drei Casen verrückt gewesen, dann sei es aber, durch ein entgegengestelltes Prisma h von Flint=
5 glas, wieder auf seinen vorigen Fleck, wo man es nun sieht, gehoben worden.

296.

Hier hebt sich nun die Refraction zwar gegen ein= ander auf; allein da das Prisma h bei der Ver= rückung durch drei Casen um ein Drittel breitere
10 Farbensäume, als dem Prisma g eigen sind, hervor= bringt; so muß, bei aufgehobener Refraction, noch ein Überschuß von Farbensaum übrig bleiben, und zwar im Sinne der scheinbaren Bewegung, welche das Prisma h dem Bilde ertheilt, und folglich um=
15 gekehrt, wie wir die Farben an den herabgerückten Nummern 2 und 3 erblicken. Dieses Überschießende der Farbe haben wir Hyperchromasie genannt, wo= raus sich denn die Achromasie unmittelbar folgern läßt.

297.

Denn gesetzt es wäre das Viereck Nr. 5 von seinem
20 ersten supponirten Platze, wie Nr. 2, durch ein Prisma von Crownglas g, um drei Casen herunter gerückt worden; so dürfte man nur den Winkel eines Prismas von Flintglas h verkleinern, solches im umgekehrten

Sinne an das Prisma g anschließen, um das Vier=
eck Nr. 5 zwei Casen scheinbar hinauf zu heben; wo=
bei die Hyperchromasie des vorigen Falles wegfiele,
das Bild nicht ganz an seine erste Stelle gelangte
und doch schon farblos erschiene. Man sieht auch 5
an den fortpunctirten Linien der zusammengesetzten
Prismen unter Nr. 5, daß ein wirkliches Prisma
übrig bleibt, und also auch auf diesem Wege, sobald
man sich die Linien krumm denkt, ein Ocularglas
entstehen kann; wodurch denn die achromatischen Fern= 10
gläser abgeleitet sind.

298.

Zu diesen Versuchen, wie wir sie hier vortragen,
ist ein kleines aus drei verschiedenen Prismen zu=
sammengesetztes Prisma, wie solche in England ver=
fertigt werden, höchst geschickt. Hoffentlich werden 15
künftig unsre inländischen Künstler mit diesem noth=
wendigen Instrumente jeden Naturfreund versehen.

XX.

Vorzüge der subjectiven Versuche.
Übergang zu den objectiven.

299.

Wir haben die Farbenerscheinungen, welche sich 20
bei Gelegenheit der Refraction sehen lassen, zuerst

durch ſubjective Verſuche dargeſtellt, und das Ganze
in ſich dergeſtalt abgeſchloſſen, daß wir auch ſchon
jene Phänomene aus der Lehre von den trüben
Mitteln und Doppelbildern ableiteten.

300.

5 Da bei Vorträgen, die ſich auf die Natur be=
ziehen, doch alles auf Sehen und Schauen ankommt,
ſo ſind dieſe Verſuche um deſto erwünſchter, als ſie
ſich leicht und bequem anſtellen laſſen. Jeder Lieb=
haber kann ſich den Apparat, ohne große Umſtände
10 und Koſten, anſchaffen; ja wer mit Papparbeiten
einigermaßen umzugehen weiß, einen großen Theil
ſelbſt verfertigen. Wenige Tafeln, auf welchen
ſchwarze, weiße, graue und farbige Bilder auf hellem
und dunkelm Grunde abwechſeln, ſind dazu hin=
15 reichend. Man ſtellt ſie unverrückt vor ſich hin, be=
trachtet bequem und anhaltend die Erſcheinungen an
dem Rande der Bilder; man entfernt ſich, man
nähert ſich wieder und beobachtet genau den Stufen=
gang des Phänomens.

301.

20 Ferner laſſen ſich auch durch geringe Prismen,
die nicht von dem reinſten Glaſe ſind, die Erſchei=
nungen noch deutlich genug beobachten. Was jedoch
wegen dieſer Glasgeräthſchaften noch zu wünſchen
ſein möchte, wird in dem Abſchnitt, der den Apparat
25 abhandelt, umſtändlich zu finden ſein.

302.

Ein Hauptvortheil dieser Versuche ist sodann, daß man sie zu jeder Tageszeit anstellen kann, in jedem Zimmer, es sei nach einer Weltgegend gerichtet nach welcher es wolle; man braucht. nicht auf Sonnen= schein zu warten, der einem nordischen Beobachter 5 überhaupt nicht reichlich gewogen ist.

.

Die objectiven Versuche

303.

verlangen hingegen nothwendig den Sonnenschein, der, wenn er sich auch einstellt, nicht immer den wün= schenswerthen Bezug auf den ihm entgegengestellten 10 Apparat haben kann. Bald steht die Sonne zu hoch, bald zu tief, und doch auch nur kurze Zeit in dem Meridian des am besten gelegenen Zimmers. Unter dem Beobachten weicht sie; man muß mit dem Apparat nachrücken, wodurch in manchen Fällen die 15 Versuche unsicher werden. Wenn die Sonne durch's Prisma scheint, so offenbart sie alle Ungleichheiten, innere Fäden und Bläschen des Glases, wodurch die Erscheinung verwirrt, getrübt und mißfärbig gemacht wird. 20

304.

Doch müssen die Versuche beider Arten gleich genau bekannt sein. Sie scheinen einander entgegengesetzt und gehen immer mit einander parallel; was die einen

zeigen, zeigen die andern auch, und doch hat jede Art
wieder ihre Eigenheiten, wodurch gewisse Wirkungen
der Natur auf mehr als eine Weise offenbar werden.

305.

Sodann gibt es bedeutende Phänomene, welche
man durch Verbindung der subjectiven und objectiven
Versuche hervorbringt. Nicht weniger gewähren uns
die objectiven den Vortheil, daß wir sie meist durch
Linearzeichnungen darstellen und die innern Verhält=
nisse des Phänomens auf unsern Tafeln vor Augen
legen können. Wir säumen daher nicht die objec=
tiven Versuche sogleich dergestalt vorzutragen, daß die
Phänomene mit den subjectiv vorgestellten durchaus
gleichen Schritt halten; deßwegen wir auch neben der
Zahl eines jeden Paragraphen die Zahl der früheren
in Parenthese unmittelbar anfügen. Doch setzen wir
im Ganzen voraus, daß der Leser sich mit den Tafeln,
der Forscher mit dem Apparat bekannt mache, damit
die Zwillings=Phänomene, von denen die Rede ist,
auf eine oder die andere Weise, dem Liebhaber vor
Augen seien.

XXI.

Refraction ohne Farbenerscheinung.

306 (195, 196).

Daß die Refraction ihre Wirkung äußre, ohne
eine Farbenerscheinung hervorzubringen, ist bei ob=
jectiven Versuchen nicht so vollkommen als bei sub=
jectiven darzuthun. Wir haben zwar unbegränzte 5
Räume, nach welchen wir durch's Prisma schauen
und uns überzeugen können, daß ohne Gränze keine
Farbe entstehe; aber wir haben kein unbegränzt Leuch=
tendes, welches wir könnten auf's Prisma wirken
lassen. Unser Licht kommt uns von begränzten Kör= 10
pern, und die Sonne, welche unsre meisten objectiven
prismatischen Erscheinungen hervorbringt, ist ja selbst
nur ein kleines begränzt leuchtendes Bild.

307.

Indessen können wir jede größere Öffnung, durch
welche die Sonne durchscheint, jedes größere Mittel, 15
wodurch das Sonnenlicht aufgefangen und aus seiner
Richtung gebracht wird, schon in sofern als unbe=
gränzt ansehen, indem wir bloß die Mitte der Flächen,
nicht aber ihre Gränzen betrachten.

308 (197).

Man stelle ein großes Wasserprisma in die Sonne, 20
und ein heller Raum wird sich in die Höhe gebrochen

an einer entgegengeſetzten Tafel zeigen und die Mitte
dieſes erleuchteten Raumes farblos ſein. Eben daſſelbe
erreicht man, wenn man mit Glasprismen, welche
Winkel von wenigen Graden haben, den Verſuch an=
5 ſtellt. Ja dieſe Erſcheinung zeigt ſich ſelbſt bei Glas=
prismen, deren brechender Winkel ſechzig Grad iſt,
wenn man nur die Tafel nahe genug heran bringt.

XXII.
Bedingungen der Farbenerſcheinung.

309 (198).

Wenn nun gedachter erleuchteter Raum zwar ge=
10 brochen, von der Stelle gerückt, aber nicht gefärbt
erſcheint; ſo ſieht man jedoch an den horizontalen
Gränzen deſſelben eine farbige Erſcheinung. Daß
auch hier die Farbe bloß durch Verrückung eines
Bildes entſtehe, iſt umſtändlicher darzuthun.

15 Das Leuchtende, welches hier wirkt, iſt ein Be=
gränztes, und die Sonne wirkt hier, indem ſie ſcheint
und ſtrahlt, als ein Bild. Man mache die Öffnung
in dem Laden der Camera obscura ſo klein als man
kann, immer wird das ganze Bild der Sonne herein=
20 dringen. Das von ihrer Scheibe herſtrömende Licht
wird ſich in der kleinſten Öffnung kreuzen und den

Winkel machen, der ihrem scheinbaren Diameter gemäß
ist. Hier kommt ein Konus mit der Spitze außen an
und inwendig verbreitert sich diese Spitze wieder, bringt
ein durch eine Tafel aufzufassendes rundes, sich durch
die Entfernung der Tafel auf immer vergrößerndes ₅
Bild hervor, welches Bild nebst allen übrigen Bildern
der äußeren Landschaft auf einer weißen gegengehal=
tenen Fläche im dunklen Zimmer umgekehrt erscheint.

310.

Wie wenig also hier von einzelnen Sonnenstrahlen,
oder Strahlenbündeln und =Büscheln, von Strahlen= ₁₀
cylindern, =Stäben und wie man sich das alles vor=
stellen mag, die Rede sein kann, ist auffallend. Zu
Bequemlichkeit gewisser Lineardarstellungen nehme
man das Sonnenlicht als parallel einfallend an; aber
man wisse, daß dieses nur eine Fiction ist, welche ₁₅
man sich gar wohl erlauben kann, da wo der zwischen
die Fiction und die wahre Erscheinung fallende Bruch
unbedeutend ist. Man hüte sich aber, diese Fiction
wieder zum Phänomen zu machen, und mit einem
solchen fingirten Phänomen weiter fort zu operiren. ₂₀

311.

Man vergrößre nunmehr die Öffnung in dem
Fensterladen so weit man will, man mache sie rund
oder viereckt, ja man öffne den Laden ganz und lasse
die Sonne durch den völligen Fensterraum in das

Zimmer scheinen; der Raum, den sie erleuchtet, wird immer so viel größer sein, als der Winkel, den ihr Durchmesser macht, verlangt; und also ist auch selbst der ganze durch das größte Fenster von der Sonne
5 erleuchtete Raum nur das Sonnenbild plus der Weite der Öffnung. Wir werden hierauf zurückzukehren künftig Gelegenheit finden.

312 (199).

Fangen wir nun das Sonnenbild durch convexe Gläser auf, so ziehen wir es gegen den Focus zu-
10 sammen. Hier muß, nach den oben ausgeführten Regeln, ein gelber Saum und ein gelbrother Rand entstehen, wenn das Bild auf einem weißen Papiere aufgefangen wird. Weil aber dieser Versuch blendend und unbequem ist, so macht er sich am schönsten mit
15 dem Bilde des Vollmonds. Wenn man dieses durch ein convexes Glas zusammenzieht, so erscheint der farbige Rand in der größten Schönheit: denn der Mond sendet an sich schon ein gemäßigtes Licht, und er kann also um desto eher die Farbe, welche aus
20 Mäßigung des Lichts entsteht, hervorbringen; wobei zugleich das Auge des Beobachters nur leise und angenehm berührt wird.

313 (200).

Wenn man ein leuchtendes Bild durch concave Gläser auffaßt, so wird es vergrößert und also aus-
25 gedehnt. Hier erscheint das Bild blau begränzt.

314.

Beide entgegengesetzten Erscheinungen kann man durch ein convexes Glas sowohl simultan als successiv hervorbringen, und zwar simultan, wenn man auf das convexe Glas in der Mitte eine undurchsichtige Scheibe klebt, und nun das Sonnenbild auffängt. Hier wird nun sowohl das leuchtende Bild als der in ihm befindliche schwarze Kern zusammengezogen, und so müssen auch die entgegengesetzten Farberschei= nungen entstehen. Ferner kann man diesen Gegensatz successiv gewahr werden, wenn man das leuchtende Bild erst bis gegen den Focus zusammenzieht; da man denn Gelb und Gelbroth gewahr wird: dann aber hinter dem Focus dasselbe sich ausdehnen läßt; da es denn sogleich eine blaue Gränze zeigt.

315 (201).

Auch hier gilt, was bei den subjectiven Erfahrungen gesagt worden, daß das Blaue und Gelbe sich an und über dem Weißen zeige, und daß beide Farben einen röthlichen Schein annehmen, in sofern sie über das Schwarze reichen.

316 (202, 203).

Diese Grunderscheinungen wiederholen sich bei allen folgenden objectiven Erfahrungen, so wie sie die Grundlage der subjectiven ausmachten. Auch die Operation, welche vorgenommen wird, ist eben die=

selbe; ein heller Rand wird gegen eine dunkle Fläche, eine dunkle Fläche gegen eine helle Gränze geführt. Die Gränzen müssen einen Weg machen und sich gleichsam über einander drängen, bei diesen Versuchen wie bei jenen.

317 (204).

Lassen wir also das Sonnenbild durch eine größere oder kleinere Öffnung in die dunkle Kammer, fangen wir es durch ein Prisma auf, dessen brechender Winkel hier wie gewöhnlich unten sein mag; so kommt das leuchtende Bild nicht in gerader Linie nach dem Fuß= boden, sondern es wird an eine vertical gesetzte Tafel hinaufgebrochen. Hier ist es Zeit, des Gegensatzes zu gedenken, in welchem sich die subjective und objective Verrückung des Bildes befindet.

318.

Sehen wir durch ein Prisma, dessen brechender Winkel sich unten befindet, nach einem in der Höhe befindlichen Bilde; so wird dieses Bild heruntergerückt, anstatt daß ein einfallendes leuchtendes Bild von dem= selben Prisma in die Höhe geschoben wird. Was wir hier der Kürze wegen nur historisch angeben, läßt sich aus den Regeln der Brechung und Hebung ohne Schwierigkeit ableiten.

319.

Indem nun also auf diese Weise das leuchtende Bild von seiner Stelle gerückt wird; so gehen auch

die Farbensäume nach den früher ausgeführten Regeln
ihren Weg. Der violette Saum geht jederzeit voraus,
und also bei objectiven hinaufwärts, wenn er bei
subjectiven herunterwärts geht.

320 (205).

Eben so überzeuge sich der Beobachter von der 5
Färbung in der Diagonale, wenn die Verrückung
durch zwei Prismen in dieser Richtung geschieht, wie
bei dem subjectiven Falle deutlich genug angegeben;
man schaffe sich aber hiezu Prismen mit Winkeln
von wenigen, etwa funfzehn Graden.   10

321 (206, 207).

Daß die Färbung des Bildes auch hier nach der
Richtung seiner Bewegung geschehe, wird man ein=
sehen, wenn man eine Öffnung im Laden von mäßiger
Größe viereckt macht, und das leuchtende Bild durch
das Wasserprisma gehen läßt, erst die Ränder in 15
horizontaler und verticaler Richtung, sodann in der
diagonalen.

322 (208).

Wobei sich denn abermals zeigen wird, daß die
Gränzen nicht neben einander weg, sondern über ein=
ander geführt werden müssen.   20

XXIII.
Bedingungen des Zunehmens der Erscheinung.

323 (209).

Auch hier bringt eine vermehrte Verrückung des Bildes eine stärkere Farbenerscheinung zu Wege.

324 (210).

5 Diese vermehrte Verrückung aber hat statt

1) durch schiefere Richtung des auffallenden leuchten= den Bildes auf parallele Mittel.

2) Durch Veränderung der parallelen Form in eine mehr oder weniger spitzwinklige.

10 3) Durch verstärktes Maß des Mittels, des paral= lelen oder winkelhaften, theils weil das Bild auf diesem Wege stärker verrückt wird, theils weil eine der Masse angehörige Eigenschaft mit zur Wirkung gelangt.

15 4) Durch die Entfernung der Tafel von dem brechen= den Mittel, so daß das heraustretende gefärbte Bild einen längeren Weg zurücklegt.

5) Zeigt sich eine chemische Eigenschaft unter allen diesen Umständen wirksam, welche wir schon unter den 20 Rubriken der Achromasie und Hyperchromasie näher angedeutet haben.

325 (211).

Die objectiven Versuche geben uns den Vortheil, daß wir das Werdende des Phänomens, seine succes=sive Genese außer uns darstellen und zugleich mit Linearzeichnungen deutlich machen können, welches bei subjectiven der Fall nicht ist.

5

326.

Wenn man das aus dem Prisma heraustretende leuchtende Bild und seine wachsende Farbenerscheinung auf einer entgegengehaltenen Tafel stufenweise beobach=ten, und sich Durchschnitte von diesem Konus mit elliptischer Base vor Augen stellen kann; so läßt sich 10 auch das Phänomen auf seinem ganzen Wege zum schönsten folgendermaßen sichtbar machen. Man errege nämlich in der Linie, in welcher das Bild durch den dunklen Raum geht, eine weiße feine Staubwolke, welche durch seinen recht trocknen Haarpuder am besten 15 hervorgebracht wird. Die mehr oder weniger gefärbte Erscheinung wird nun durch die weißen Atomen auf=gefangen und dem Auge in ihrer ganzen Breite und Länge dargestellt.

327.

Eben so haben wir Linearzeichnungen bereitet und 20 solche unter unsre Tafeln aufgenommen, wo die Er=scheinung von ihrem ersten Ursprunge an dargestellt ist, und an welchen man sich deutlich machen kann, warum das leuchtende Bild durch Prismen so viel stärker als durch parallele Mittel gefärbt wird.

328 (212).

An den beiden entgegengesetzten Gränzen steht eine entgegengesetzte Erscheinung in einem spitzen Winkel
5 auf, die sich, wie sie weiter in dem Raume vorwärts geht, nach Maßgabe dieses Winkels verbreitert. So strebt in der Richtung, in welcher das leuchtende Bild verrückt worden, ein violetter Saum in das Dunkle hinaus, ein blauer schmalerer Rand bleibt an der
10 Gränze. Von der andern Seite strebt ein gelber Saum in das Helle hinein und ein gelbrother Rand bleibt an der Gränze.

329 (213).

Hier ist also die Bewegung des Dunklen gegen das Helle, des Hellen gegen das Dunkle wohl zu be=
15 achten.

330 (214).

Eines großen Bildes Mitte bleibt lange ungefärbt, besonders bei Mitteln von minderer Dichtigkeit und geringerem Maße, bis endlich die entgegengesetzten Säume und Ränder einander erreichen, da alsdann
20 bei dem leuchtenden Bild in der Mitte ein Grün entsteht.

331 (215).

Wenn nun die objectiven Versuche gewöhnlich nur mit dem leuchtenden Sonnenbilde gemacht wurden, so

ist ein objectiver Versuch mit einem dunklen Bilde
bisher fast gar nicht vorgekommen. Wir haben hierzu
aber auch eine bequeme Vorrichtung angegeben. Jenes
große Wasserprisma nämlich stelle man in die Sonne
und klebe auf die äußere oder innere Seite eine runde 5
Pappenscheibe; so wird die farbige Erscheinung aber=
mals an den Rändern vorgehen, nach jenem bekannten
Gesetz entspringen, die Ränder werden erscheinen, sich
in jener Maße verbreitern und in der Mitte der
Purpur entstehen. Man kann neben das Rund ein 10
Viereck in beliebiger Richtung hinzufügen und sich
von dem oben mehrmals Angegebenen und Ausge=
sprochenen von neuem überzeugen.

332 (216).

Nimmt man von dem gedachten Prisma diese
dunklen Bilder wieder hinweg, wobei jedoch die Glas= 15
tafeln jedesmal sorgfältig zu reinigen sind, und hält
einen schwachen Stab, etwa einen starken Bleistift,
vor die Mitte des horizontalen Prisma; so wird
man das völlige Übereinandergreifen des violetten
Saums und des rothen Randes bewirken und nur 20
die drei Farben, die zwei äußern und die mittlere,
sehen.

333.

Schneidet man eine vor das Prisma zu schiebende
Pappe dergestalt aus, daß in der Mitte derselben
eine horizontale längliche Öffnung gebildet wird, und 25

läßt alsdann das Sonnenlicht hindurchfallen; so wird
man die völlige Vereinigung des gelben Saumes und
des blauen Randes nunmehr über das Helle bewirken
und nur Gelbroth, Grün und Violett sehen; auf
5 welche Art und Weise, ist bei Erklärung der Tafeln
weiter auseinander gesetzt.

334 (217).

Die prismatische Erscheinung ist also keineswegs
fertig und vollendet, indem das leuchtende Bild aus
dem Prisma hervortritt. Man wird alsdann nur
10 erst ihre Anfänge im Gegensatz gewahr; dann wächs't
sie, das Entgegengesetzte vereinigt sich und verschränkt
sich zuletzt auf's innigste. Der von einer Tafel auf=
gefangene Durchschnitt dieses Phänomens ist in jeder
Entfernung vom Prisma anders, so daß weder von
15 einer stetigen Folge der Farben, noch von einem
durchaus gleichen Maß derselben die Rede sein kann;
weßhalb der Liebhaber und Beobachter sich an die
Natur und unsre naturgemäßen Tafeln wenden wird,
welchen zum Überfluß eine abermalige Erklärung, so
20 wie eine genugsame Anweisung und Anleitung zu
allen Versuchen, hinzugefügt ist.

XXIV.
Ableitung der angezeigten Phänomene.

335 (218).

Wenn wir diese Ableitung schon bei Gelegenheit
der subjectiven Versuche umständlich vorgetragen, wenn
alles, was dort gegolten hat, auch hier gilt; so be=
darf es keiner weitläufigen Ausführung mehr, um 5
zu zeigen, daß dasjenige, was in der Erscheinung
völlig parallel geht, sich auch' aus eben denselben
Quellen ableiten lasse.

336 (219).

Daß wir auch bei objectiven Versuchen mit Bil=
dern zu thun haben, ist oben umständlich dargethan 10
worden. Die Sonne mag durch die kleinste Öffnung
hereinscheinen, so bringt doch immer das Bild ihrer
ganzen Scheibe hindurch. Man mag das größte
Prisma in das freie Sonnenlicht stellen, so ist es
doch immer wieder das Sonnenbild, das sich an den 15
Rändern der brechenden Flächen selbst begränzt und
die Nebenbilder dieser Begränzung hervorbringt. Man
mag eine vielfach ausgeschnittene Pappe vor das
Wasserprisma schieben, so sind es doch nur die Bilder
aller Art, welche, nachdem sie durch Brechung von ihrer 20
Stelle gerückt worden, farbige Ränder und Säume, und
in denselben durchaus vollkommene Nebenbilder zeigen.

337 (235).

Haben uns bei ſubjectiven Verſuchen ſtark von
einander abſtechende Bilder eine höchſt lebhafte Farben=
erſcheinung zu Wege gebracht; ſo wird dieſe bei ob=
jectiven Verſuchen noch viel lebhafter und herrlicher
5 ſein, weil das Sonnenbild von der höchſten Energie
iſt, die wir kennen, daher auch deſſen Nebenbild
mächtig und, ungeachtet ſeines ſecundären getrübten
und verdunkelten Zuſtandes, noch immer herrlich und
glänzend ſein muß. Die vom Sonnenlicht durch's
10 Prisma auf irgend einen Gegenſtand geworfenen
Farben bringen ein gewaltiges Licht mit ſich, indem
ſie das höchſt energiſche Urlicht gleichſam im Hinter=
grunde haben.

338 (238).

In wiefern wir auch dieſe Nebenbilder trüb nennen
15 und ſie aus der Lehre von den trüben Mitteln ab=
leiten dürfen, wird jedem, der uns bis hieher auf=
merkſam gefolgt, klar ſein, beſonders aber dem, der
ſich den nöthigen Apparat verſchafft, um die Be=
ſtimmtheit und Lebhaftigkeit, womit trübe Mittel
20 wirken, ſich jederzeit vergegenwärtigen zu können.

XXV.
Abnahme der farbigen Erscheinung.

339 (243).

Haben wir uns bei Darstellung der Abnahme
unserer farbigen Erscheinung in subjectiven Fällen
kurz fassen können, so wird es uns erlaubt sein, hier
noch kürzer zu verfahren, indem wir uns auf jene ₅
deutliche Darstellung berufen. Nur eines mag wegen
seiner großen Bedeutung, als ein Hauptmoment des
ganzen Vortrags, hier dem Leser zu besonderer Auf=
merksamkeit empfohlen werden.

340 (244—247).

Der Abnahme der prismatischen Erscheinung muß ₁₀
erst eine Entfaltung derselben vorangehen. Aus dem
gefärbten Sonnenbilde verschwinden, in gehöriger Ent=
fernung der Tafel vom Prisma, zuletzt die blaue und
gelbe Farbe, indem beide über einander greifen, völlig,
und man sieht nur Gelbroth, Grün und Blauroth. ₁₅
Nähert man die Tafel dem brechenden Mittel, so er=
scheinen Gelb und Blau schon wieder, und man er=
blickt die fünf Farben mit ihren Schattirungen. Rückt
man mit der Tafel noch näher, so treten Gelb und
Blau völlig aus einander, das Grüne verschwindet ₂₀
und zwischen den gefärbten Rändern und Säumen

zeigt sich das Bild farblos. Je näher man mit der
Tafel gegen das Prisma zurückt, desto schmäler wer=
den gedachte Ränder und Säume, bis sie endlich an
und auf dem Prisma null werden.

XXVI.
Graue Bilder.

341 (248).

Wir haben die grauen Bilder als höchst wichtig
bei subjectiven Versuchen dargestellt. Sie zeigen uns
durch die Schwäche der Nebenbilder, daß eben diese
Nebenbilder sich jederzeit von dem Hauptbilde her=
10 schreiben. Will man nun die objectiven Versuche auch
hier parallel durchführen; so könnte dieses auf eine
bequeme Weise geschehen, wenn man ein mehr oder
weniger matt geschliffenes Glas vor die Öffnung hielte,
durch welche das Sonnenbild hereinfällt. Es würde
15 dadurch ein gedämpftes Bild hervorgebracht werden,
welches nach der Refraction viel mattere Farben, als
das von der Sonnenscheibe unmittelbar abgeleitete,
auf der Tafel zeigen würde; und so würde auch von
dem höchst energischen Sonnenbilde nur ein schwaches,
20 der Dämpfung gemäßes Nebenbild entstehen; wie denn
freilich durch diesen Versuch dasjenige, was uns schon

genugsam bekannt ist, nur noch aber und abermal
bekräftigt wird.   .

———

XXVII.
Farbige Bilder.

———

342 (260).

Es gibt mancherlei Arten, farbige Bilder zum
Behuf objectiver Versuche hervorzubringen. Erstlich
kann man farbiges Glas vor die Öffnung halten,
wodurch sogleich ein farbiges Bild hervorgebracht
wird. Zweitens kann man das Wasserprisma mit
farbigen Liquoren füllen. Drittens kann man die
von einem Prisma schon hervorgebrachten emphati=
schen Farben durch proportionirte kleine Öffnungen
eines Bleches durchlassen, und also kleine Bilder zu
einer zweiten Refraction vorbereiten. Diese letzte Art
ist die beschwerlichste, indem, bei dem beständigen
Fortrücken der Sonne, ein solches Bild nicht fest ge=
halten, noch in beliebiger Richtung bestätigt werden
kann. Die zweite Art hat auch ihre Unbequemlich=
keiten, weil nicht alle farbige Liquoren schön hell und
klar zu bereiten sind. Daher die erste um so mehr
den Vorzug verdient, als die Physiker schon bisher
die von dem Sonnenlicht durch's Prisma hervor=
gebrachten Farben, diejenigen, welche durch Liquoren

und Gläſer erzeugt werden, und die, welche ſchon auf
Papier oder Tuch fixirt ſind, bei der Demonſtration
als gleichwirkend gelten laſſen.

343.

Da es nun alſo bloß darauf ankommt, daß das
₅ Bild gefärbt werde; ſo gewährt uns das ſchon ein=
geführte große Waſſerprisma hierin die beſte Gelegen=
heit: denn indem man vor ſeine großen Flächen,
welche das Licht ungefärbt durchlaſſen, eine Pappe
vorſchieben kann, in welche man Öffnungen von ver=
₁₀ ſchiedener Figur geſchnitten, um unterſchiedene Bilder
und alſo auch unterſchiedene Nebenbilder hervorzu=
bringen; ſo darf man nur vor die Öffnungen der
Pappe ſarbige Gläſer befeſtigen, um zu beobachten,
welche Wirkung die Refraction im objectiven Sinne
₁₅ auf farbige Bilder hervorbringt.

344.

Man bediene ſich nämlich jener ſchon beſchriebe=
nen Tafel (284) mit farbigen Gläſern, welche man
genau in der Größe eingerichtet, daß ſie in die Falzen
des großen Waſſerprismas eingeſchoben werden kann.
₂₀ Man laſſe nunmehr die Sonne hindurchſcheinen, ſo
wird man die hinaufwärts gebrochenen farbigen Bilder,
jedes nach ſeiner Art, geſäumt und gerändert ſehen,
indem ſich dieſe Säume und Ränder an einigen Bil=
dern ganz deutlich zeigen, an andern ſich mit der

specifischen Farbe des Glases vermischen, sie erhöhen oder verkümmern; und jedermann wird sich über= zeugen können, daß hier abermals nur von diesem von uns subjectiv und objectiv so umständlich vor= getragenen einfachen Phänomen die Rede sei.

XXVIII.
Achromasie und Hyperchromasie.

345 (285—290).

Wie man die hyperchromatischen und achromati= schen Versuche auch objectiv anstellen könne, dazu brauchen wir nur, nach allem was oben weitläuftig ausgeführt worden, eine kurze Anleitung zu geben, besonders da wir voraussetzen können, daß jenes er= wähnte zusammengesetzte Prisma sich in den Händen des Naturfreundes befinde.

346.

Man lasse durch ein spitzwinkliges Prisma von wenigen Graden, aus Crownglas geschliffen, das Sonnenbild dergestalt durchgehen, daß es auf der entgegengesetzten Tafel in die Höhe gebrochen werde; die Ränder werden nach dem bekannten Gesetz gefärbt erscheinen, das Violette und Blaue nämlich oben und außen, das Gelbe und Gelbrothe unten und

innen. Da nun der brechende Winkel dieſes Prisma
ſich unten befindet; ſo ſetze man ihm ein andres pro=
portionirtes von Flintglas entgegen, deſſen brechender
Winkel nach oben gerichtet ſei. Das Sonnenbild
5 werde dadurch wieder an ſeinen Platz geführt, wo es
denn durch den Überſchuß der farberregenden Kraft
des herabführenden Prismas von Flintglas, nach dem
Geſetze dieſer Herabführung, wenig gefärbt ſein, das
Blaue und Violette unten und außen, das Gelbe und
10 Gelbrothe oben und innen zeigen wird.

347.

Man rücke nun durch ein proportionirtes Prisma
von Crownglas das ganze Bild wieder um weniges
in die Höhe; ſo wird die Hyperchromaſie aufgehoben,
das Sonnenbild vom Platze gerückt und doch farblos
15 erſcheinen.

348.

Mit einem aus drei Gläſern zuſammengeſetzten
achromatiſchen Objectivglaſe kann man eben dieſe
Verſuche ſtufenweiſe machen, wenn man es ſich nicht
reuen läßt, ſolches aus der Hülſe, worein es der
20 Künſtler eingenietet hat, herauszubrechen. Die beiden
convexen Gläſer von Crownglas, indem ſie das Bild
nach dem Focus zuſammenziehen, das concave Glas
von Flintglas, indem es das Sonnenbild hinter ſich
ausdehnt, zeigen an dem Rande die hergebrachten
25 Farben. Ein Convexglas mit dem Concavglaſe zu=

sammengenommen zeigt die Farben nach dem Gesetz
des letztern. Sind alle drei Gläser zusammengelegt,
so mag man das Sonnenbild nach dem Focus zu=
sammenziehen, oder sich dasselbe hinter dem Brenn=
puncte ausdehnen lassen, niemals zeigen sich farbige
Ränder, und die von dem Künstler intendirte Achro=
masie bewährt sich hier abermals.

349.

Da jedoch das Crownglas durchaus eine grünliche
Farbe hat, so daß besonders bei großen und starken
Objectiven etwas von einem grünlichen Schein mit
unter laufen, und sich daneben die geforderte Purpur=
farbe unter gewissen Umständen einstellen mag; welches
uns jedoch, bei wiederholten Versuchen mit mehreren
Objectiven, nicht vorgekommen: so hat man hierzu
die wunderbarsten Erklärungen ersonnen und sich, da
man theoretisch die Unmöglichkeit achromatischer Fern=
gläser zu beweisen genöthigt war, gewissermaßen ge=
freut, eine solche radicale Verbesserung läugnen zu
können; wovon jedoch nur in der Geschichte dieser
Erfindungen umständlich gehandelt werden kann.

XXIX.

Verbindung objectiver und subjectiver Versuche.

350.

Wenn wir oben angezeigt haben, daß die objectiv und subjectiv betrachtete Refraction im Gegensinne
5 wirken müsse (318); so wird daraus folgen, daß wenn man die Versuche verbindet, entgegengesetzte und einander aufhebende Erscheinungen sich zeigen werden.

351.

Durch ein horizontal gestelltes Prisma werde das
10 Sonnenbild an eine Wand hinaufgeworfen. Ist das Prisma lang genug, daß der Beobachter zugleich hin= durch sehen kann; so wird er das durch die objective Refraction hinaufgerückte Bild wieder heruntergerückt und solches an der Stelle sehen, wo es ohne Refraction
15 erschienen wäre.

352.

Hierbei zeigt sich ein bedeutendes, aber gleichfalls aus der Natur der Sache herfließendes Phänomen. Da nämlich, wie schon so oft erinnert worden, das objectiv an die Wand geworfene gefärbte Sonnenbild
20 keine fertige noch unveränderliche Erscheinung ist; so

10*

wird bei obgedachter Operation das Bild nicht allein
für das Auge heruntergezogen, sondern auch seiner
Ränder und Säume völlig beraubt und in eine farb=
lose Kreisgestalt zurückgebracht.

353.

Bedient man sich zu diesem Versuche zweier völlig
gleichen Prismen; so kann man sie erst neben einau=
der stellen, durch das eine das Sonnenbild durchfallen
lassen, durch das andre aber hindurchsehen.

354.

Geht der Beschauer mit dem zweiten Prisma nun=
mehr weiter vorwärts; so zieht sich das Bild wieder
hinauf und wird stufenweise nach dem Gesetz des ersten
Prismas gefärbt. Tritt der Beschauer nun wieder
zurück, bis er das Bild wieder auf den Nullpunct ge=
bracht hat und geht sodann immer weiter von dem
Bilde weg; so bewegt sich das für ihn rund und farb=
los gewordene Bild immer weiter herab und färbt
sich im entgegengesetzten Sinne, so daß wir dasselbe
Bild, wenn wir zugleich durch das Prisma hindurch
und daran her sehen, nach objectiven und subjectiven
Gesetzen gefärbt erblicken.

355.

Wie dieser Versuch zu vermannichfaltigen sei, er=
gibt sich von selbst. Ist der brechende Winkel des

Prisma, wodurch das Sonnenbild objectiv in die
Höhe gehoben wird, größer als der des Prismas, wodurch der Beobachter blickt; so muß der Beobachter
viel weiter zurücktreten, um das farbige Bild an der
Wand so weit herunterzuführen, daß es farblos werde,
und umgekehrt.

356.

Daß man auf diesem Wege die Achromasie und
Hyperchromasie gleichfalls darstellen könne, fällt in
die Augen; welches wir weiter auseinander zu setzen
und auszuführen dem Liebhaber wohl selbst überlassen
können, so wie wir auch andere complicirte Versuche,
wobei man Prismen und Linsen zugleich anwendet,
auch die objectiven und subjectiven Erfahrungen auf
mancherlei Weise durch einander mischt, erst späterhin
darlegen und auf die einfachen, uns nunmehr genugsam bekannten Phänomene zurückführen werden.

XXX.
Übergang.

357.

Wenn wir auf die bisherige Darstellung und Ableitung der dioptrischen Farben zurücksehen; können
wir keine Reue empfinden, weder daß wir sie so um-

ständlich abgehandelt, noch daß wir sie vor den übrigen
physischen Farben, außer der von uns selbst angegebe=
nen Ordnung, vorgetragen haben. Doch gedenken wir
hier an der Stelle des Übergangs unsern Lesern und
Mitarbeitern deßhalb einige Rechenschaft zu geben.   5

358.

Sollten wir uns verantworten, daß wir die Lehre
von den dioptrischen Farben, besonders der zweiten
Classe, vielleicht zu weitläuftig ausgeführt; so hätten
wir Folgendes zu bemerken. Der Vortrag irgend eines
Gegenstandes unsres Wissens kann sich theils auf die 10
innre Nothwendigkeit der abzuhandelnden Materie,
theils aber auch auf das Bedürfniß der Zeit, in
welcher der Vortrag geschieht, beziehen. Bei dem
unsrigen waren wir genöthigt, beide Rücksichten
immer vor Augen zu haben. Einmal war es die 15
Absicht, unsre sämmtlichen Erfahrungen so wie unsre
Überzeugungen, nach einer lange geprüften Methode,
vorzulegen; sodann aber mußten wir unser Augen=
merk darauf richten, manche zwar bekannte, aber doch
verkannte, besonders auch in falschen Verknüpfungen 20
aufgestellte Phänomene in ihrer natürlichen Entwick=
lung und wahrhaft erfahrungsmäßigen Ordnung dar=
zustellen, damit wir künftig, bei polemischer und
historischer Behandlung, schon eine vollständige Vor=
arbeit zu leichterer Übersicht in's Mittel bringen 25
könnten. Daher ist denn freilich eine größere Um=

ftändlichkeit nöthig geworden, welche eigentlich nur
dem gegenwärtigen Bedürfniß zum Opfer gebracht
wird. Künftig, wenn man erft das Einfache als ein=
fach, das Zufammengefetzte als zufammengefetzt, das
5 Erfte und Obere als ein folches, das Zweite, Abge=
leitete auch als ein folches anerkennen und fchauen
wird; dann läßt fich diefer ganze Vortrag in's Engere
zufammenziehen, welches, wenn es uns nicht felbft
noch glücken follte, wir einer heiter thätigen Mit= und
10 Nachwelt überlaffen.

359.

Was ferner die Ordnung der Capitel überhaupt
betrifft, fo mag man bedenken, daß felbft verwandte
Naturphänomene in keiner eigentlichen Folge oder
ftetigen Reihe fich an einander fchließen; fondern daß
15 fie durch Thätigkeiten hervorgebracht werden, welche
verfchränkt wirken, fo daß es gewiffermaßen gleich=
gültig ift, was für eine Erfcheinung man zuerft, und
was für eine man zuletzt betrachtet: weil es doch nur
darauf ankommt, daß man fich alle möglichft ver=
20 gegenwärtige, um fie ánletzt unter einem Gefichtspunct,
theils nach ihrer Natur, theils nach Menfchen=Weife
und Bequemlichkeit, zufammenzufaffen.

360.

Doch kann man im gegenwärtigen befondern Falle
behaupten, daß die dioptrifchen Farben billig an die
25 Spitze der phyfifchen geftellt werden, fowohl wegen

ihres auffallenden Glanzes und übrigen Bedeutsamkeit,
als auch weil, um dieselben abzuleiten, manches zur
Sprache kommen mußte, welches uns zunächst große
Erleichterung gewähren wird.

361.

Denn man hat bisher das Licht als eine Art von
Abstractum, als ein für sich bestehendes und wirkendes,
gewissermaßen sich selbst bedingendes, bei geringen
Anlässen aus sich selbst die Farben hervorbringendes
Wesen angesehen. Von dieser Vorstellungsart jedoch
die Naturfreunde abzulenken, sie aufmerksam zu machen,
daß, bei prismatischen und andern Erscheinungen, nicht
von einem unbegränzten bedingenden, sondern von
einem begränzten bedingten Lichte, von einem Licht=
bilde, ja von Bildern überhaupt, hellen oder dunklen,
die Rede sei: dieß ist die Aufgabe, welche zu lösen,
das Ziel, welches zu erreichen wäre.

362.

Was bei dioptrischen Fällen, besonders der zweiten
Classe, nämlich bei Refractionsfällen vorgeht, ist uns
nunmehr genugsam bekanut, und dient uns zur Ein=
leitung in's Künftige.

363.

Die katoptrischen Fälle erinnern uns an die phy=
siologischen, nur daß wir jenen mehr Objectivität zu=
schreiben, und sie deßhalb unter die physischen zu zählen

uns berechtigt glauben. Wichtig aber ist es, daß wir hier abermals nicht ein abstractes Licht, sondern ein Lichtbild zu beachten finden.

364.

Gehen wir zu den paroptischen über, so werden wir, wenn das Frühere gut gefaßt worden, uns mit Verwundrung und Zufriedenheit abermals im Reiche der Bilder finden. Besonders wird uns der Schatten eines Körpers, als ein secundäres, den Körper so genau begleitendes Bild, manchen Aufschluß geben.

365.

Doch greifen wir diesen fernern Darstellungen nicht vor, um, wie bisher geschehen, nach unserer Überzeugung regelmäßigen Schritt zu halten.

XXXI.

Katoptrische Farben.

366.

Wenn wir von katoptrischen Farben sprechen, so deuten wir damit an, daß uns Farben bekannt sind, welche bei Gelegenheit einer Spiegelung erscheinen. Wir setzen voraus, daß das Licht sowohl, als die

Fläche, wovon es zurückstrahlt, sich in einem völlig
farblosen Zustand befinde. In diesem Sinne gehören
diese Erscheinungen unter die physischen Farben. Sie
entstehen bei Gelegenheit der Reflexion, wie wir oben
die dioptrischen der zweiten Classe, bei Gelegenheit der 5
Refraction, hervortreten sahen. Ohne jedoch weiter
im Allgemeinen zu verweilen, wenden wir uns gleich
zu den besondern Fällen, und zu den Bedingungen,
welche nöthig sind, daß gedachte Phänomene sich
zeigen. 10

367.

Wenn man eine feine Stahlsaite vom Röllchen
abnimmt, sie ihrer Elasticität gemäß verworren durch
einander laufen läßt, und sie an ein Fenster in die
Tageshelle legt; so wird man die Höhen der Kreise
und Windungen erhellt, aber weder glänzend noch 15
farbig sehen. Tritt die Sonne hingegen hervor; so
zieht sich diese Hellung auf einen Punct zusammen,
und das Auge erblickt ein kleines glänzendes Sonnen=
bild, das, wenn man es nahe betrachtet, keine Farbe
zeigt. Geht man aber zurück und faßt den Abglanz 20
in einiger Entfernung mit den Augen auf; so sieht
man viele kleine, auf die mannichfaltigste Weise ge=
färbte Sonnenbilder, und ob man gleich Grün und
Purpur am meisten zu sehen glaubt, so zeigen sich
doch auch, bei genauerer Aufmerksamkeit, die übrigen 25
Farben.

368.

Nimmt man eine Lorgnette, und sieht dadurch auf die Erscheinung; so sind die Farben verschwunden, so wie der ausgedehntere Glanz, in dem sie erscheinen, und man erblickt nur die kleinen leuchtenden Puncte, 5 die wiederholten Sonnenbilder. Hieraus erkennt man, daß die Erfahrung subjectiver Natur ist, und daß sich die Erscheinung an jene anschließt, die wir unter dem Namen der strahlenden Höfe eingeführt haben (100).

369.

Allein wir können dieses Phänomen auch von der 10 objectiven Seite zeigen. Man befestige unter eine mäßige Öffnung in dem Laden der Camera obscura ein weißes Papier, und halte, wenn die Sonne durch die Öffnung scheint, die verworrene Drahtsaite in das Licht, so daß sie dem Papiere gegenüber steht. Das 15 Sonnenlicht wird auf und in die Ringe der Draht= saite fallen, sich aber nicht, wie im concentrirenden menschlichen Auge, auf einem Puncte zeigen; sondern, weil das Papier auf jedem Theile seiner Fläche den Abglanz des Lichtes aufnehmen kann, in haarförmigen 20 Streifen, welche zugleich bunt sind, sehen lassen.

370.

Dieser Versuch ist rein katoptrisch: denn da man sich nicht denken kann, daß das Licht in die Oberfläche des Stahls hineindringe und etwa darin verändert

werde; so überzeugen wir uns leicht, daß hier bloß
von einer reinen Spiegelung die Rede sei, die sich, in
so fern sie subjectiv ist, an die Lehre von den schwach-
wirkenden und abklingenden Lichtern anschließt, und
in so fern sie objectiv gemacht werden kann, auf ein
außer dem Menschen Reales, sogar in den leisesten
Erscheinungen hindeutet.

371.

Wir haben gesehen, daß hier nicht allein ein Licht,
sondern ein energisches Licht, und selbst dieses nicht
im Abstracten und Allgemeinen, sondern ein begränztes
Licht, ein Lichtbild nöthig sei, um diese Wirkung hervorzubringen. Wir werden uns hiervon bei verwandten Fällen noch mehr überzeugen.

372.

Eine polirte Silberplatte gibt in der Sonne einen
blendenden Schein von sich; aber es wird bei dieser
Gelegenheit keine Farbe gesehen. Ritzt man hingegen
die Oberfläche leicht, so erscheinen bunte, besonders
grüne und purpurne Farben, unter einem gewissen
Winkel, dem Auge. Bei ciselirten und guillochirten
Metallen tritt auch dieses Phänomen auffallend hervor; doch läßt sich durchaus bemerken, daß wenn es
erscheinen soll, irgend ein Bild, eine Abwechselung des
Dunklen und Hellen, bei der Abspiegelung mitwirken
müsse, so daß ein Fensterstab, der Ast eines Baumes,
ein zufälliges oder mit Vorsatz aufgestelltes Hinderniß,

eine merkliche Wirkung hervorbringt. Auch diese Erscheinung läßt sich in der Camera obscura objecti-
viren.

373.

Läßt man ein polirtes Silber durch Scheidewasser
5 dergestalt anfressen, daß das darin befindliche Kupfer
aufgelöst und die Oberfläche gewissermaßen rauh
werde, und läßt alsdann das Sonnenbild sich auf
der Platte spiegeln; so wird es von jedem unendlich
kleinen erhöhten Puncte einzeln zurückglänzen, und
10 die Oberfläche der Platte in bunten Farben erscheinen.
Eben so, wenn man ein schwarzes ungeglättetes Papier
in die Sonne hält und aufmerksam darauf blickt,
sieht man es in seinen kleinsten Theilen bunt in den
lebhaftesten Farben glänzen.

374.

15 Diese sämmtlichen Erfahrungen deuten auf eben
dieselben Bedingungen hin. In dem ersten Falle
scheint das Lichtbild von einer schmalen Linie zurück;
in dem zweiten wahrscheinlich von scharfen Kanten;
in dem dritten von sehr kleinen Puncten. Bei allen
20 wird ein lebhaftes Licht und eine Begränzung desselben
verlangt. Nicht weniger wird zu diesen sämmtlichen
Farberscheinungen erfordert, daß sich das Auge in
einer proportionirten Ferne von den reflectirenden
Puncten befinde.

375.

Stellt man diese Beobachtungen unter dem Mikroskop an, so wird die Erscheinung an Kraft und
Glanz unendlich wachsen: denn man sieht alsdann die
kleinsten Theile der Körper, von der Sonne beschienen,
in diesen Reflexionsfarben schimmern, die, mit den ₅
Refractionsfarben verwandt, sich nun auf die höchste
Stufe ihrer Herrlichkeit erheben. Man bemerkt in
solchem Falle ein wurmförmig Buntes auf der Oberfläche organischer Körper, wovon das Nähere künftig
vorgelegt werden soll.   10

376.

Übrigens sind die Farben, welche bei der Reflexion
sich zeigen, vorzüglich Purpur und Grün; woraus
sich vermuthen läßt, daß besonders die streifige Erscheinung aus einer zarten Purpurlinie bestehe, welche
an ihren beiden Seiten theils mit Blau, theils mit ₁₅
Gelb eingefaßt ist. Treten die Linien sehr nahe zusammen, so muß der Zwischenraum grün erscheinen;
ein Phänomen, das uns noch oft vorkommen wird.

377.

In der Natur begegnen uns dergleichen Farben
öfters. Die Farben der Spinneweben setzen wir denen, ₂₀
die von Stahlsaiten widerscheinen, völlig gleich, ob
sich schon daran nicht so gut als an dem Stahl die
Undurchdringlichkeit beglaubigen läßt, weßwegen man

auch diese Farben mit zu den Refractionserscheinungen
hat ziehen wollen.

378.

Bei'm Perlemutter werden wir unendlich feine,
nebeneinanderliegende organische Fibern und Lamellen
gewahr, von welchen, wie oben bei'm geritzten Silber,
mannichfaltige Farben, vorzüglich aber Purpur und
Grün, entspringen mögen.

379.

Die changeanten Farben der Vogelfedern werden
hier gleichfalls erwähnt, obgleich bei allem Organi=
schen eine chemische Vorbereitung und eine Aneignung
der Farbe an den Körper gedacht werden kann; wo=
von bei Gelegenheit der chemischen Farben weiter die
Rede sein wird.

380.

Daß die Erscheinungen der objectiven Höfe auch
in der Nähe katoptrischer Phänomene liegen, wird leicht
zugegeben werden, ob wir gleich nicht läugnen, daß
auch Refraction mit im Spiele sei. Wir wollen hier
nur Einiges bemerken, bis wir, nach völlig durch=
laufenem theoretischen Kreise, eine vollkommnere An=
wendung des uns alsdann im Allgemeinen Bekannten
auf die einzelnen Naturerscheinungen zu machen im
Stande sein werden.

381.

Wir gedenken zuerst jenes gelben und rothen
Kreises an einer weißen oder graulichen Wand, den

wir durch ein nah gestelltes Licht hervorgebracht (88).
Das Licht, indem es von einem Körper zurückscheint,
wird gemäßigt, das gemäßigte Licht erregt die Em=
pfindung der gelben und ferner der rothen Farbe.

382.

Eine solche Kerze erleuchte die Wand lebhaft in
unmittelbarer Nähe. Je weiter der Schein sich ver=
breitet, desto schwächer wird er; allein er ist doch
immer die Wirkung der Flamme, die Fortsetzung ihrer
Energie, die ausgedehnte Wirkung ihres Bildes. Man
könnte diese Kreise daher gar wohl Gränzbilder nen=
nen, weil sie die Gränze der Thätigkeit ausmachen
und doch auch nur ein erweitertes Bild der Flamme
darstellen.

383.

Wenn der Himmel um die Sonne weiß und leuch=
tend ist, indem leichte Dünste die Atmosphäre erfüllen,
wenn Dünste oder Wolken um den Mond schweben;
so spiegelt sich der Abglanz der Scheibe in denselben.
Die Höfe, die wir alsdann erblicken, sind einfach oder
doppelt, kleiner oder größer, zuweilen sehr groß, oft
farblos, manchmal farbig.

384.

Einen sehr schönen Hof um den Mond sah ich
den 15. November 1799 bei hohem Barometerstande
und dennoch wolkigem und dunstigem Himmel. Der

Hof war völlig farbig, und die Kreise folgten sich
wie bei subjectiven Höfen um's Licht. Daß er ob=
jectiv war, konnte ich bald einsehen, indem ich das
Bild des Mondes zuhielt und der Hof dennoch voll=
5 kommen gesehen wurde.

385.

Die verschiedene Größe der Höfe scheint auf die
Nähe oder Ferne des Dunstes von dem Auge des Be=
obachters einen Bezug zu haben.

386.

Da leicht angehauchte Fensterscheiben die Lebhaf=
10 tigkeit der subjectiven Höfe vermehren, und sie ge=
wissermaßen zu objectiven machen; so ließe sich viel=
leicht mit einer einfachen Vorrichtung, bei recht rasch
kalter Winterzeit, hiervon die nähere Bestimmung
auffinden.

387.

15 Wie sehr wir Ursache haben, auch bei diesen Kreisen
auf das Bild und dessen Wirkung zu dringen, zeigt
sich bei dem Phänomen der sogenannten Nebensonnen.
Dergleichen Nachbarbilder finden sich immer auf ge=
wissen Puncten der Höfe und Kreise, und stellen das
20 wieder nur begränzter dar, was in dem ganzen Kreise
immerfort allgemeiner vorgeht. An die Erscheinung
des Regenbogens wird sich dieses alles bequemer an=
schließen.

388.

Zum Schluſſe bleibt uns nichts weiter übrig, als daß wir die Verwandtſchaft der katoptriſchen Farben mit den paroptiſchen einleiten.

Die paroptiſchen Farben werden wir diejenigen nennen, welche entſtehen, wenn das Licht an einem undurchſichtigen farbloſen Körper herſtrahlt. Wie nahe ſie mit den dioptriſchen der zweiten Claſſe ver= wandt ſind, wird jedermann leicht einſehen, der mit uns überzeugt iſt, daß die Farben der Refraction bloß an den Rändern entſtehen. Die Verwandtſchaft der katoptriſchen und paroptiſchen aber wird uns in dem folgenden Capitel klar werden.

XXXII.

Paroptiſche Farben.

389.

Die paroptiſchen Farben wurden bisher perioptiſche genannt, weil man ſich eine Wirkung des Lichts gleichſam um den Körper herum dachte, die man einer gewiſſen Biegbarkeit des Lichtes nach dem Körper hin und vom Körper ab zuſchrieb.

390.

Auch diese Farben kann man in objective und subjective eintheilen, weil auch sie theils außer uns, gleichsam wie auf der Fläche gemahlt, theils in uns, unmittelbar auf der Retina, erscheinen. Wir finden bei diesem Capitel das vortheilhafteste, die objectiven zuerst zu nehmen, weil die subjectiven sich so nah an andre uns schon bekannte Erscheinungen anschließen, daß man sie kaum davon zu trennen vermag.

391.

Die paroptischen Farben werden also genannt, weil, um sie hervorzubringen, das Licht an einem Rande herstrahlen muß. Allein nicht immer, wenn das Licht an einem Rande herstrahlt, erscheinen sie; es sind dazu noch ganz besondre Nebenbedingungen nöthig.

392.

Ferner ist zu bemerken, daß hier abermals das Licht keinesweges in Abstracto wirke (361); sondern die Sonne scheint an einem Rande her. Das ganze von dem Sonnenbild ausströmende Licht wirkt an einer Körpergränze vorbei und verursacht Schatten. An diesen Schatten, innerhalb derselben, werden wir künftig die Farbe gewahr werden.

393.

Vor allen Dingen aber betrachten wir die hieher gehörigen Erfahrungen in vollem Lichte. Wir setzen

11*

den Beobachter in's Freie, ehe wir ihn in die Be=
schränkung der dunklen Kammer führen.

394.

Wer im Sonnenschein in einem Garten oder sonst
auf glatten Wegen wandelt, wird leicht bemerken,
daß sein Schatten nur unten am Fuß, der die Erde 5
betritt, scharf begränzt erscheint, weiter hinauf, be=
sonders um das Haupt, verfließt er sanft in die helle
Fläche. Denn indem das Sonnenlicht nicht allein
aus der Mitte der Sonne herströmt, sondern auch
von den beiden Enden dieses leuchtenden Gestirnes 10
über's Kreuz wirkt; so entsteht eine objective |Paral=
laxe, die an beiden Seiten des Körpers einen Halb=
schatten hervorbringt.

395.

Wenn der Spaziergänger seine Hand erhebt, so
sieht er an den Fingern deutlich das Auseinander= 15
weichen der beiden Halbschatten nach außen, die Ver=
schmälerung des Hauptschattens nach innen, beides
Wirkungen des sich kreuzenden Lichtes.

396.

Man kann vor einer glatten Wand diese Versuche
mit Stäben von verschiedener Stärke, so wie auch mit 20
Kugeln wiederholen und vervielfältigen; immer wird
man finden, daß je weiter der Körper von der Tafel

entfernt wird, desto mehr verbreitet sich der schwache
Doppelschatten, desto mehr verschmälert sich der starke
Hauptschatten, bis dieser zuletzt ganz aufgehoben scheint,
ja die Doppelschatten endlich so schwach werden, daß
5 sie beinahe verschwinden; wie sie denn in mehrerer
Entfernung unbemerklich sind.

397.

Daß dieses von dem sich kreuzenden Lichte her=
rühre, davon kann man sich leicht überzeugen; so wie
denn auch der Schatten eines zugespitzten Körpers
10 zwei Spitzen deutlich zeigt. Wir dürfen also niemals
außer Augen lassen, daß in diesem Falle das ganze
Sonnenbild wirke, Schatten hervorbringe, sie in Dop=
pelschatten verwandle und endlich sogar aufhebe.

398.

Man nehme nunmehr, statt der festen Körper,
15 ausgeschnittene Öffnungen von verschiedener bestimmter
Größe neben einander, und lasse das Sonnenlicht auf
eine etwas entfernte Tafel hindurch fallen; so wird
man finden, daß das helle Bild, welches auf der
Tafel von der Sonne hervorgebracht wird, größer sei
20 als die Öffnung; welches daher kommt, daß der eine
Rand der Sonne durch die entgegengesetzte Seite der
Öffnung noch hindurch scheint, wenn der andre durch
sie schon verdeckt ist. Daher ist das helle Bild an
seinen Rändern schwächer beleuchtet.

399.

Nimmt man vierecte Öffnungen von welcher Größe man wolle, so wird das helle Bild auf einer Tafel, die neun Fuß von den Öffnungen steht, um einen Zoll an jeder Seite größer sein als die Öffnung; welches mit dem Winkel des scheinbaren Sonnen= 5 diameters ziemlich übereinkommt.

400.

Daß eben diese Randerleuchtung nach und nach abnehme, ist ganz natürlich, weil zulezt nur ein Minimum des Sonnenlichtes vom Sonnenrande über's Kreuz durch den Rand der Öffnung einwirken kann. 10

401.

Wir sehen also hier abermals, wie sehr wir Ur= sache haben, uns in der Erfahrung vor der Annahme von parallelen Strahlen, Strahlenbüscheln und =Bün= deln und dergleichen hypothetischen Wesen zu hüten (309, 310). 15

402.

Wir können uns vielmehr das Scheinen der Sonne, oder irgend eines Lichtes, als eine unendliche Abspiege= lung des beschränkten Lichtbildes vorstellen; woraus sich denn wohl ableiten läßt, wie alle vierecte Öff= nungen, durch welche die Sonne scheint, in gewissen 20 Entfernungen, je nachdem sie größer oder kleiner sind, ein rundes Bild geben müssen.

403.

Obige Versuche kann man durch Öffnungen von mancherlei Form und Größe wiederholen, und es wird sich immer dasselbe in verschiedenen Abweichungen zeigen; wobei man jedoch immer bemerken wird, daß 5 im vollen Lichte, und bei der einfachen Operation des Herscheinens der Sonne an einem Rand, keine Farbe sich sehen lasse.

404.

Wir wenden uns daher zu den Versuchen mit dem gedämpften Lichte, welches nöthig ist, damit die Far= 10 benerscheinung eintrete. Man mache eine kleine Öff= nung in den Laden der dunklen Kammer, man fange das über's Kreuz eindringende Sonnenbild mit einem weißen Papiere auf, und man wird, je kleiner die Öffnung ist, ein desto matteres Licht erblicken; und 15 zwar ganz natürlich, weil die Erleuchtung nicht von der ganzen Sonne, sondern nur von einzelnen Puncten, nur theilweise gewirkt wird.

405.

Betrachtet man dieses matte Sonnenbild genau, so findet man es gegen seine Ränder zu immer matter 20 und mit einem gelben Saume begränzt, der sich deut= lich zeigt, am deutlichsten aber, wenn sich ein Nebel, oder eine durchscheinende Wolke vor die Sonne zieht, ihr Licht mäßiget und dämpft. Sollten wir uns nicht

gleich hiebei jenes Hofes an der Wand und des Scheins
eines nahe davorstehenden Lichtes erinnern? (88)

406.

Betrachtet man jenes oben beschriebene Sonnen=
bild genauer, so sieht man, daß es mit diesem gelben
Saume noch nicht abgethan ist; sondern man bemerkt
noch einen zweiten blaulichen Kreis, wo nicht gar eine
hofartige Wiederholung des Farbensaums. Ist das
Zimmer recht dunkel, so sieht man, daß der zunächst
um die Sonne erhellte Himmel gleichfalls einwirkt,
man sieht den blauen Himmel, ja sogar die ganze
Landschaft auf dem Papiere und überzeugt sich aber=
mals, daß hier nur von dem Sonnenbilde die Rede sei.

407.

Nimmt man eine etwas größere, vierecte Öffnung,
welche durch das Hineinstrahlen der Sonne nicht gleich
rund wird; so kann man die Halbschatten von jedem
Rande, das Zusammentreffen derselben in den Ecken,
die Färbung derselben, nach Maßgabe obgemeldeter
Erscheinung der runden Öffnung, genau bemerken.

408.

Wir haben nunmehr ein parallaktisch scheinendes
Licht gedämpft, indem wir es durch kleine Öffnungen
scheinen ließen, wir haben ihm aber seine parallaktische
Eigenschaft nicht genommen, so daß es abermals

Doppelschatten der Körper, wenn gleich mit gedämpfter
Wirkung, hervorbringen kann. Diese sind nunmehr
diejenigen, auf welche man bisher aufmerksam gewesen,
welche in verschiedenen hellen und dunkeln, farbigen
und farblosen Kreisen auf einander folgen, und ver=
mehrte, ja gewissermaßen unzählige Höfe hervorbringen.
Sie sind oft gezeichnet und in Kupfer gestochen worden,
indem man Nadeln, Haare und andre schmale Körper
in das gedämpfte Licht brachte, die vielfachen hofar=
tigen Doppelschatten bemerkte und sie einer Aus= und
Einbiegung des Lichtes zuschrieb, und dadurch erklären
wollte, wie der Kernschatten aufgehoben, und wie ein
Helles an der Stelle des Dunkeln erscheinen köune.

409.

Wir aber halten vorerst daran fest, daß es aber=
mals parallaktische Doppelschatten sind, welche mit
farbigen Säumen und Höfen begränzt erscheinen.

410.

Wenn man alles dieses nun gesehen, untersucht
und sich deutlich gemacht hat; so kann man zu dem
Versuche mit den Messerklingen schreiten, welches nur
ein Aneinanderrücken und parallaktisches Übereinander=
greifen der uns schon bekannten Halbschatten und Höfe
genannt werden kann.

411.

Zuletzt hat man jene Versuche mit Haaren, Nadeln
und Drähten in jenem Halblichte, das die Sonne wirkt,

so wie im Halblichte, das sich vom blauen Himmel
herschreibt und auf dem Papiere zeigt, anzustellen
und zu betrachten; wodurch man der wahren Ansicht
dieser Phänomene sich immer mehr bemeistern wird.

412.

Da nun aber bei diesen Versuchen alles darauf
ankommt, daß man sich von der parallaktischen Wir=
kung des scheinenden Lichtes überzeuge; so kann man
sich das, worauf es ankommt, durch zwei Lichter
deutlicher machen, wodurch sich die zwei Schatten
über einander führen und völlig sondern lassen. Bei
Tage kann es durch zwei Öffnungen am Fensterladen
geschehen, bei Nacht durch zwei Kerzen; ja es gibt
manche Zufälligkeiten in Gebäuden bei'm Auf= und
Zuschlagen von Läden, wo man diese Erscheinungen
besser beobachten kann, als bei dem sorgfältigsten
Apparate. Jedoch lassen sich alle und jede zum Ver=
such erheben, wenn man einen Kasten einrichtet, in
den man oben hineinsehen kann, und dessen Thüre
man sachte zulehnt, nachdem man vorher ein Doppel=
licht einfallen lassen. Daß hierbei die von uns unter
den physiologischen Farben abgehandelten farbigen
Schatten sehr leicht eintreten, läßt sich erwarten.

413.

Überhaupt erinnre man sich, was wir über die
Natur der Doppelschatten, Halblichter und dergleichen
früher ausgeführt haben, besonders aber mache man

Versuche mit verschiedenen neben einander gestellten Schattirungen von Grau, wo jeder Streif an seinem dunklen Nachbar hell, am hellen dunkel erscheinen wird. Bringt man Abends mit drei oder mehreren Lichtern Schatten hervor, die sich stufenweise decken; so kann man dieses Phänomen sehr deutlich gewahr werden, und man wird sich überzeugen, daß hier der physiologische Fall eintritt, den wir oben weiter ausgeführt haben (38).

414.

Inwiefern nun aber alles, was von Erscheinungen die paroptischen Farben begleitet, aus der Lehre vom gemäßigten Lichte, von Halbschatten und von physiologischer Bestimmung der Retina sich ableiten lasse, oder ob wir genöthigt sein werden, zu gewissen innern Eigenschaften des Lichts unsere Zuflucht zu nehmen, wie man es bisher gethan, mag die Zeit lehren. Hier sei es genug, die Bedingungen angezeigt zu haben, unter welchen die paroptischen Farben entstehen, so wie wir denn auch hoffen können, daß unsre Winke auf den Zusammenhang mit dem bisherigen Vortrag von Freunden der Natur nicht unbeachtet bleiben werden.

415.

Die Verwandtschaft der paroptischen Farben mit den dioptrischen der zweiten Classe wird sich auch jeder Denkende gern ausbilden. Hier wie dort ist von Rändern die Rede; hier wie dort von einem Lichte,

das an dem Rande herscheint. Wie natürlich ist es
also, daß die paroptischen Wirkungen durch die dioptri=
schen erhöht, verstärkt und verherrlicht werden können.
Doch kann hier nur von den objectiven Refractions=
fällen die Rede sein, da das leuchtende Bild wirklich
durch das Mittel durchscheint: denn diese sind eigent=
lich mit den paroptischen verwandt. Die subjectiven
Refractionsfälle, da wir die Bilder durch's Mittel
sehen, stehen aber von den paroptischen völlig ab, und
sind auch schon wegen ihrer Reinheit von uns ge=
priesen worden.

416.

Wie die paroptischen Farben mit den katoptrischen
zusammenhängen, läßt sich aus dem Gesagten schon
vermuthen: denn da die katoptrischen Farben nur an
Ritzen, Puncten, Stahlsaiten, zarten Fäden sich zeigen,
so ist es ungefähr derselbe Fall, als wenn das Licht
an einem Rande herschiene. Es muß jeder Zeit von
einem Rande zurück scheinen, damit unser Auge eine
Farbe gewahr werde. Wie auch hier die Beschrän=
kung des leuchtenden Bildes, so wie die Mäßigung
des Lichtes, zu betrachten sei, ist oben schon angezeigt
worden.

417.

Von den subjectiven paroptischen Farben führen
wir nur noch weniges an, weil sie sich theils mit
den physiologischen, theils mit den dioptrischen der
zweiten Classe in Verbindung setzen lassen, und sie

größtentheils kaum hieher zu gehören scheinen, ob sie
gleich, wenn man genau aufmerkt, über die ganze
Lehre und ihre Verknüpfung ein erfreuliches Licht
verbreiten.

418.

5 Wenn man ein Lineal dergestalt vor die Augen
hält, daß die Flamme des Lichts über dasselbe her=
vorscheint; so sieht man das Lineal gleichsam ein=
geschnitten und schartig an der Stelle, wo das Licht
hervorragt. Es scheint sich dieses aus der ausdehnen=
10 den Kraft des Lichtes auf der Retina ableiten zu
lassen (18).

419.

Dasselbige Phänomen im Großen zeigt sich bei'm
Aufgang der Sonne, welche, wenn sie rein, aber nicht
allzu mächtig, aufgeht, also daß man sie noch an=
15 blicken kann, jederzeit einen scharfen Einschnitt in den
Horizont macht.

420.

Wenn man bei grauem Himmel gegen ein Fenster
tritt, so daß das dunkle Kreuz sich gegen denselben
abschneidet, wenn man die Augen alsdann auf das
20 horizontale Holz richtet, ferner den Kopf etwas vor=
zubiegen, zu blinzen und aufwärts zu sehen anfängt;
so wird man bald unten an dem Holze einen schönen
gelbrothen Saum, oben über demselben einen schönen
hellblauen entdecken. Je dunkelgrauer und gleicher
25 der Himmel, je dämmernder das Zimmer und folglich

je ruhiger das Auge, desto lebhafter wird sich die
Erscheinung zeigen, ob sie sich gleich einem aufmerk=
samen Beobachter auch bei hellem Tage darstellen
wird.

421.

Man biege nunmehr den Kopf zurück und blinzle
mit den Augen dergestalt, daß man den horizontalen
Fensterstab unter sich sehe, so wird auch das Phäno=
men umgekehrt erscheinen.   Man wird nämlich die
obere Kante gelb und die untre blau sehen.

422.

In einer dunkeln Kammer stellen sich die Be=
obachtungen am besten an.   Wenn man vor die
Öffnung, vor welche man gewöhnlich das Sonnen=
Mikroskop schraubt, ein weißes Papier heftet, wird
man den untern Rand des Kreises blau, den obern
gelb erblicken, selbst indem man die Augen ganz offen
hat, oder sie nur in so fern zublinzt, daß kein Hof
sich mehr um das Weiße herum zeigt.   Biegt man
den Kopf zurück, so sieht man die Farben umgekehrt.

423.

Diese Phänomene scheinen daher zu entstehen, daß
die Feuchtigkeiten unsres Auges eigentlich nur in der
Mitte, wo das Sehen vorgeht, wirklich achromatisch
sind, daß aber gegen die Peripherie zu, und in un=
natürlichen Stellungen, als Auf= und Niederbiegen

des Kopfes, wirklich eine chromatische Eigenschaft, be=
sonders wenn scharf absetzende Bilder betrachtet wer=
den, übrig bleibe. Daher diese Phänomene zu jenen
gehören mögen, welche mit den dioptrischen der zweiten
5 Classe verwandt sind.

424.

Ähnliche Farben erscheinen, wenn man gegen
schwarze und weiße Bilder durch den Nadelstich einer
Karte sieht. Statt des weißen Bildes kann man
auch den lichten Punct im Bleche des Ladens der
10 Camera obscura wählen, wenn die Vorrichtung zu
den paroptischen Farben gemacht ist.

425.

Wenn man durch eine Röhre durchsieht, deren
untre Öffnung verengt, oder durch verschiedene Aus=
schnitte bedingt ist, erscheinen die Farben gleichfalls.

426.

15 An die paroptischen Erscheinungen aber schließen
sich meines Bedünkens folgende Phänomene näher an.
Wenn man eine Nadelspitze nah vor das Auge hält,
so entsteht in demselben ein Doppelbild. Besonders
merkwürdig ist aber, wenn man durch die zu parop=
20 tischen Versuchen eingerichteten Messerklingen hindurch
und gegen einen grauen Himmel sieht. Man blickt
nämlich wie durch einen Flor, und es zeigen sich im
Auge sehr viele Fäden, welches eigentlich nur die

wiederholten Bilder der Klingenschärfen sind, davon
das eine immer von dem folgenden successiv, oder
wohl auch von dem gegenüber wirkenden parallaktisch
bedingt und in eine Fadengestalt verwandelt wird.

427.

So ist denn auch noch schließlich zu bemerken,
daß, wenn man durch die Klingen nach einem lichten
Punct im Fensterladen hinsieht, auf der Retina dieselben farbigen Streifen und Höfe, wie auf dem
Papiere, entstehen.

428.

Und so sei dieses Capitel gegenwärtig um so mehr
geschlossen, als ein Freund übernommen hat, dasselbe
nochmals genau durchzuexperimentiren, von dessen
Bemerkungen wir, bei Gelegenheit der Revision, der
Tafeln und des Apparats, in der Folge weitere
Rechenschaft zu geben hoffen.

XXXIII.

Epoptische Farben.

429.

Haben wir bisher uns mit solchen Farben ab-
gegeben, welche zwar sehr lebhaft erscheinen, aber

auch, bei aufgehobener Bedingung, sogleich wieder
verschwinden; so machen wir nun die Erfahrung von
solchen, welche zwar auch als vorübergehend beobachtet
werden, aber unter gewissen Umständen sich dergestalt
5 fixiren, daß sie, auch nach aufgehobenen Bedingungen,
welche ihre Erscheinung hervorbrachten, bestehen bleiben,
und also den Übergang von den physischen zu den
chemischen Farben ausmachen.

430.

Sie entspringen durch verschiedene Veranlassungen
10 auf der Oberfläche eines farblosen Körpers, ursprüng=
lich, ohne Mittheilung, Färbe, Taufe (βαφή); und
wir werden sie nun, von ihrer leisesten Erscheinung
bis zu ihrer hartnäckigsten Dauer, durch die ver=
schiedenen Bedingungen ihres Entstehens hindurch ver=
15 folgen, welche wir zu leichterer Übersicht hier sogleich
summarisch anführen.

431.

Erste Bedingung. Berührung zweier glatten Flä=
chen harter durchsichtiger Körper.

Erster Fall, wenn Glasmassen, Glastafeln, Linsen
20 an einander gedrückt werden.

Zweiter Fall, wenn in einer soliden Glas=, Kry=
stall= oder Eismasse ein Sprung entsteht.

Dritter Fall, indem sich Lamellen durchsichtiger
Steine von einander trennen.

Zweite Bedingung. Wenn eine Glasfläche oder ein geschliffner Stein angehaucht wird.

Dritte Bedingung. Verbindung von beiden obigen, daß man nämlich die Glastafel anhaucht, eine andre drauf legt, die Farben durch den Druck erregt, dann das Glas abschiebt, da sich denn die Farben nach= ziehen und mit dem Hauche verfliegen.

Vierte Bedingung. Blasen verschiedener Flüssig= keiten, Seife, Chocolade, Bier, Wein, feine Glas= blasen.

Fünfte Bedingung. Sehr feine Häutchen und Lamellen mineralischer und metallischer Auflösungen; das Kalkhäutchen, die Oberfläche stehender Wasser, besonders eisenschüssiger; ingleichen Häutchen von Öl auf dem Wasser, besonders von Firniß auf Scheide= wasser.

Sechste Bedingung. Wenn Metalle erhitzt werden. Anlaufen des Stahls und andrer Metalle.

Siebente Bedinguug. Wenn die Oberfläche des Glases angegriffen wird.

432.

Erste Bedingung, erster Fall. Wenn zwei convexe Gläser, oder ein Convex= und Planglas, am besten ein Convex= und Hohlglas sich einander be= rühren, so entstehn concentrische farbige Kreise. Bei dem gelindesten Druck zeigt sich sogleich das Phäno= men, welches nach und nach durch verschiedene Stufen

geführt werden kann. Wir beschreiben sogleich die
vollendete Erscheinung, weil wir die verschiedenen
Grade, durch welche sie durchgeht, rückwärts alsdann
desto besser werden einsehen lernen.

433.

Die Mitte ist farblos; daselbst, wo die Gläser
durch den stärksten Druck gleichsam zu Einem vereinigt
sind, zeigt sich ein dunkelgrauer Punct, um denselben
ein silberweißer Raum, alsdann folgen in abnehmen=
den Entfernungen verschiedene isolirte Ringe, welche
sämmtlich aus drei Farben, die unmittelbar mit ein=
ander verbunden sind, bestehen. Jeder dieser Ringe,
deren etwa drei bis vier gezählt werden können, ist
inwendig gelb, in der Mitte purpurfarben und aus=
wendig blau. Zwischen zwei Ringen findet sich ein
silberweißer Zwischenraum. Die letzten Ringe gegen
die Peripherie des Phänomens stehen immer enger
zusammen. Sie wechseln mit Purpur und Grün,
ohne einen dazwischen bemerklichen silberweißen Raum.

434.

Wir wollen nunmehr die successive Entstehung des
Phänomens vom gelindesten Druck an beobachten.

435.

Bei'm gelindesten Druck erscheint die Mitte selbst
grün gefärbt. Darauf folgen bis an die Peripherie
sämmtlicher concentrischen Kreise purpurne und grüne

Ringe. Sie sind verhältnißmäßig breit und man sieht
keine Spur eines silberweißen Raums zwischen ihnen.
Die grüne Mitte entsteht durch das Blau eines un=
entwickelten Cirkels, das sich mit dem Gelb des ersten
Kreises vermischt. Alle übrigen Kreise sind bei dieser 5
gelinden Berührung breit, ihre gelben und blauen
Ränder vermischen sich und bringen das schöne Grün
hervor. Der Purpur aber eines jeden Ringes bleibt
rein und unberührt, daher zeigen sich sämmtliche Kreise
von diesen beiden Farben. 10

436.

Ein etwas stärkerer Druck entfernt den ersten Kreis
von dem unentwickelten um etwas weniges und isolirt
ihn, so daß er sich nun ganz vollkommen zeigt. Die
Mitte erscheint nun als ein blauer Punct: denn das
Gelbe des ersten Kreises ist nun durch einen silber= 15
weißen Raum von ihr getrennt. Aus dem Blauen
entwickelt sich in der Mitte ein Purpur, welcher jeder=
zeit nach außen seinen zugehörigen blauen Rand be=
hält. Der zweite, dritte Ring, von innen gerechnet,
ist nun schon völlig isolirt. Kommen abweichende 20
Fälle vor, so wird man sie aus dem Gesagten und
noch zu Sagenden zu beurtheilen wissen.

437.

Bei einem stärkern Druck wird die Mitte gelb, sie
ist mit einem purpurfarbenen und blauen Rand um=

geben. Endlich zieht ſich auch dieſes Gelb völlig aus
der Mitte. Der innerſte Kreis iſt gebildet und die
gelbe Farbe umgibt deſſen Rand. Nun erſcheint die
ganze Mitte ſilberweiß, bis zuletzt bei dem ſtärkſten
5 Druck ſich der dunkle Punct zeigt und das Phänomen,
wie es zu Anfang beſchrieben wurde, vollendet iſt.

438.

Das Maß der concentriſchen Ringe und ihrer
Entfernungen bezieht ſich auf die Form der Gläſer,
welche zuſammengedrückt werden.

439.

10 Wir haben oben bemerkt, daß die farbige Mitte
aus einem unentwickelten Kreiſe beſtehe. Es findet ſich
aber oft bei dem gelindeſten Druck, daß mehrere un=
entwickelte Kreiſe daſelbſt gleichſam im Keime liegen,
welche nach und nach vor dem Auge des Beobachters
15 entwickelt werden können.

440.

Die Regelmäßigkeit dieſer Ringe entſpringt aus
der Form des Convex=Glaſes, und der Durchmeſſer des
Phänomens richtet ſich nach dem größern oder kleinern
Kugelſchnitt, wornach eine Linſe geſchliffen iſt. Man
20 ſchließt daher leicht, daß man durch das Aneinander=
drücken von Plangläſern nur unregelmäßige Erſchei=
nungen ſehen werde, welche wellenförmig nach Art
der gewäſſerten Seidenzeuge erſcheinen und ſich von

dem Puncte des Drucks aus nach allen Enden ver=
breiten. Doch ist auf diesem Wege das Phänomen
viel herrlicher als auf jenem und für einen jeden auf=
fallend und reizend. Stellt man nun den Versuch
auf diese Weise an, so wird man völlig wie bei dem 5
oben beschriebenen bemerken, daß bei gelindem Druck
die grünen und purpurnen Wellen zum Vorschein
kommen, bei'm stärkeren aber Streifen, welche blau,
purpurn und gelb sind, sich isoliren. In dem ersten
Falle berühren sich ihre Außenseiten, in dem zweiten 10
sind sie durch einen silberweißen Raum getrennt.

441.

Ehe wir nun zur fernern Bestimmung dieses Phä=
nomens übergehen, wollen wir die bequemste Art,
dasselbe hervorzubringen, mittheilen.

Man•lege ein großes Convexglas vor sich auf den 15
Tisch gegen ein Fenster, und auf dasselbe eine Tafel
wohlgeschliffenen Spiegelglases, ungefähr von der
Größe einer Spielkarte; so wird die bloße Schwere
der Tafel sie schon dergestalt andrücken, daß eins oder
das andre der beschriebenen Phänomene entsteht, und 20
man wird schon durch die verschiedene Schwere der
Glastafel, durch andre Zufälligkeiten, wie z. B. wenn
man die Glastafel auf die abhängende Seite des Con=
vexglases führt, wo sie nicht so stark aufdrückt als
in der Mitte, alle von uns beschriebenen Grade nach 25
und nach hervorbringen können.

442.

Um das Phänomen zu bemerken, muß man schief auf die Fläche sehen, auf welcher uns dasselbe erscheint. Äußerst merkwürdig ist aber, daß, wenn man sich immer mehr neigt, und unter einem spitzeren Winkel 5 nach dem Phänomen sieht, die Kreise sich nicht allein erweitern; sondern aus der Mitte sich noch andre Kreise entwickeln, von denen sich, wenn man perpendiculär auch durch das stärkste Vergrößerungsglas darauf sah, keine Spur entdecken ließ.

443.

10 Wenn das Phänomen gleich in seiner größten Schönheit erscheinen soll, so hat man sich der äußersten Reinlichkeit zu befleißigen. Macht man den Versuch mit Spiegelglasplatten, so thut man wohl, lederne Handschuh anzuziehen. Man kann bequem die innern 15 Flächen, welche sich auf das genaueste berühren müssen, vor dem Versuche reinigen, und die äußern, bei dem Versuche selbst, unter dem Drücken rein erhalten.

444.

Man sieht aus Obigem, daß eine genaue Berührung zweier glatten Flächen nöthig ist. Geschliffene 20 Gläser thun den besten Dienst. Glasplatten zeigen die schönsten Farben, wenn sie an einander festhängen; und aus eben dieser Ursache soll das Phänomen an Schönheit wachsen, wenn sie unter die Luftpumpe gelegt werden, und man die Luft auspumpt.

445.

Die Erscheinung der farbigen Ringe kann am
schönsten hervorgebracht werden, wenn man ein con=
vexes und concaves Glas, die nach einerlei Kugel=
schnitt geschliffen sind, zusammenbringt. Ich habe die
Erscheinung niemals glänzender gesehen, als bei dem
Objectivglase eines achromatischen Fernrohrs, bei
welchem das Crownglas mit dem Flintglase sich allzu
genau berühren mochte.

446.

Merkwürdig ist die Erscheinung, wenn ungleich=
artige Flächen, z. B. ein geschliffner Krystall an eine
Glasplatte gedrückt wird. Die Erscheinung zeigt sich
keinesweges in großen fließenden Wellen, wie bei der
Verbindung des Glases mit dem Glase, sondern sie
ist klein und zackig und gleichsam unterbrochen, so
daß es scheint, die Fläche des geschliffenen Krystalls,
die aus unendlich kleinen Durchschnitten der Lamellen
besteht, berühre das Glas nicht in einer solchen Con=
tinuität, als es von einem andern Glase geschieht.

447.

Die Farbenerscheinung verschwindet durch den stärk=
sten Druck, der die beiden Flächen so innig verbindet,
daß sie nur einen Körper auszumachen scheinen. Da=
her entsteht der dunkle Punct in der Mitte, weil die
gedrückte Linse auf diesem Puncte kein Licht mehr zu=

rückwirft, so wie eben derselbe Punct, wenn man ihn
gegen das Licht sieht, völlig hell und durchsichtig ist.
Bei Nachlassung des Drucks verschwinden die Farben
allmählich, und völlig, wenn man die Flächen von
5 einander schiebt.

448.

Eben diese Erscheinungen kommen noch in zwei
ähnlichen Fällen vor. Wenn ganze durchsichtige
Massen sich von einander in dem Grade trennen, daß
die Flächen ihrer Theile sich noch hinreichend berühren;
10 so sieht man dieselben Kreise und Wellen mehr oder
weniger. Man kann sie sehr schön hervorbringen,
wenn man eine erhitzte Glasmasse in's Wasser taucht,
in deren verschiedenen Rissen und Sprüngen man die
Farben in mannichfaltigen Zeichnungen bequem be-
15 obachten kann. Die Natur zeigt uns oft dasselbe
Phänomen an gesprungenem Bergkrystall.

449.

Häufig aber zeigt sich diese Erscheinung in der
mineralischen Welt an solchen Steinarten, welche ihrer
Natur nach blättrig sind. Diese ursprünglichen La=
20 mellen sind zwar so innig verbunden, daß Steine
dieser Art auch völlig durchsichtig und farblos er=
scheinen können; doch werden die innerlichen Blätter
durch manche Zufälle getrennt, ohne daß die Berüh=
rung aufgehoben werde; und so wird die uns nun
25 genugsam bekannte Erscheinung öfters hervorgebracht,

besonders bei Kalkspäthen, bei Fraueneis, bei der
Abularia und mehrern ähnlich gebildeten Mineralien.
Es zeigt also eine Unkenntniß der nächsten Ursachen
einer Erscheinung, welche zufällig so oft hervorgebracht
wird, wenn man sie in der Mineralogie für so be= 5
deutend hielt und den Exemplaren, welche sie zeigten,
einen besondern Werth beilegte.

450.

Es bleibt uns nur noch übrig, von der höchst merk=
würdigen Umwendung dieses Phänomens zu sprechen,
wie sie uns von den Naturforschern überliefert worden. 10
Wenn man nämlich, anstatt die Farben bei reflectir=
tem Lichte zu betrachten, sie bei durchfallendem Licht
beobachtet; so sollen an derselben Stelle die entgegen=
gesetzten, und zwar auf eben die Weise, wie wir solche
oben physiologisch, als Farben, die einander fordern, 15
angegeben haben, erscheinen. An der Stelle des Blauen
soll man das Gelbe, und umgekehrt; an der Stelle
des Rothen das Grüne u. s. w. sehen. Die näheren
Versuche sollen künftig angegeben werden, um so mehr,
als bei uns über diesen Punct noch einige Zweifel 20
obwalten.

451.

Verlangte man nun von uns, daß wir über diese
bisher vorgetragenen epoptischen Farben, die unter der
ersten Bedingung erscheinen, etwas Allgemeines aus=
sprechen und diese Phänomene an die frühern physi= 25

schen Erscheinungen anknüpfen sollten; so würden wir
folgendermaßen zu Werke gehen.

452.

Die Gläser, welche zu den Versuchen gebraucht
werden, sind als ein empirisch möglichst Durchsichtiges
anzusehen. Sie werden aber, nach unsrer Überzeugung,
durch eine innige Berührung, wie sie der Druck verursacht, sogleich auf ihren Oberflächen, jedoch nur auf
das leiseste, getrübt. Innerhalb dieser Trübe entstehn
sogleich die Farben, und zwar enthält jeder Ring das
ganze System: denn indem die beiden entgegengesetzten,
das Gelb und Blau, mit ihren rothen Enden verbunden sind, zeigt sich der Purpur. Das Grüne
hingegen, wie bei dem prismatischen Versuch, wenn
Gelb und Blau sich erreichen.

453.

Wie durchaus bei Entstehung der Farbe das ganze
System gefordert wird, haben wir schon früher mehrmals erfahren, und es liegt auch in der Natur jeder
physischen Erscheinung, es liegt schon in dem Begriff
von polarischer Entgegensetzung, wodurch eine elementare Einheit zur Erscheinung kommt.

454.

Daß bei durchscheinendem Licht eine andre Farbe
sich zeigt, als bei reflectirtem, erinnert uns an jene
bioptrischen Farben der ersten Classe, die wir auf

eben diese Weise aus dem Trüben entspringen sahen.
Daß aber auch hier ein Trübes obwalte, daran kann
fast kein Zweifel sein: denn das Ineinandergreifen
der glättesten Glasplatten, welches so stark ist, daß
sie fest an einander hängen, bringt eine Halbvereini= 5
gung hervor, die jeder von beiden Flächen etwas an
Glätte und Durchsichtigkeit entzieht. Den völligen
Ausschlag aber möchte die Betrachtung geben, daß in
der Mitte, wo die Linse am festesten auf das andre
Glas aufgedrückt und eine vollkommene Vereinigung 10
hergestellt wird, eine völlige Durchsichtigkeit entstehe,
wobei man keine Farbe mehr gewahr wird. Jedoch
mag alles dieses seine Bestätigung erst nach voll=
endeter allgemeiner Übersicht des Ganzen erhalten.

455.

Zweite Bedingung. Wenn man eine ange= 15
hauchte Glasplatte mit dem Finger abwischt und so=
gleich wieder anhaucht, sieht man sehr lebhaft durch
einander schwebende Farben, welche, indem der Hauch
abläuft, ihren Ort verändern und zuletzt mit dem
Hauche verschwinden. Wiederholt man diese Opera= 20
tion, so werden die Farben lebhafter und schöner, und
scheinen auch länger als die ersten Male zu bestehen.

456.

So schnell auch dieses Phänomen vorübergeht und
so confus es zu sein scheint, so glaub’ ich doch Fol-

gendes bemerkt zu haben. Im Anfange erscheinen alle
Grundfarben und ihre Zusammensetzungen. Haucht
man stärker, so kann man die Erscheinung in einer
Folge gewahr werden. Dabei läßt sich bemerken,
5 daß, wenn der Hauch im Ablaufen sich von allen
Seiten gegen die Mitte des Glases zieht, die blaue
Farbe zuletzt verschwindet.

457.

Das Phänomen entsteht am leichtesten zwischen
den zarten Streifen, welche der Strich des Fingers
10 auf der klaren Fläche zurückläßt, oder es erfordert
eine sonstige gewissermaßen rauhe Disposition der
Oberfläche des Körpers. Auf manchen Gläsern kann
man durch den bloßen Hauch schon die Farbenerschei=
nung hervorbringen, auf andern hingegen ist das
15 Reiben mit dem Finger nöthig; ja ich habe geschliffene
Spiegelgläser gefunden, von welchen die eine Seite
angehaucht sogleich die Farben lebhaft zeigte, die
andre aber nicht. Nach den überbliebenen Facetten
zu urtheilen, war jene ehmals die freie Seite des
20 Spiegels, diese aber die innere durch das Quecksilber
bedeckt gewesen.

458.

Wie nun diese Versuche sich am besten in der
Kälte anstellen lassen, weil sich die Platte schneller
und reiner anhauchen läßt und der Hauch schneller
25 wieder abläuft; so kann man auch bei starkem Frost,

in der Kutsche fahrend, das Phänomen im Großen
gewahr werden, wenn die Kutschfenster sehr rein ge=
putzt und sämmtlich aufgezogen sind. Der Hauch der
in der Kutsche sitzenden Personen schlägt auf das
zarteste an die Scheiben und erregt sogleich das leb= 5
hafteste Farbenspiel. In wie fern eine regelmäßige
Succession darin sei, habe ich nicht bemerken können.
Besonders lebhaft aber erscheinen die Farben, wenn
sie einen dunklen Gegenstand zum Hintergrunde haben.
Dieser Farbenwechsel dauert aber nicht lange: denn 10
sobald sich der Hauch in stärkere Tropfen sammelt
oder zu Eisnadeln gefriert, so ist die Erscheinung als=
bald aufgehoben.

459.

Dritte Bedingung. Man kann die beiden vor=
hergehenden Versuche des Druckes und Hauches ver= 15
binden, indem man nämlich eine Glasplatte anhaucht
und die andre sogleich darauf drückt. Es entstehen
alsdann die Farben, wie bei'm Drucke zweier unan=
gehauchten, nur mit dem Unterschiede, daß die Feuch=
tigkeit hie und da einige Unterbrechung der Wellen 20
verursacht. Schiebt man eine Glasplatte von der
andern weg, so läuft der Hauch farbig ab.

460.

Man könnte jedoch behaupten, daß dieser ver=
bundene Versuch nichts mehr als die einzelnen sage:
denn wie es scheint, so verschwinden die durch den 25

Druck erregten Farben in dem Maße, wie man die Gläser von einander abschiebt, und die behauchten Stellen laufen alsdann mit ihren eignen Farben ab.

461.

Vierte Bedingung. Farbige Erscheinungen laffen sich fast an allen Blasen beobachten. Die Seifenblasen sind die bekanntesten und ihre Schönheit ist am leichtesten darzustellen. Doch findet man sie auch bei'm Weine, Bier, bei geistigen reinen Liquoren, besonders auch im Schaume der Chocolade.

462.

Wie wir oben einen unendlich schmalen Raum zwischen zwei Flächen, welche sich berühren, erforderten, so kann man das Häutchen der Seifenblase als ein unendlich dünnes Blättchen zwischen zwei elastischen Körpern ansehen: denn die Erscheinung zeigt sich doch eigentlich zwischen der innern, die Blase auftreibenden Luft und zwischen der atmosphärischen.

463.

Die Blase, indem man sie hervorbringt, ist farblos: dann fangen farbige Züge, wie des Marmorpapieres, an sich sehen zu lassen, die sich endlich über die ganze Blase verbreiten, oder vielmehr um sie herumgetrieben werden, indem man sie aufbläf't.

464.

Es gibt verschiedene Arten, die Blase zu machen;
frei, indem man den Strohhalm nur in die Auflösung
taucht und die hängende Blase durch den Athem auf=
treibt. Hier ist die Entstehung der Farbenerscheinung
schwer zu beobachten, weil die schnelle Rotation keine
genaue Bemerkung zuläßt, und alle Farben durch
einander gehen. Doch läßt sich bemerken, daß die
Farben am Strohhalm anfangen. Ferner kann man
in die Auflösung selbst blasen, jedoch vorsichtig, damit
nur Eine Blase entstehe. Sie bleibt, wenn man sie
nicht sehr auftreibt, weiß; wenn aber die Auflösung
nicht allzu wäßrig ist, so setzen sich Kreise um die
perpendiculare Achse der Blase, die gewöhnlich grün
und purpurn abwechseln, indem sie nah an einander
stoßen. Zuletzt kann man auch mehrere Blasen neben
einander hervorbringen, die noch mit der Auflösung
zusammenhangen. In diesem Falle entstehen die Far=
ben an den Wänden, wo zwei Blasen einander platt
gedrückt haben.

465.

An den Blasen des Chocoladenschaums sind die
Farben fast bequemer zu beobachten, als an den
Seifenblasen. Sie sind beständiger, obgleich kleiner.
In ihnen wird durch die Wärme ein Treiben, eine
Bewegung hervorgebracht und unterhalten, die zur
Entwicklung, Succession und endlich zum Ordnen des
Phänomens nöthig zu sein scheinen.

466.

Iſt die Blaſe klein, oder zwiſchen andern einge=
ſchloſſen, ſo treiben ſich farbige Züge auf der Ober=
fläche herum, dem marmorirten Papiere ähnlich; man
ſieht alle Farben unſres Schemas durch einander
5 ziehen, die reinen, geſteigerten, gemiſchten, alle deut=
lich hell und ſchön. Bei kleinen Blaſen dauert das
Phänomen immer fort.|

467.

Iſt die Blaſe größer, oder wird ſie nach und nach
iſolirt, dadurch daß die andern neben ihr zerſpringen;
10 ſo bemerkt man bald, daß dieſes Treiben und Ziehen
der Farben auf etwas abzwecke. Wir ſehen nämlich
auf dem höchſten Puncte der Blaſe einen kleinen
Kreis entſtehen, der in der Mitte gelb iſt; die übri=
gen farbigen Züge bewegen ſich noch immer wurm=
15 förmig um ihn her.

468.

Es dauert nicht lange, ſo vergrößert ſich der Kreis
und ſinkt nach allen Seiten hinab. In der Mitte
behält er ſein Gelb, nach unten und außen wird er
purpurfarben und bald blau. Unter dieſem entſteht
20 wieder ein neuer Kreis von eben dieſer Farbenfolge.
Stehen ſie nahe genug beiſammen, ſo entſteht aus
Vermiſchung der Endfarben ein Grün.

469.

Wenn ich drei solcher Hauptkreise zählen konnte, so war die Mitte farblos und dieser Raum wurde nach und nach größer, indem die Kreise mehr niedersanken, bis zuletzt die Blase zerplatzte.

470.

Fünfte Bedingung. Es können auf verschiedene Weise sehr zarte Häutchen entstehen, an welchen man ein sehr lebhaftes Farbenspiel entdeckt, indem nämlich sämmtliche Farben entweder in der bekannten Ordnung, oder mehr verworren durch einander laufend gesehen werden. Das Wasser, in welchem ungelöschter Kalk aufgelöst worden, überzieht sich bald mit einem farbigen Häutchen. Ein Gleiches geschieht auf der Oberfläche stehender Wasser, vorzüglich solcher, welche Eisen enthalten. Die Lamellen des feinen Weinsteins, die sich, besonders von rothem französischen Weine, in den Bouteillen anlegen, glänzen von den schönsten Farben, wenn sie auf sorgfältige Weise losgeweicht und an das Tageslicht gebracht werden. Öltropfen auf Wasser, Branntwein und andern Flüssigkeiten bringen auch dergleichen Ringe und Flämmchen hervor. Der schönste Versuch aber, den man machen kann, ist folgender. Man gieße nicht allzustarkes Scheidewasser in eine flache Schale und tropfe mit einem Pinsel von jenem Firniß darauf, welchen die Kupferstecher brauchen, um während des

Ätzens gewisse Stellen ihrer Platten zu decken. Sogleich entsteht unter lebhafter Bewegung ein Häutchen, das sich in Kreise ausbreitet, und zugleich die lebhaftesten Farbenerscheinungen hervorbringt.

471.

Sechste Bedingung. Wenn Metalle erhitzt werden, so entstehen auf ihrer Oberfläche flüchtig auf einander folgende Farben, welche jedoch nach Belieben fest gehalten werden können.

472.

Man erhitze einen polirten Stahl, und er wird in einem gewissen Grad der Wärme gelb überlaufen. Nimmt man ihn schnell von den Kohlen weg, so bleibt ihm diese Farbe.

473.

Sobald der Stahl heißer wird, erscheint das Gelbe dunkler, höher und geht bald in den Purpur hinüber. Dieser ist schwer fest zu halten, denn er eilt sehr schnell in's Hochblaue.

474.

Dieses schöne Blau ist fest zu halten, wenn man schnell den Stahl aus der Hitze nimmt und ihn in Asche steckt. Die blau angelaufnen Stahlarbeiten werden auf diesem Wege hervorgebracht. Fährt man aber fort, den Stahl frei über dem Feuer zu halten, so wird er in kurzem hellblau und so bleibt er.

13*

475.

Diese Farben ziehen wie ein Hauch über die Stahlplatte, eine scheint vor der andern zu fliehen; aber eigentlich entwickelt sich immer die folgende aus der vorhergehenden.

476.

Wenn man ein Federmesser in's Licht hält, so wird ein farbiger Streif quer über die Klinge entstehen. Der Theil des Streifes, der am tiefsten in der Flamme war, ist hellblau, das sich in's Blaurothe verliert. Der Purpur steht in der Mitte, dann folgt Gelbroth und Gelb.

477.

Dieses Phänomen leitet sich aus dem vorhergehenden ab; denn die Klinge nach dem Stiele zu ist weniger erhitzt, als an der Spitze, welche sich in der Flamme befindet; und so müssen alle Farben, die sonst nach einander entstehen, auf einmal erscheinen, und man kann sie auf das beste figirt aufbewahren.

478.

Robert Boyle gibt diese Farbensuccession folgendermaßen an: a florido flavo ad flavum saturum et rubescentem (quem artifices sanguineum vocant) inde ad languidum, postea ad saturiorem cyaneum. Dieses wäre ganz gut, wenn man die Worte languidus und saturior ihre Stellen verwechseln ließe. Inwiefern

die Bemerkung richtig iſt, daß die verſchiedenen Farben
auf die Grade der folgenden Härtung Einfluß haben,
laſſen wir dahingeſtellt ſein. Die Farben ſind hier
nur Anzeichen der verſchiedenen Grade der Hitze.

479.

5 Wenn man Blei calcinirt, wird die Oberfläche
erſt graulich. Dieſes grauliche Pulver wird durch
größere Hitze gelb, und ſodann orange. Auch das
Silber zeigt bei der Erhitzung Farben. Der Blick
des Silbers bei'm Abtreiben gehört auch hieher. Wenn
10 metalliſche Gläſer ſchmelzen, entſtehen gleichfalls Far=
ben auf der Oberfläche.

480.

Siebente Bedingung. Wenn die Oberfläche
des Glaſes angegriffen wird. Das Blindwerden des
Glaſes iſt uns oben ſchon merkwürdig geweſen. Man
15 bezeichnet durch dieſen Ausdruck, wenn die Oberfläche
des Glaſes dergeſtalt angegriffen wird, daß es uns
trüb erſcheint.

481.

Das weiße Glas wird am erſten blind, deßgleichen
gegoſſenes und nachher geſchliffenes Glas, das blau=
20 liche weniger, das grüne am wenigſten.

482.

Eine Glastafel hat zweierlei Seiten, davon man
die eine die Spiegelſeite nennt. Es iſt die, welche im

Ofen oben liegt, an der man rundliche Erhöhungen
bemerken kann. Sie ist glätter als die andere, die
im Ofen unten liegt und an welcher man manchmal
Kritzen bemerkt. Man nimmt deßwegen gern die
Spiegelseite in die Zimmer, weil sie durch die von
innen anschlagende Feuchtigkeit weniger als die andre
angegriffen, und das Glas daher weniger blind wird.

483.

Dieses Blindwerden oder Trüben des Glases geht
nach und nach in eine Farbenerscheinung über, die
sehr lebhaft werden kann, und bei welcher vielleicht
auch eine gewisse Succession, oder sonst etwas Ord=
nungsgemäßes zu entdecken wäre.

484.

Und so hätten wir denn auch die physischen Farben
von ihrer leisesten Wirkung an bis dahin geführt,
wo sich diese flüchtigen Erscheinungen an die Körper
festsetzen, und wir wären auf diese Weise an die Gränze
gelangt, wo die chemischen Farben eintreten, ja ge=
wissermaßen haben wir diese Gränze schon überschrit=
ten; welches für die Stätigkeit unsres Vortrags ein
gutes Vorurtheil erregen mag. Sollen wir aber noch
zu Ende dieser Abtheilung etwas Allgemeines aus=
sprechen und auf ihren innern Zusammenhang hin=
deuten; so fügen wir zu dem, was wir oben (451—
454) gesagt haben, noch Folgendes hinzu.

485.

Das Anlaufen des Stahls und die verwandten
Erfahrungen könnte man vielleicht ganz bequem aus
der Lehre von den trüben Mitteln herleiten. Polirter
Stahl wirft mächtig das Licht zurück. Man denke
5 sich das durch die Hitze bewirkte Anlaufen als eine
gelinde Trübe; sogleich müßte daher ein Hellgelb erscheinen, welches bei zunehmender Trübe immer ver-
dichteter, gedrängter und röther, ja zuletzt purpur-
und rubinroth erscheinen muß. Wäre nun zuletzt
10 diese Farbe auf den höchsten Punct des Dunkelwer-
dens gesteigert, und man dächte sich die immer fort-
waltende Trübe; so würde diese nunmehr sich über
ein Finsteres verbreiten und zuerst ein Violett, dann
ein Dunkelblau und endlich ein Hellblau hervorbrin-
15 gen, und so die Reihe der Erscheinungen beschließen.

Wir wollen nicht behaupten, daß man mit dieser
Erklärungsart völlig auslange, unsre Absicht ist vielmehr, nur auf den Weg zu deuten, auf welchem zuletzt die alles umfassende Formel, das eigentliche Wort
20 des Räthsels gefunden werden kann.

Dritte Abtheilung.
Chemiſche Farben.

486.

So nennen wir diejenigen, welche wir an gewiſſen Körpern erregen, mehr oder weniger fixiren, an ihnen ſteigern, von ihnen wieder wegnehmen und andern Körpern mittheilen können, denen wir denn auch deßhalb eine gewiſſe immanente Eigenſchaft zuſchreiben. Die Dauer iſt meiſt ihr Kennzeichen.

487.

In dieſen Rückſichten bezeichnete man früher die chemiſchen Farben mit verſchiedenen Beiwörtern. Sie hießen colores proprii, corporei, materiales, veri, permanentes, fixi.

488.

Wie ſich das Bewegliche und Vorübergehende der phyſiſchen Farben nach und nach an den Körpern fixire, haben wir in dem Vorhergehenden bemerkt, und den Übergang eingeleitet.

489.

Die Farbe fixirt sich an den Körpern mehr oder weniger dauerhaft, oberflächlich oder durchdringend.

490.

Alle Körper sind der Farbe fähig, entweder daß sie an ihnen erregt, gesteigert, stufenweise fixirt, oder 5 wenigstens ihnen mitgetheilt werden kann.

XXXIV.
Chemischer Gegensatz.

491.

Indem wir bei Darstellung der farbigen Erschei= nung auf einen Gegensatz durchaus aufmerksam zu machen Ursache hatten, so finden wir, indem wir den 10 Boden der Chemie betreten, die chemischen Gegensätze uns auf eine bedeutende Weise begegnend. Wir sprechen hier zu unsern Zwecken nur von demjenigen, den man unter dem allgemeinen Namen von Säure und Alkali zu begreifen pflegt.

492.

15 Wenn wir den chromatischen Gegensatz nach An= leitung aller übrigen physischen Gegensätze durch ein

Mehr oder Weniger bezeichnen, der gelben Seite das
Mehr, der blauen das Weniger zuschreiben; so schließen
sich diese beiden Seiten nun auch in chemischen Fällen
an die Seiten des chemisch Entgegengesetzten an. Das
Gelb und Gelbrothe widmet sich den Säuern, das　5
Blau und Blaurothe den Alkalien; und so lassen
sich die Erscheinungen der chemischen Farben, freilich
mit noch manchen andern eintretenden Betrachtungen,
auf eine ziemlich einfache Weise durchführen.

493.

Da übrigens die Hauptphänomene der chemischen　10
Farben bei Säuerungen der Metalle vorkommen, so
sieht man, wie wichtig diese Betrachtung hier an der
Spitze sei. Was übrigens noch weiter zu bedenken
eintritt, werden wir unter einzelnen Rubriken näher
bemerken; wobei wir jedoch ausdrücklich erklären, daß　15
wir dem Chemiker nur im Allgemeinsten vorzuarbeiten
gedenken, ohne uns in irgend ein Besondres, ohne
uns in die zartern chemischen Aufgaben und Fragen
mischen oder sie beantworten zu wollen. Unsre Ab=
sicht kann nur sein, eine Skizze zu geben, wie sich　20
allenfalls nach unserer Überzeugung die chemische
Farbenlehre an die allgemeine physische anschließen
könnte.

XXXV.
Ableitung des Weißen.

494.

Wir haben hiezu schon oben bei Gelegenheit der dioptrischen Farben der ersten Claſſe (155 ff.) einige Schritte gethan. Durchſichtige Körper ſtehen auf der höchſten Stufe unorganiſcher Materialität. Zunächſt daran fügt ſich die reine Trübe, und das Weiße kann als die vollendete reine Trübe angeſehen werden.

495.

Reines Waſſer zu Schnee kryſtalliſirt erſcheint weiß, indem die Durchſichtigkeit der einzelnen Theile kein durchſichtiges Ganzes macht. Verſchiedene Salz=kryſtalle, denen das Kryſtalliſationswaſſer entweicht, erſcheinen als ein weißes Pulver. Man könnte den zufällig undurchſichtigen Zuſtand des rein Durchſich=tigen Weiß nennen; ſo wie ein zermalmtes Glas als ein weißes Pulver erſcheint. Man kann dabei die Aufhebung einer dynamiſchen Verbindung und die Darſtellung der atomiſtiſchen Eigenſchaft der Materie in Betracht ziehn.

496.

Die bekannten unzerlegten Erden ſind in ihrem reinen Zuſtand alle weiß. Sie gehn durch natürliche

Kryſtalliſation in Durchſichtigkeit über; Kieſelerde in
den Bergkryſtall, Thonerde in den Glimmer, Bitter=
erde in den Talk, Kalkerde und Schwererde erſcheinen
in ſo mancherlei Späthen durchſichtig.

497.

Da uns bei Färbung mineraliſcher Körper die
Metallkalke vorzüglich begegnen werden, ſo bemer=
ken wir noch zum Schluſſe, daß angehende gelinde
Säurungen weiße Kalke darſtellen, wie das Blei
durch die Eſſigſäure in Bleiweiß verwandelt wird.

XXXVI.

Ableitung des Schwarzen.

498.

Das Schwarze entſpringt uns nicht ſo uranfäng=
lich, wie das Weiße. Wir treffen es im vegetabili=
ſchen Reiche bei Halbverbrennungen an, und die Kohle,
der auch übrigens höchſt merkwürdige Körper, zeigt
uns die ſchwarze Farbe. Auch wenn Holz, z. B.
Breter, durch Licht, Luft und Feuchtigkeit ſeines
Brennlichen zum Theil beraubt wird; ſo erſcheint
erſt die graue, dann die ſchwarze Farbe. Wie wir

denn auch animalische Theile durch eine Halbverbren=
nung in Kohle verwandeln können.

499.

Eben so finden wir auch bei den Metallen, daß
oft eine Halboxydation statt findet, wenn die schwarze
5 Farbe erregt werden soll. So werden durch schwache
Säuerung ｜mehrere Metalle, besonders das Eisen,
schwarz, durch Essig, durch gelinde saure Gährungen,
z. B. eines Reisdecocts u. s. w.

500.

Nicht weniger läßt sich vermuthen, daß eine Ab=
10 oder Rücksäuerung die schwarze Farbe hervorbringe.
Dieser Fall ist bei der Entstehung der Tinte, da das
in der starken Schwefelsäure aufgelöste Eisen gelblich
wird, durch die Gallusinfusion aber zum Theil ent=
säuert nunmehr schwarz erscheint.

XXXVII.

15 Erregung der Farbe.

501.

Als wir oben in der Abtheilung von physischen
Farben trübe Mittel behandelten, sahen wir die Farbe

eher, als das Weiße und Schwarze. Nun setzen wir
ein gewordnes Weißes, ein gewordnes Schwarzes fixirt
voraus, und fragen, wie sich an ihm die Farbe erregen
lasse.

502.

Auch hier können wir sagen, ein Weißes, das sich
verdunkelt, das sich trübt, wird gelb; das Schwarze,
das sich erhellt, wird blau.

503.

Auf der activen Seite, unmittelbar am Lichte, am
Hellen, am Weißen entsteht das Gelbe. Wie leicht
vergilbt alles, was weiße Oberflächen hat, das Papier,
die Leinwand, Baumwolle, Seide, Wachs; besonders
auch durchsichtige Liquoren, welche zum Brennen geneigt sind, werden leicht gelb, d. h. mit andern Worten,
sie gehen leicht in eine gelinde Trübung über.

504.

So ist die Erregung auf der passiven Seite am
Finstern, Dunkeln, Schwarzen sogleich mit der blauen,
oder vielmehr mit einer röthlich blauen Erscheinung
begleitet. Eisen in Schwefelsäure aufgelöst und sehr
mit Wasser diluirt bringt in einem gegen das Licht
gehaltnen Glase, sobald nur einige Tropfen Gallus
dazu kommen, eine schöne violette Farbe hervor, welche
die Eigenschaften des Rauchtopases, das Orphninon
eines verbrannten Purpurs, wie sich die Alten ausdrücken, dem Auge darstellt.

505.

Ob an den reinen Erden durch chemische Opera=
tionen der Natur und Kunst, ohne Beimischung von
Metallkalken eine Farbe erregt werden köne, ist eine
wichtige Frage, die gewöhnlich mit Nein beantwortet
5 wird. Sie hängt vielleicht mit der Frage zusammen,
inwiefern sich durch Oxydation den Erden etwas ab=
gewinnen lasse.

506.

Für die Verneinung der Frage spricht allerdings
der Umstand, daß überall, wo man mineralische Far=
10 ben findet, sich eine Spur von Metall, besonders von
Eisen zeigt; wobei man freilich in Betracht zieht, wie
leicht sich das Eisen oxydire, wie leicht der Eisenkalk
verschiedene Farben annehme, wie unendlich theilbar
derselbe sei und wie geschwind er seine Farbe mit=
15 theile. Demungeachtet wäre zu wünschen, daß neue
Versuche hierüber angestellt, und die Zweifel entweder
bestärkt oder beseitigt würden.

507.

Wie dem auch sein mag, so ist die Receptivität
der Erden gegen schon vorhandne Farben sehr groß,
20 worunter sich die Alaunerde besonders auszeichnet.

508.

Wenn wir nun zu den Metallen übergehen, welche
sich im unorganischen Reiche beinahe privativ das

Recht farbig zu erscheinen zugeeignet haben, so finden
wir, daß sie sich in ihrem reinen, selbstständigen,
regulinischen Zustande schon dadurch von den reinen
Erden unterscheiden, daß sie sich zu irgend einer Farbe
hinneigen.   5

509.

Wenn das Silber sich dem reinen Weißen am mei=
sten nähert, ja das reine Weiß, erhöht durch metalli=
schen Glanz, wirklich darstellt, so ziehen Stahl, Zinn,
Blei u. s. w. in's bleiche Blaugraue hinüber; dagegen
das Gold sich zum reinen Gelben erhöht, das Kupfer 10
zum Rothen hinanrückt, welches unter gewissen Um=
ständen sich fast bis zum Purpur steigert, durch Zink
hingegen wieder zur gelben Goldfarbe hinabgezogen
wird.

510.

Zeigen Metalle nun im gediegenen Zustande solche 15
specifische Determinationen zu diesem oder jenem Far=
benausdruck, so werden sie durch die Wirkung der
Oxydation gewissermaßen in eine gemeinsame Lage
versetzt. Denn die Elementarfarben treten nun rein
hervor, und obgleich dieses und jenes Metall zu dieser 20
oder jener Farbe eine besondre Bestimmbarkeit zu
haben scheint, so wissen wir doch von einigen, daß
sie den ganzen Farbenkreis durchlaufen können, von
andern, daß sie mehr als eine Farbe darzustellen
fähig sind; wobei sich jedoch das Zinn durch seine 25
Unfärblichkeit auszeichnet. Wir geben künftig eine

Tabelle, in wiefern die verschiedenen Metalle mehr oder weniger durch die verschiedenen Farben durchgeführt werden können.

511.

Daß die reine glatte Oberfläche eines gediegenen
5 Metalles bei Erhitzung von einem Farbenhauch überzogen wird, welcher mit steigender Wärme eine Reihe von Erscheinungen ʾdurchläuft, deutet nach unserer Überzeugung auf die Fähigkeit der Metalle, den ganzen Farbenkreis zu durchlaufen. Am schönsten werden
10 wir dieses Phänomen am polirten Stahl gewahr; aber Silber, Kupfer, Messing, Blei, Zinn lassen uns leicht ähnliche Erscheinungen sehen. Wahrscheinlich ist hier eine oberflächliche Säurung im Spiele, wie man aus der fortgesetzten Operation, besonders bei den
15 leichter verkalklichen Metallen schließen kann.

512.

Daß ein geglühtes Eisen leichter eine Säurung durch saure Liquoren erleidet, scheint auch dahin zu deuten, indem eine Wirkung der andern entgegenkommt. Noch bemerken wir, daß der Stahl, je nachdem ʾer in
20 verschiedenen Epochen seiner Farbenerscheinung gehärtet wird, einigen Unterschied der Elasticität zeigen soll; welches ganz naturgemäß ist, indem die verschiedenen Farbenerscheinungen die verschiedenen Grade der Hitze andeuten.

513.

Geht man über diesen oberflächlichen Hauch, über dieses Häutchen hinweg, beobachtet man, wie Metalle in Maſſen penetrativ geſäuert werden, ſo erſcheint mit dem erſten Grade Weiß oder Schwarz, wie man bei'm Bleiweiß, Eiſen und Queckſilber bemerken kann. 5

514.

Fragen wir nun weiter nach eigentlicher Erregung der Farbe, ſo finden wir ſie auf der Plusſeite am häufigſten. Das oft erwähnte Anlaufen glatter metal= liſcher Flächen geht von dem Gelben aus. Das Eiſen geht bald in den gelben Ocher, das Blei aus dem 10 Bleiweiß in den Maſſicot, das Queckſilber aus dem Äthiops in den gelben Turbith hinüber. Die Auf= löſungen des Goldes und der Platina in Säuren ſind gelb.

515.

Die Erregungen auf der Minusſeite ſind ſeltner. 15 Ein wenig geſäuertes Kupfer erſcheint blau. Bei Bereitung des Berlinerblau ſind Alkalien im Spiele.

516.

Überhaupt aber ſind dieſe Farbenerſcheinungen von ſo beweglicher Art, daß die Chemiker ſelbſt, ſobald ſie in's Feinere gehen, ſie als trügliche Kennzeichen 20 betrachten. Wir aber können zu unſern Zwecken dieſe Materie nur im Durchſchnitt behandeln, und wollen

nur so viel bemerken, daß man vielleicht die metal=
lischen Farbenerscheinungen, wenigstens zum didakti=
schen Behuf, einstweilen ordnen köune, wie sie durch
Säurung, Aufsäurung, Absäurung und Entsäurung
5 entstehen, sich auf mannichfaltige Weise zeigen und
verschwinden.

XXXVIII.
Steigerung.

517.

Die Steigerung erscheint uns als eine in sich selbst
Drängung, Sättigung, Beschattung der Farben. So
10 haben wir schon oben bei farblosen Mitteln gesehen,
daß wir durch Vermehrung der Trübe einen leuchten=
den Gegenstand vom leisesten Gelb bis zum höchsten
Rubinroth steigern können. Umgekehrt steigert sich
das Blau in das schönste Violett, wenn wir eine er=
15 leuchtete Trübe vor der Finsterniß verdünnen und ver=
mindern (150, 151).

518.

Ist die Farbe specificirt, so tritt ein Ähnliches
hervor. Man lasse nämlich Stufengefäße aus weißem
Porzellan machen, und fülle das eine mit einer reinen
20 gelben Feuchtigkeit, so wird diese von oben herunter

14*

bis auf den Boden stufenweise immer röther und zu=
letzt orange erscheinen. In das andre Gefäß gieße
man eine blaue reine Solution, die obersten Stufen
werden ein Himmelblau, der Grund des Gefäßes ein
schönes Violett zeigen. Stellt man das Gefäß in die 5
Sonne, so ist die Schattenseite der obern Stufen auch
schon violett. Wirft man mit der Hand, oder einem
andern Gegenstande, Schatten über den erleuchteten
Theil des Gefäßes, so erscheint dieser Schatten gleich=
falls röthlich. 10

519.

Es ist dieses eine der wichtigsten Erscheinungen in
der Farbenlehre, indem wir ganz greiflich erfahren,
daß ein quantitatives Verhältniß einen qualitativen
Eindruck auf unsre Sinne hervorbringe. Und indem
wir schon früher, bei Gelegenheit der letzten epoptischen 15
Farben (485), unsre Vermuthungen eröffnet, wie man
das Anlaufen des Stahls vielleicht aus der Lehre von
trüben Mitteln herleiten könnte; so bringen wir dieses
hier abermals in's Gedächtniß.

520.

Übrigens folgt alle chemische Steigerung unmittel= 20
bar auf die Erregung. Sie geht unaufhaltsam und
stetig fort; wobei man zu bemerken hat, daß die
Steigerung auf der Plusseite die gewöhnlichste ist. Der
gelbe Eisenocher steigert sich sowohl durch's Feuer, als
durch andre Operationen zu einer sehr hohen Röthe. 25

Massicot wird in Mennige, Turbith in Zinnober ge=
steigert; welcher letztere schon auf eine sehr hohe Stufe
des Gelbrothen gelangt. Eine innige Durchdringung
des Metalls durch die Säure, eine Theilung desselben
5 in's empirisch Unendliche geht hierbei vor.

521.

Die Steigerung auf der Minusseite ist seltner, ob
wir gleich bemerken, daß je reiner und gedrängter das
Berlinerblau oder das Kobaltglas bereitet wird, es
immer einen röthlichen Schein annimmt und mehr
10 in's Violette spielt.

522.

Für diese unmerkliche Steigerung des Gelben und
Blauen in's Rothe haben die Franzosen einen artigen
Ausdruck, indem sie sagen, die Farbe habe einen Oeil
de Rouge, welches wir durch einen röthlichen Blick
15 ausdrücken könnten.

XXXIX.
Culmination.

523.

Sie erfolgt bei fortschreitender Steigerung. Das
Rothe, worin weder Gelb noch Blau zu entdecken ist,
macht hier den Zenith.

524.

Suchen wir ein auffallendes Beispiel einer Culmination von der Plusseite her; so finden wir es abermals bei'm anlaufenden Stahl, welcher bis in den
Purpurzenith gelangt und auf diesem Puncte festgehalten werden kann.   5

525.

Sollen wir die vorhin (516) angegebene Terminologie hier anwenden, so würden wir sagen, die erste
Säuerung bringe das Gelbe hervor, die Aufsäurung
das Gelbrothe; hier entstehe ein gewisses Summum,
da denn eine Absäurung und endlich eine Entsäurung 10
eintrete.

526.

Hohe Puncte von Säuerung bringen eine Purpurfarbe hervor. Gold aus seiner Auflösung durch Zinn-
auflösung gefällt, erscheint purpurfarben. Das Oxyd
des Arseniks mit Schwefel verbunden bringt eine Ru- 15
binfarbe hervor.

527.

Wiefern aber eine Art von Absäurung bei mancher
Culmination mitwirke, wäre zu untersuchen: denn
eine Einwirkung der Alkalien auf das Gelbrothe
scheint auch die Culmination hervorzubringen, indem 20
die Farbe gegen das Minus zu in den Zenith genöthigt wird.

528.

Aus dem besten ungarischen Zinnober, welcher das höchste Gelbroth zeigt, bereiten die Holländer eine Farbe, die man Vermillon nennt. Es ist auch nur ein Zinnober, der sich aber der Purpurfarbe nähert, 5 und es läßt sich vermuthen, daß man durch Alkalien ihn der Culmination näher zu bringen sucht.

529.

Vegetabilische Säfte sind, auf diese Weise behandelt, ein in die Augen fallendes Beispiel. Curcuma, Orlean, Saflor und andre, deren färbendes 10 Wesen man mit Weingeist ausgezogen, und nun Tincturen von gelber, gelb= und hyacinthrother Farbe vor sich hat, gehen durch Beimischung von Alkalien in den Zenith, ja drüber hinaus nach dem Blau= rothen zu.

530.

15 Kein Fall einer Culmination von der Minusseite ist mir im mineralischen und vegetabilischen Reiche bekannt. In dem animalischen ist der Saft der Purpurschnecke merkwürdig, von dessen Steigerung und Culmination von der Minusseite her wir künftig 20 sprechen werden.

XL.

Balanciren.

531.

Die Beweglichkeit der Farbe iſt ſo groß, daß ſelbſt diejenigen Pigmente, welche man glaubt ſpecificirt zu haben, ſich wieder hin und her wenden laſſen. Sie iſt in der Nähe des Culminationspunctes am merk= würdigſten, und wird durch wechſelsweiſe Anwendung der Säuren und Alkalien am auffallendſten bewirkt.

532.

Die Franzoſen bedienen ſich, um dieſe Erſcheinung bei der Färberei auszudrücken, des Wortes virer, welches von einer Seite nach der andern wenden heißt, und drücken dadurch auf eine ſehr geſchickte Weiſe das= jenige aus, was man ſonſt durch Miſchungsverhält= niſſe zu bezeichnen und anzugeben verſucht.

533.

Hievon iſt diejenige Operation, die wir mit dem Lackmus zu machen pflegen, eine der bekannteſten und auffallendſten. Lackmus iſt ein Farbematerial, das durch Alkalien zum Rothblauen ſpecificirt worden. Es wird dieſes ſehr leicht durch Säuren in's Roth= gelbe hinüber und durch Alkalien wieder herüber ge=

zogen. In wie fern in diesem Fall durch zarte Ver=
suche ein Culminationspunct zu entdecken und fest=
zuhalten sei, wird denen, die in dieser Kunst geübt
sind, überlassen, so wie die Färbekunst, besonders die
5 Scharlachfärberei, von diesem Hin= und Herwenden
mannichfaltige Beispiele zu liefern im Staude ist.

XLI.
Durchwandern des Kreises.

534.

Die Erregung und Steigerung kommt mehr auf
der Plus= als auf der Minus=Seite vor. So geht
10 auch die Farbe, bei Durchwanderung des ganzen Wegs,
meist von der Plus=Seite aus.

535.

Eine stätige in die Augen fallende Durchwande=
rung des Wegs, vom Gelben durch's Rothe zum
Blauen, zeigt sich bei'm Anlaufen des Stahls.

536.

15 Die Metalle lassen sich durch verschiedene Stufen
und Arten der Oxydation auf verschiedenen Puncten
des Farbenkreises specificiren.

537.

Da sie auch grün erscheinen, so ist die Frage, ob
man eine stätige Durchwandrung aus dem Gelben
durch's Grüne in's Blaue, und umgekehrt, in dem
Mineralreiche kennt.   Eisenkalk mit Glas zusammen=
geschmolzen bringt erst eine grüne, bei verstärktem   5
Feuer eine blaue Farbe hervor.

538.

Es ist wohl hier am Platz, von dem Grünen über=
haupt zu sprechen. Es entsteht vor uns vorzüglich
im atomistischen Sinne und zwar völlig rein, wenn
wir Gelb und Blau zusammenbringen; allein auch   10
schon ein unreines beschmutztes Gelb bringt uns den
Eindruck des Grünlichen hervor. Gelb mit Schwarz
macht schon Grün; aber auch dieses leitet sich davon
ab, daß Schwarz mit dem Blauen verwandt ist. Ein
unvollkommnes Gelb, wie das Schwefelgelb, gibt   15
uns den Eindruck von einem Grünlichen. Eben so
werden wir ein unvollkommenes Blau als grün ge=
wahr. Das Grüne der Weinflaschen entsteht, so scheint
es, durch eine unvollkommene Verbindung des Eisen=
kalks mit dem Glase. Bringt man durch größere   20
Hitze eine vollkommenere Verbindung hervor, so entsteht
ein schönes blaues Glas.

539.

Aus allem diesem scheint so viel hervorzugehen,
daß eine gewisse Kluft zwischen Gelb und Blau in

der Natur sich findet, welche zwar durch Verschränkung
und Vermischung atomistisch gehoben, und zum Grünen
verknüpft werden kann, daß aber eigentlich die wahre
Vermittlung vom Gelben und Blauen nur durch das
5 Rothe geschieht.

540.

Was jedoch dem Unorganischen nicht gemäß zu
sein scheint, das werden wir, wenn von organischen
Naturen die Rede ist, möglich finden, indem in diesem
letzten Reiche eine solche Durchwandrung des Kreises
10 vom Gelben durch's Grüne und Blaue bis zum Pur=
pur wirklich vorkommt.

XLII.
Umkehrung.

541.

Auch eine unmittelbare Umkehrung in den gefor=
derten Gegensatz zeigt sich als eine sehr merkwürdige
15 Erscheinung, wovon wir gegenwärtig nur Folgendes
anzugeben wissen.

542.

Das mineralische Chamäleon, welches eigentlich
ein Braunsteinoxyd enthält, kann man in seinem ganz

trocknen Zustande als ein grünes Pulver ansehen.
Streut man es in Wasser, so zeigt sich in dem ersten
Augenblick der Auflösung die grüne Farbe sehr schön;
aber sie verwandelt sich sogleich in die dem Grünen
entgegengesetzte Purpurfarbe, ohne daß irgend eine 5
Zwischenstufe bemerklich wäre.

543.

Derselbe Fall ist mit der sympathetischen Tinte,
welche auch als ein röthlicher Liquor angesehen werden
kann, dessen Austrocknung durch Wärme die grüne
Farbe auf dem Papiere zeigt.   10

544.

Eigentlich scheint hier der Conflict zwischen Trockne
und Feuchtigkeit dieses Phänomen hervorzubringen,
wie, wenn wir uns nicht irren, auch schon von den
Scheidekünstlern angegeben worden. Was sich weiter
daraus ableiten, woran sich diese Phänomene an= 15
knüpfen lassen, darüber können wir von der Zeit
hinlängliche Belehrung erwarten.

XLIII.

Fixation.

—

545.

So beweglich wir bisher die Farbe, selbst bei ihrer körperlichen Erscheinung gesehen haben, so fixirt sie sich doch zuletzt unter gewissen Umständen.

546.

5 Es gibt Körper, welche fähig sind ganz in Farbestoff verwandelt zu werden, und hier kann man sagen, die Farbe fixire sich in sich selbst, beharre auf einer gewissen Stufe und specificire sich. So entstehen Färbematerialien aus allen Reichen, deren besonders 10 das vegetabilische eine große Menge darbietet, worunter doch einige sich besonders auszeichnen und als die Stellvertreter der andern angesehen werden können; wie auf der activen Seite der Krapp, auf der passiven der Indig.

547.

15 Um diese Materialien bedeutend und zum Gebrauch vortheilhaft zu machen, gehört, daß die färbende Eigenschaft in ihnen innig zusammengedrängt und der färbende Stoff zu einer unendlichen empirischen Theilbarkeit erhoben werde, welches auf allerlei Weise und 20 besonders bei den genannten durch Gährung und Fäulniß hervorgebracht wird.

548.

Diese materiellen Farbenstoffe fixiren sich nun wieder an andern Körpern. So werfen sie sich im Mineralreich an Erden und Metallkalke, sie verbinden sich durch Schmelzung mit Gläsern und erhalten hier bei durchscheinendem Licht die höchste Schönheit, so 5 wie man ihnen eine ewige Dauer zuschreiben kann.

549.

Vegetabilische und animalische Körper ergreifen sie mit mehr oder weniger Gewalt und halten daran mehr oder weniger fest, theils ihrer Natur nach, wie denn Gelb vergänglicher ist als Blau, oder nach der 10 Natur der Unterlagen. An vegetabilischen dauern sie weniger als an animalischen, und selbst innerhalb dieser Reiche gibt es abermals Verschiedenheit. Flachs= oder baumwollnes Garn, Seide oder Wolle zeigen gar verschiedene Verhältnisse zu den Färbestoffen. 15

550.

Hier tritt nun die wichtige Lehre von den Beizen hervor, welche als Vermittler zwischen der Farbe und dem Körper angesehen werden können. Die Färbe= bücher sprechen hievon umständlich. Uns sei genug dahin gedeutet zu haben, daß durch diese Opera= 20 tionen die Farbe eine nur mit dem Körper zu ver= wüstende Dauer erhält, ja sogar durch den Gebrauch an Klarheit und Schönheit wachsen kann.

XLIV.
Miſchung,
reale.

551.

Eine jede Miſchung ſetzt eine Specification voraus, und wir ſind daher, wenn wir von Miſchung reden, im atomiſtiſchen Felde. Man muß erſt gewiſſe Körper auf irgend einem Puncte des Farbenkreiſes ſpecificirt vor ſich ſehen, ehe man durch Miſchung derſelben neue Schattirungen hervorbringen will.

552.

Man nehme im Allgemeinen Gelb, Blau und Roth als reine, als Grundfarben, fertig an. Roth und Blau wird Violett, Roth und Gelb Orange, Gelb und Blau Grün hervorbringen.

553.

Man hat ſich ſehr bemüht, durch Zahl=, Maaß= und Gewichtsverhältniſſe dieſe Miſchungen näher zu beſtimmen, hat aber dadurch wenig Erſprießliches geleiſtet.

554.

Die Mahlerei beruht eigentlich auf der Miſchung ſolcher ſpecificirten, ja individualiſirten Farbenkörper

und ihrer unendlichen möglichen Verbindungen, welche
allein durch das zarteste, geübteste Auge empfunden
und unter deffen Urtheil bewirkt werden können.

555.

Die innige Verbindung dieser Mischungen geschieht
durch die reinste Theilung der Körper durch Reiben, 5
Schlemmen u. s. w. nicht weniger durch Säfte, welche
das Staubartige zusammenhalten, und das Unorgani=
sche gleichsam organisch verbinden; dergleichen sind
die Öle, Harze u. s. w.

556.

Sämmtliche Farben zusammengemischt behalten 10
ihren allgemeinen Charakter als σκιερόν, und da sie
nicht mehr neben einander gesehen werden, wird keine
Totalität, keine Harmonie empfunden, und so ent=
steht das Gran, das, wie die sichtbare Farbe, immer
etwas dunkler als Weiß, und immer etwas heller 15
als Schwarz erscheint.

557.

Dieses Grau kann auf verschiedene Weise hervor=
gebracht werden. Einmal, wenn man aus Gelb und
Blau ein Smaragdgrün mischt und alsdann so viel
reines Roth hinzubringt, bis sich alle drei gleichsam 20
neutralisirt haben. Ferner entsteht gleichfalls ein
Gran, wenn man eine Scala der ursprünglichen und

abgeleiteten Farben in einer gewissen Proportion zu=
sammenstellt und hernach vermischt.

558.

Daß alle Farben zusammengemischt Weiß machen,
ist eine Absurdität, die man nebst andern Absurditäten
5 schon ein Jahrhundert gläubig und dem Augenschein
entgegen zu wiederholen gewohnt ist.

559.

Die zusammengemischten Farben tragen ihr Dunk=
les in die Mischung über. Je dunkler die Farben
sind, desto dunkler wird das entstehende Grau, welches
10 zuletzt sich dem Schwarzen nähert. Je heller die Far=
ben sind, desto heller wird das Grau, welches zuletzt
sich dem Weißen nähert.

XLV.

Mischung,

scheinbare.

560.

15 Die scheinbare Mischung wird hier um so mehr
gleich mit abgehandelt, als sie in manchem Sinne
von großer Bedeutung ist, und man sogar die von

uns als real angegebene Mischung für scheinbar hal=
ten könnte. Denn die Elemente, woraus die zusam=
mengesetzte Farbe entsprungen ist, sind nur zu klein,
um einzeln gesehen zu werden. Gelbes und blaues
Pulver zusammengerieben erscheint dem nackten Auge 5
grün, wenn man durch ein Vergrößerungsglas noch
Gelb und Blau von einander abgesondert bemerken
kann. So machen auch gelbe und blaue Streifen in
der Entfernung eine grüne Fläche, welches alles auch
von der Vermischung der übrigen specificirten Farben 10
gilt.

561.

Unter dem Apparat wird künftig auch das Schwung=
rad abgehandelt werden, auf welchem die scheinbare
Mischung durch Schnelligkeit hervorgebracht wird. Auf
einer Scheibe bringt man verschiedene Farben im Kreise 15
neben einander an, dreht dieselben durch die Gewalt
des Schwunges mit größter Schnelligkeit herum, und
kann so, wenn man mehrere Scheiben zubereitet, alle
möglichen Mischungen vor Augen stellen, so wie zu=
letzt auch die Mischung aller Farben zum Grau natur= 20
gemäß auf oben angezeigte Weise.

562.

Physiologische Farben nehmen gleichfalls Mischung
an. Wenn man z. B. den blauen Schatten (65) auf
einem leicht gelben Papiere hervorbringt, so erscheint
derselbe grün. Ein Gleiches gilt von den übrigen 25

Farben, wenn man die Vorrichtung darnach zu machen
weiß.

563.

Wenn man die im Auge verweilenden farbigen
Scheinbilder (39 ff.) auf farbige Flächen führt, so
5 entsteht auch eine Mischung und Determination des
Bildes zu einer andern Farbe, die sich aus beiden
herschreibt.

564.

Physische Farben stellen gleichfalls eine Mischung
dar. Hieher gehören die Versuche, wenn man bunte
10 Bilder durch's Prisma sieht, wie wir solches oben
(258—284) umständlich angegeben haben.

565.

Am meisten aber machten sich die Physiker mit
jenen Erscheinungen zu thun, welche entstehen, wenn
man die prismatischen Farben auf gefärbte Flächen
15 wirft.

566.

Das was man dabei gewahr wird, ist sehr ein=
fach. Erstlich muß man bedenken, daß die prisma=
tischen Farben viel lebhafter sind, als die Farben
der Fläche, worauf man sie fallen läßt. Zweitens
20 kommt in Betracht, daß die prismatische Farbe ent=
weder homogen mit der Fläche, oder heterogen sein
kann. Im ersten Fall erhöht und verherrlicht sie
solche und wird dadurch verherrlicht, wie der farbige

Stein durch eine gleichgefärbte Folie. Im entgegen=
gesetzten Falle beschmutzt, stört und zerstört eine die
andre.

567.

Man kann diese Versuche durch farbige Gläser
wiederholen, und das Sonnenlicht durch dieselben auf
farbige Flächen fallen lassen; und durchaus werden
ähnliche Resultate erscheinen.

568.

Ein Gleiches wird bewirkt, wenn der Beobachter
durch farbige Gläser nach gefärbten Gegenständen hin=
sieht, deren Farben sodann nach Beschaffenheit erhöht,
erniedrigt oder aufgehoben werden.

569.

Läßt man die prismatischen Farben durch farbige
Gläser durchgehen, so treten die Erscheinungen völlig
analog hervor; wobei mehr oder weniger Energie,
mehr oder weniger Helle und Dunkle, Klarheit und
Reinheit des Glases in Betracht kommt, und man=
chen zarten Unterschied hervorbringt, wie jeder genaue
Beobachter wird bemerken können, der diese Phäno=
mene durchzuarbeiten Lust und Geduld hat.

570.

So ist es auch wohl kaum nöthig zu erwähnen,
daß mehrere farbige Gläser über einander, nicht weni=
ger ölgetränkte, durchscheinende Papiere, alle und jede

Arten von Mischung hervorbringen, und dem Auge, nach Belieben des Experimentirenden, darstellen.

571.

Schließlich gehören hieher die Lasuren der Mahler, wodurch eine viel geistigere Mischung entsteht, als durch die mechanisch atomistische, deren sie sich gewöhnlich bedienen, hervorgebracht werden kann.

XLVI.
Mittheilung,
wirkliche.

572.

Wenn wir nunmehr auf gedachte Weise uns Farbematerialien verschafft haben, so entsteht ferner die Frage, wie wir solche farblosen Körpern mittheilen können, deren Beantwortung für das Leben, den Gebrauch, die Benutzung, die Technik von der größten Bedeutung ist.

573.

Hier kommt abermals die dunkle Eigenschaft einer jeden Farbe zur Sprache. Von dem Gelben, das ganz nah am Weißen liegt, durch's Orange und Mennigfarbe zum Reinrothen und Carmin, durch alle Ab-

stufungen des Violetten bis in das satteste Blau, das
ganz am Schwarzen liegt, nimmt die Farbe immer
an Dunkelheit zu. Das Blaue einmal specificirt läßt
sich verdünnen, erhellen, mit dem Gelben verbinden,
woburch es Grün wird und sich nach der Lichtseite
hinzieht. Keineswegs geschieht dieß aber seiner Natur
nach.

574.

Bei den physiologischen Farben haben wir schon
gesehen, daß sie ein Minus sind als das Licht, indem
sie bei'm Abklingen des Lichteindrucks entstehen, ja zu=
letzt diesen Eindruck ganz als ein Dunkles zurück=
lassen. Bei physischen Versuchen belehrt uns schon
der Gebrauch trüber Mittel, die Wirkung trüber
Nebenbilder, daß hier von einem gedämpften Lichte,
von einem Übergang in's Dunkle die Rede sei.

575.

Bei der chemischen Entstehung der Pigmente wer=
den wir dasselbe bei der ersten Erregung gewahr. Der
gelbe Hauch, der sich über den Stahl zieht, ver=
dunkelt schon die glänzende Oberfläche. Bei der Ver=
wandlung des Bleiweißes in Massicot ist es deutlich,
daß das Gelbe dunkler als Weiß sei.

576.

Diese Operation ist von der größten Zartheit, und
so auch die Steigerung, welche immer fortwächs't, die

Körper, welche bearbeitet werden, immer inniger und
kräftiger färbt, und so auf die größte Feinheit der
behandelten Theile, auf unendliche Theilbarkeit hin=
weis't.

577.

Mit den Farben, welche sich gegen das Dunkle
hinbegeben, und folglich besonders mit dem Blauen
können wir ganz an das Schwarze hinanrücken; wie
uns denn ein recht vollkommnes Berlinerblau, ein
durch Vitriolsäure behandelter Indig fast als Schwarz
erscheint.

578.

Hier ist nun der Ort, einer merkwürdigen Er=
scheinung zu gedenken, daß nämlich Pigmente in
ihrem höchst gesättigten und gedrängten Zustande,
besonders aus dem Pflanzenreiche, als erstgedachter
Indig, oder auf seine höchste Stufe geführter Krapp,
ihre Farbe nicht mehr zeigen; vielmehr erscheint auf
ihrer Oberfläche ein entschiedener Metallglanz, in wel=
chem die physiologisch geforderte Farbe spielt.

579.

Schon jeder gute Indig zeigt eine Kupferfarbe auf
dem Bruch; welches im Handel ein Kennzeichen aus=
macht. Der durch Schwefelsäure bearbeitete aber,
wenn man ihn dick aufstreicht, oder eintrocknet, so
daß weder das weiße Papier noch die Porzellanschale

durchwirken kann, läßt eine Farbe sehen, die dem
Orange nahkommt.

580.

Die hochpurpurfarbne spanische Schminke, wahr=
scheinlich aus Krapp bereitet, zeigt auf der Oberfläche
einen vollkommnen grünen Metallglanz.   Streicht
man beide Farben, die blaue und rothe, mit einem
Pinsel auf Porzellan oder Papier aus einander; so
hat man sie wieder in ihrer Natur, indem das Helle
der Unterlage durch sie hindurchscheint.

581.

Farbige Liquoren erscheinen schwarz, wenn kein
Licht durch sie hindurchfällt, wie man sich in parallel=
epipedischen Blechgefäßen mit Glasboden sehr leicht
überzeugen kann.   In einem solchen wird jede durch=
sichtige farbige Infusion, wenn man einen schwarzen
Grund unterlegt, schwarz und farblos erscheinen.

582.

Macht man die Vorrichtung, daß das Bild einer
Flamme von der untern Fläche zurückstrahlen kann;
so erscheint diese gefärbt.   Hebt man das Gefäß in
die Höhe und läßt das Licht auf druntergehaltenes
weißes Papier fallen; so erscheint die Farbe auf diesem.
Jede helle Unterlage durch ein solches gefärbtes Mittel
gesehen zeigt die Farbe desselben.

583.

Jede Farbe also, um gesehen zu werden, muß ein Licht im Hinterhalte haben. Daher kommt es, daß je heller und glänzender die Unterlagen sind, desto schöner erscheinen die Farben. Zieht man Lackfarben auf einen metallisch glänzenden weißen Grund, wie unsre sogenannten Folien verfertigt werden; so zeigt sich die Herrlichkeit der Farbe bei diesem zurückwirkenden Licht so sehr als bei irgend einem prismatischen Versuche. Ja die Energie der physischen Farben beruht hauptsächlich darauf, daß mit und hinter ihnen das Licht immerfort wirksam ist.

584.

Lichtenberg, der zwar seiner Zeit und Lage nach der hergebrachten Vorstellung folgen mußte, war doch zu ein guter Beobachter, und zu geistreich, als daß er das, was ihm vor Angen erschien, nicht hätte bemerken und nach seiner Weise erklären und ånrecht legen sollen. Er sagt in der Vorrede zu Delaval: „Auch scheint es mir aus andern Gründen — wahrscheinlich, daß unser Organ, um eine Farbe zu empfinden, etwas von allem Licht (weißes) zugleich mit empfinden müsse."

585.

Sich weiße Unterlagen zu verschaffen, ist das Hauptgeschäft des Färbers. Farblosen Erden, besonders dem Alaun, kann jede specificirte Farbe leicht mitgetheilt werden. Besonders aber hat der Färber mit Producten der animalischen und der Pflanzen= organisation zu schaffen.

586.

Alles Lebendige strebt zur Farbe, zum Besondern, zur Specification, zum Effect, zur Undurchsichtigkeit bis in's Unendlichfeine. Alles Abgelebte zieht sich nach dem Weißen, zur Abstraction, zur Allgemein= heit, zur Verklärung, zur Durchsichtigkeit.

587.

Wie dieses durch Technik bewirkt werde, ist in dem Capitel von Entziehung der Farbe anzudeuten. Hier bei der Mittheilung haben wir vorzüglich zu bedenken, daß Thiere und Vegetabilien im lebendigen Zustande Farbe an ihnen hervorbringen, und solche daher, wenn sie ihnen völlig entzogen ist, um desto leichter wieder in sich aufnehmen.

XLVII.

Mittheilung,

scheinbare.

588.

Die Mittheilung trifft, wie man leicht sehen kann, mit der Mischung zusammen, sowohl die wahre als

die ſcheinbare. Wir wiederholen deßwegen nicht, was
oben ſo viel als nöthig ausgeführt worden.

589.

Doch bemerken wir gegenwärtig umſtändlicher die
Wichtigkeit einer ſcheinbaren Mittheilung, welche durch
5 den Widerſchein geſchieht. Es iſt dieſes zwar ſehr
bekannte, doch immer ahndungsvolle Phänomen dem
Phyſiker wie dem Mahler von der größten Bedeutung.

590.

Man nehme eine jede ſpecificirte farbige Fläche,
man ſtelle ſie in die Sonne und laſſe den Widerſchein
10 auf andre farbloſe Gegenſtände fallen. Dieſer Wider=
ſchein iſt eine Art gemäßigten Lichts, ein Halblicht,
ein Halbſchatten, der außer ſeiner gedämpften Natur
die ſpecifiſche Farbe der Fläche mit abſpiegelt.

591.

Wirkt dieſer Widerſchein auf lichte Flächen, ſo
15 wird er aufgehoben, und man bemerkt die Farbe
wenig, die er mit ſich bringt. Wirkt er aber auf
Schattenſtellen, ſo zeigt ſich eine gleichſam magiſche
Verbindung mit dem σκιερῷ. Der Schatten iſt das
eigentliche Element der Farbe, und hier tritt zu dem=
20 ſelben eine ſchattige Farbe beleuchtend, färbend und
belebend. Und ſo entſteht eine eben ſo mächtige als
angenehme Erſcheinung, welche dem Mahler, der ſie

zu benutzen weiß, die herrlichsten Dienste leistet. Hier sind die Vorbilder der sogenannten Reflexe, die in der Geschichte der Kunst erst später bemerkt werden, und die man seltner als billig in ihrer ganzen Mannichfaltigkeit anzuwenden gewußt hat.

592.

Die Scholastiker nannten diese Farben colores notionales und intentionales; wie uns denn überhaupt die Geschichte zeigen wird, daß jene Schule die Phänomene schon gut genug beachtete, auch sie gehörig zu sondern wußte, wenn schon die ganze Behandlungsart solcher Gegenstände von der unsrigen sehr verschieden ist.

XLVIII.
Entziehung.

593.

Den Körpern werden auf mancherlei Weise die Farben entzogen, sie mögen dieselben von Natur besitzen, oder wir mögen ihnen solche mitgetheilt haben. Wir sind daher im Stande, ihnen zu unserm Vortheil zweckmäßig die Farbe zu nehmen, aber sie entflieht auch oft zu unserm Nachtheil gegen unsern Willen.

594.

Nicht allein die Grunderden sind in ihrem natür=
lichen Zustande weiß, sondern auch vegetabilische und
animalische Stoffe können, ohne daß ihr Gewebe zer=
stört wird, in einen weißen Zustand versetzt werden.
5 Da uns nun zu mancherlei Gebrauch ein reinliches
Weiß höchst nöthig und angenehm ist, wie wir uns
besonders gern der leinenen und baumwollenen Zeuge
ungefärbt bedienen; auch seidene Zeuge, das Papier
und anderes uns desto angenehmer sind, je weißer sie
10 gefunden werden; weil auch ferner, wie wir oben ge=
sehen, das Hauptfundament der ganzen Färberei weiße
Unterlagen sind: so hat sich die Technik, theils zu=
fällig, theils mit Nachdenken, auf das Entziehen der
Farbe aus diesen Stoffen so emsig geworfen, daß
15 man hierüber unzählige Versuche gemacht und gar
manches Bedeutende entdeckt hat.

595.

In dieser völligen Entziehung der Farbe liegt
eigentlich die Beschäftigung der Bleichkunst, welche
von mehreren empirischer oder methodischer abgehan=
20 delt worden. Wir geben die Hauptmomente hier nur
kürzlich an.

596.

Das Licht wird als eines der ersten Mittel, die
Farbe den Körpern zu entziehen, angesehen, und zwar
nicht allein das Sonnenlicht, sondern das bloße ge=
25 waltlose Tageslicht. Denn wie beide Lichter, sowohl

das directe von der Sonne, als auch das abgeleitete
Himmelslicht, die Bononischen Phosphoren entzünden,
so wirken auch beide Lichter auf gefärbte Flächen. Es
sei nun, daß das Licht die ihm verwandte Farbe er-
greife, sie, die so viel Flammenartiges hat, gleichsam 5
entzünde, verbrenne, und das an ihr Specificirte
wieder in ein Allgemeines auflöse, oder daß eine
andre uns unbekannte Operation geschehe, genug das
Licht übt eine große Gewalt gegen farbige Flächen
aus und bleicht sie mehr oder weniger. Doch zeigen 10
auch hier die verschiedenen Farben eine verschiedene
Zerstörlichkeit und Dauer; wie denn das Gelbe, besonders das aus gewissen Stoffen bereitete hier zuerst
davon fliegt.

597.

Aber nicht allein das Licht, sondern auch die Luft 15
und besonders das Wasser wirken gewaltig auf die
Entziehung der Farbe. Man will sogar bemerkt
haben, daß wohl befeuchtete, bei Nacht auf dem Rasen
ausgebreitete Garne besser bleichen, als solche, welche,
gleichfalls wohl befeuchtet, dem Sonnenlicht ausge- 20
setzt werden. Und so mag sich denn freilich das Wasser
auch hier als ein Auflösendes, Vermittlendes, das Zu-
fällige Aufhebendes, und das Besondre in's Allgemeine Zurückführendes beweisen.

598.

Durch Reagentien wird auch eine solche Entzie- 25
hung bewirkt. Der Weingeist hat eine besondre Nei-

gung, dasjenige, was die Pflanzen färbt, an sich zu
ziehen und sich damit, oft auf eine sehr beständige
Weise, zu färben. Die Schwefelsäure zeigt sich, be=
sonders gegen Wolle und Seide, als farbentziehend
sehr wirksam; und wem ist nicht der Gebrauch des
Schwefeldampfes da bekannt, wo man etwas vergilb=
tes oder beflecktes Weiß herzustellen gedenkt.

599.

Die stärksten Säuren sind in der neuren Zeit als
kürzere Bleichmittel angerathen worden.

600.

Eben so wirken im Gegensinne die alkalischen Rea=
gentien, die Laugen an sich, die zu Seife mit Lauge
verbundenen Öle und Fettigkeiten u. s. w. wie dieses
alles in den ausdrücklich zu diesem Zwecke verfaßten
Schriften umständlich gefunden wird.

601.

Übrigens möchte es wohl der Mühe werth sein,
gewisse zarte Versuche zu machen, inwiefern Licht und
Luft auf das Entziehen der Farbe ihre Thätigkeit
äußern. Man könnte vielleicht unter luftleeren, mit
gemeiner Luft oder besondern Luftarten gefüllten
Glocken solche Farbstoffe dem Licht aussetzen, deren
Flüchtigkeit man kennt, und beobachten, ob sich nicht
an das Glas wieder etwas von der verflüchtigten

Farbe ansetzte, oder sonst ein Niederschlag sich zeigte;
und ob alsdann dieses Wiedererscheinende dem Un=
sichtbargewordnen völlig gleich sei, oder ob es eine
Veränderung erlitten habe. Geschickte Experimenta=
toren ersinnen sich hierzu wohl mancherlei Vorrich=
tungen.

602.

Wenn wir nun also zuerst die Naturwirkungen
betrachtet haben, wie wir sie zu unsern Absichten
anwenden, so ist noch einiges zu sagen von dem,
wie sie feindlich gegen uns wirken.

603.

Die Mahlerei ist in dem Falle, daß sie die schön=
sten Arbeiten des Geistes und der Mühe durch die
Zeit auf mancherlei Weise zerstört sieht. — Man hat
daher sich immer viel Mühe gegeben, dauernde Pig=
mente zu finden, und sie auf eine Weise unter sich,
so wie mit der Unterlage zu vereinigen, daß ihre
Dauer dadurch noch mehr gesichert werde; wie uns
hiervon die Technik der Mahlerschulen genugsam unter=
richten kann.

604.

Auch ist hier der Platz, einer Halbkunst zu ge=
denken, welcher wir in Absicht auf Färberei sehr vie=
les schuldig sind, ich meine die Tapetenwirkerei. In=
dem man nämlich in den Fall kam, die zartesten
Schattirungen der Gemählde nachzuahmen, und da=

her die verschiedenst gefärbten Stoffe oft neben ein=
ander zu bringen; so bemerkte man bald, daß die
Farben nicht alle gleich dauerhaft waren, sondern die
eine eher als die andre dem gewobenen Bilde ent=
5 zogen wurde. Es entsprang daher das eifrigste Be=
streben, den sämmtlichen Farben und Schattirungen
eine gleiche Dauer zu versichern, welches besonders in
Frankreich unter Colbert geschah, dessen Verfügungen
über diesen Punct in der Geschichte der Färbekunst
10 Epoche machen. Die sogenannte Schönfärberei, welche
sich nur zu einer vergänglichen Anmuth verpflichtete,
ward eine besondre Gilde; mit desto größerm Ernst
hingegen suchte man diejenige Technik, welche für die
Dauer stehn sollte, zu begründen.

15 So wären wir, bei Betrachtung des Entziehens,
der Flüchtigkeit und Vergänglichkeit glänzender Far=
benerscheinungen, wieder auf die Forderung der Dauer
zurückgekehrt, und hätten auch in diesem Sinne un=
sern Kreis abermals abgeschlossen.

XLIX.
Nomenclatur.

605.

Nach dem, was wir bisher von dem Entstehen,
dem Fortschreiten und der Verwandtschaft der Farben

ausgeführt, wird sich besser übersehen lassen, welche
Nomenclatur künftig wünschenswerth wäre, und was
von der bisherigen zu halten sei.

606.

Die Nomenclatur der Farben ging, wie alle No=
menclaturen, besonders aber diejenigen, welche sinnliche
Gegenstände bezeichnen, vom Besondern aus in's All=
gemeine und vom Allgemeinen wieder zurück in's
Besondre. Der Name der Species ward ein Ge=
schlechtsname, dem sich wieder das Einzelne unter=
ordnete.

607.

Dieser Weg konnte bei der Beweglichkeit und Un=
bestimmtheit des frühern Sprachgebrauchs zurückgelegt
werden, besonders da man in den ersten Zeiten sich
auf ein lebhafteres sinnliches Anschauen verlassen
durfte. Man bezeichnete die Eigenschaften der Gegen=
stände unbestimmt, weil sie jedermann deutlich in
der Imagination festhielt.

608.

Der reine Farbenkreis war zwar enge, er schien
aber an unzähligen Gegenständen specificirt und indi=
vidualisirt und mit Nebenbestimmungen bedingt. Man
sehe die Mannichfaltigkeit der griechischen und römi=
schen Ausdrücke (2ter Band. S. 54—59*) und man

* „Materialen zur Geschichte der Farbenlehre I. Abtheilung,
Farbenbenennungen der Griechen und Römer." Band 2 dieser Ab=
theilung.   Anmerkung d. Herausg.

wird mit Vergnügen dabei gewahr werden, wie beweg=
lich und läßlich die Worte beinahe durch den ganzen
Farbenkreis herum gebraucht worden.

609.

In späteren Zeiten trat durch die mannichfaltigen
5 Operationen der Färbekunst manche neue Schattirung
ein. Selbst die Modefarben und ihre Benennungen
stellten ein unendliches Heer von Farbenindividuali=
täten dar. Auch die Farbenterminologie der neuern
Sprachen werden wir gelegentlich aufführen; wobei
10 sich denn zeigen wird, daß man immer auf genauere
Bestimmungen ausgegangen, und ein Fixirtes, Speci=
ficirtes auch durch die Sprache festzuhalten und zu
vereinzelnen gesucht hat.

610.

Was die deutsche Terminologie betrifft, so hat sie
15 den Vortheil, daß wir vier einsylbige, an ihren Ur=
sprung nicht mehr erinnernde Namen besitzen, näm=
lich Gelb, Blau, Roth, Grün. Sie stellen nur das
Allgemeinste der Farbe der Einbildungskraft dar,
ohne auf etwas Specifisches hinzudeuten.

611.

20 Wollten wir in jeden Zwischenraum zwischen diesen
vieren noch zwei Bestimmungen setzen, als Rothgelb
und Gelbroth, Rothblau und Blauroth, Gelbgrün
und Grüngelb, Blaugrün und Grünblau; so würden
wir die Schattirungen des Farbenkreises bestimmt

16*

genug ausdrücken; und wenn wir die Bezeichnungen
von Hell und Dunkel hinzufügen wollten, ingleichen
die Beschmutzungen einigermaßen andeuten, wozu uns
die gleichfalls einsylbigen Worte Schwarz, Weiß,
Grau und Braun zu Diensten stehn; so würden wir
ziemlich auslangen, und die vorkommenden Erschei=
nungen ausdrücken, ohne uns zu bekümmern, ob sie auf
dynamischem oder atomistischem Wege entstanden sind.

612.

Man könnte jedoch immer hiebei die specifischen
und individuellen Ausdrücke vortheilhaft benutzen; so
wie wir uns auch des Worts Orange und Violett
bedienten. Ingleichen haben wir das Wort Purpur
gebraucht, um das reine in der Mitte stehende Roth
zu bezeichnen, weil der Saft der Purpurschnecke, be=
sonders wenn er seine Leinwand durchdrungen hat,
vorzüglich durch das Sonnenlicht zu dem höchsten
Puncte der Culmination zu bringen ist.

L.

Mineralien.

613.

Die Farben der Mineralien sind alle chemischer
Natur, und so kann ihre Entstehungsweise aus dem,

was wir von den chemischen Farben gesagt haben,
ziemlich entwickelt werden.

614.

Die Farbenbenennungen stehn unter den äußern
Kennzeichen oben an, und man hat sich, im Sinne
5 der neuern Zeit, große Mühe gegeben, jede vorkom=
mende Erscheinung genau zu bestimmen und festzu=
halten; man hat aber dadurch, wie uns dünkt, neue
Schwierigkeiten erregt, welche bei'm Gebrauch manche
Unbequemlichkeit veranlassen.

615.

10 Freilich führt auch dieses, sobald man bedenkt,
wie die Sache entstanden, seine Entschuldigung mit
sich. Der Mahler hatte von jeher das Vorrecht, die
Farbe zu handhaben. Die wenigen specificirten Far=
ben standen fest, und dennoch kamen durch künstliche
15 Mischungen unzählige Schattirungen hervor, welche
die Oberfläche der natürlichen Gegenstände nachahmten.
War es daher ein Wunder, wenn man auch diesen
Mischungsweg einschlug und den Künstler aufrief,
gefärbte Musterflächen aufzustellen, nach denen man
20 die natürlichen Gegenstände beurtheilen und bezeich=
nen könnte. Man fragte nicht, wie geht die Natur
zu Werke, um diese und jene Farbe auf ihrem innern
lebendigen Wege hervorzubringen, sondern wie belebt
der Mahler das Todte, um ein dem Lebendigen ähn=

liches Scheinbild darzustellen. Man ging also immer
von Mischung aus und kehrte auf Mischung zurück,
so daß man zuletzt das Gemischte wieder zu mischen
vornahm, um einige sonderbare Specificationen und
Individualisationen auszudrücken und zu unterscheiden.

616.

Übrigens läßt sich bei der gedachten eingeführten
mineralischen Farbenterminologie noch manches erinnern. Man hat nämlich die Benennungen nicht,
wie es doch meistens möglich gewesen wäre, aus dem
Mineralreich, sondern von allerlei sichtbaren Gegen- 10
ständen genommen, da man doch mit größerem Vortheil auf eigenem Grund und Boden hätte bleiben
können. Ferner hat man zu viel einzelne, specifische
Ausdrücke aufgenommen, und indem man, durch Vermischung dieser Specificationen, wieder neue Bestim- 15
mungen hervorzubringen suchte, nicht bedacht, daß
man dadurch vor der Imagination das Bild und
vor dem Verstand den Begriff völlig aufhebe. Zuletzt stehen denn auch diese gewissermaßen als Grund-
bestimmungen gebrauchten einzelnen Farbenbenennun- 20
gen nicht in der besten Ordnung, wie sie etwa von
einander sich ableiten; daher denn der Schüler jede
Bestimmung einzeln lernen und sich ein beinahe
todtes Positives einprägen muß. Die weitere Ausführung dieses Angedeuteten stünde hier nicht am 25
rechten Orte.

LI.

Pflanzen.

617.

Man kann die Farben organischer Körper über=
haupt als eine höhere chemische Operation ansehen,
weßwegen sie auch die Alten durch das Wort Kochung
(πέψις) ausgedrückt haben. Alle Elementarfarben
sowohl als die gemischten und abgeleiteten kommen
auf der Oberfläche organischer Naturen vor; dahin=
gegen das Innere, man kann nicht sagen, unfärbig,
doch eigentlich mißfärbig erscheint, wenn es zu Tage
gebracht wird. Da wir bald an einem andern Orte
von unsern Ansichten über organische Natur einiges
mitzutheilen denken; so stehe nur dasjenige hier, was
früher mit der Farbenlehre in Verbindung gebracht
war, indessen wir zu jenen besondern Zwecken das
Weitere vorbereiten. Von den Pflanzen sei also zuerst
gesprochen.

618.

Die Samen, Bulben, Wurzeln und was über=
haupt vom Lichte ausgeschlossen ist, oder unmittelbar
von der Erde sich umgeben befindet, zeigt sich meisten=
theils weiß.

619.

Die im Finstern aus Samen erzogenen Pflanzen
sind weiß oder in's Gelbe ziehend. Das Licht hin=

gegen, indem es auf ihre Farben wirkt, wirkt zu=
gleich auf ihre Form.

620.

Die Pflanzen, die im Finstern wachsen, setzen sich
von Knoten zu Knoten zwar lange fort; aber die
Stengel zwischen zwei Knoten sind länger als billig;   5
keine Seitenzweige werden erzeugt und die Metamor=
phose der Pflanzen hat nicht statt.

621.

Das Licht versetzt sie dagegen sogleich in einen
thätigen Zustand, die Pflanze erscheint grün und der
Gang der Metamorphose bis zur Begattung geht   10
unaufhaltsam fort.

622.

Wir wissen, daß die Stengelblätter nur Vorberei=
tungen und Vorbedeutungen auf die Blumen= und
Fruchtwerkzeuge sind; und so kann man in den Sten=
gelblättern schon Farben sehen, die von weiten auf   15
die Blume hindeuten, wie bei den Amaranten der
Fall ist.

623.

Es gibt weiße Blumen, deren Blätter sich zur
größten Reinheit durchgearbeitet haben; aber auch
farbige, in denen die schöne Elementarerscheinung hin   20
und wieder spielt. Es gibt deren, die sich nur theil=
weise vom Grünen auf eine höhere Stufe losge=
arbeitet haben.

624.

Blumen einerlei Geschlechts, ja einerlei Art, fin=
den sich von allen Farben. Rosen und besonders
Malven z. B. gehen einen großen Theil des Farben=
kreises durch, vom Weißen in's Gelbe, sodann durch
5 das Rothgelbe in den Purpur, und von da in das
Dunkelste, was der Purpur, indem er sich dem Blauen
nähert, ergreifen kann.

625.

Andere fangen schon auf einer höhern Stufe an,
wie z. B. die Mohne, welche von dem Gelbrothen
10 ausgehen und sich in das Violette hinüberziehen.

626.

Doch sind auch Farben bei Arten, Gattungen, ja
Familien und Classen, wo nicht beständig, doch herr=
schend, besonders die gelbe Farbe: die blaue ist über=
haupt seltner.

627.

15 Bei den saftigen Hüllen der Frucht geht etwas
Ähnliches vor, indem sie sich von der grünen Farbe
durch das Gelbliche und Gelbe bis zu dem höchsten
Roth erhöhen, wobei die Farbe der Schale die Stufen
der Reife andeutet. Einige sind ringsum gefärbt,
20 einige nur an der Sonnenseite, in welchem letzten
Falle man die Steigerung des Gelben in's Rothe
durch größere An= und Übereinanderdrängung sehr
wohl beobachten kann.

628.

Auch sind mehrere Früchte innerlich gefärbt, be=
sonders sind purpurrothe Säfte gewöhnlich.

629.

Wie die Farbe sowohl oberflächlich auf der Blume,
als durchdringend in der Frucht sich befindet, so ver=
breitet sie sich auch durch die übrigen Theile, indem 5
sie die Wurzeln und die Säfte der Stengel färbt,
und zwar mit sehr reicher und mächtiger Farbe.

630.

So geht auch die Farbe des Holzes vom Gelben
durch die verschiedenen Stufen des Rothen bis in's
Purpurfarbene und Braune hinüber. Blaue Hölzer 10
sind mir nicht bekannt; und so zeigt sich schon auf
dieser Stufe der Organisation die active Seite mächtig,
wenn in dem allgemeinen Grün der Pflanzen beide
Seiten sich balanciren mögen.

631.

Wir haben oben gesehen, daß der aus der Erde 15
bringende Keim sich mehrentheils weiß und gelblich
zeigt, durch Einwirkung von Licht und Luft aber in
die grüne Farbe übergeht. Ein Ähnliches geschieht
bei jungen Blättern der Bäume, wie man z. B. an
den Birken sehen kann, deren junge Blätter gelblich 20
sind und bei'm Auskochen einen schönen gelben Saft
von sich geben. Nachher werden sie immer grüner,

so wie die Blätter von andern Bäumen nach und
nach in das Blaugrüne übergehen.

632.

So scheint auch das Gelbe wesentlicher den Blät=
tern anzugehören, als der blaue Antheil: denn dieser
verschwindet im Herbste, und das Gelbe des Blattes
scheint in eine braune Farbe übergegangen. Noch
merkwürdiger aber sind die besonderen Fälle, da die
Blätter im Herbste wieder rein gelb werden, und
andre sich bis zu dem höchsten Roth hinaufsteigern.

633.

Übrigens haben einige Pflanzen die Eigenschaft,
durch künstliche Behandlung fast durchaus in ein
Farbematerial verwandelt zu werden, das so sein,
wirksam und unendlich theilbar ist, als irgend ein
anderes. Beispiele sind der Indigo und Krapp, mit
denen so viel geleistet wird. Auch werden Flechten
zum Färben benutzt.

634.

Diesem Phänomen steht ein anderes unmittelbar
entgegen, daß man nämlich den färbenden Theil der
Pflanzen ausziehen und gleichsam besonders darstellen
kann, ohne daß ihre Organisation dadurch etwas zu
leiden scheint. Die Farben der Blumen lassen sich
durch Weingeist ausziehen und tingiren denselben;
die Blumenblätter dagegen erscheinen weiß.

635.

Es gibt verschiedene Bearbeitungen der Blumen und ihrer Säfte durch Reagentien. Dieses hat Bohle in vielen Experimenten geleistet. Man bleicht die Rosen durch Schwefel und stellt sie durch andre Säuern wieder her. Durch Tobaksrauch werden die Rosen grün.

LII.

Würmer, Insecten, Fische.

636.

Von den Thieren, welche auf den niedern Stufen der Organisation verweilen, sei hier vorläufig Folgendes gesagt. Die Würmer, welche sich in der Erde aufhalten, der Finsterniß und der kalten Feuchtigkeit gewidmet sind, zeigen sich mißfärbig; die Eingeweidewürmer von warmer Feuchtigkeit im Finstern ausgebrütet und genährt, unfärbig; zu Bestimmung der Farbe scheint ausdrücklich Licht zu gehören.

637.

Diejenigen Geschöpfe, welche im Wasser wohnen, welches als ein obgleich sehr dichtes Mittel dennoch hinreichendes Licht hindurch läßt, erscheinen mehr oder weniger gefärbt. Die Zoophyten, welche die reinste

Kalkerde zu beleben scheinen, sind meistentheils weiß;
doch finden wir die Korallen bis zum schönsten Gelb=
roth hinaufgesteigert, welches in andern Wurmge=
häusen sich bis nahe zum Purpur hinanhebt.

638.

Die Gehäuse der Schaltthiere sind schön gezeichnet
und gefärbt; doch ist zu bemerken, daß weder die
Landschnecken, noch die Schale der Muscheln des süßen
Wassers mit so hohen Farben geziert sind, als die
des Meerwassers.

639.

Bei Betrachtung der Muschelschalen, besonders der
gewundenen, bemerken wir, daß zu ihrem Entstehen
eine Versammlung unter sich ähnlicher thierischer
Organe sich wachsend vorwärts bewegte, und, indem
sie sich um eine Axe drehten, das Gehäuse durch eine
Folge von Riefen, Rändern, Rinnen und Erhöhungen,
nach einem immer sich vergrößernden Maßstab, her=
vorbrachten. Wir bemerken aber auch zugleich, daß
diesen Organen irgend ein mannichfaltig färbender
Saft beiwohnen mußte, der die Oberfläche des Ge=
häuses, wahrscheinlich durch unmittelbare Einwirkung
des Meerwassers, mit farbigen Linien, Puncten,
Flecken und Schattirungen, epochenweis bezeichnete,
und so die Spuren seines steigenden Wachsthums auf
der Außenseite dauernd hinterließ, indeß die inure
meistens weiß oder nur blaßgefärbt angetroffen wird.

640.

Daß in den Muscheln solche Säfte sich befinden, zeigt uns die Erfahrung auch außerdem genugsam, indem sie uns dieselben noch in ihrem flüssigen und färbenden Zustande darbietet; wovon der Saft des Tintenfisches ein Zeugniß gibt; ein weit stärkeres aber derjenige Purpursaft, welcher in mehreren Schnecken gefunden wird, der von Alters her so be= rühmt ist und in der neuern Zeit auch wohl benutzt wird. Es gibt nämlich unter den Eingeweiden man= cher Würmer, welche sich in Schalgehäusen aufhalten, ein gewisses Gefäß, das mit einem rothen Safte ge= füllt ist. Dieser enthält ein sehr stark und dauer= haft färbendes Wesen, so daß man die ganzen Thiere zerknirschen, kochen und aus dieser animalischen Brühe doch noch eine hinreichend färbende Feuchtigkeit her= ausnehmen konnte. Es läßt sich aber dieses farb= gefüllte Gefäß auch von dem Thiere absondern, wo= durch denn freilich ein concentrirterer Saft gewonnen wird.

641.

Dieser Saft hat das Eigene, daß er, dem Licht und der Luft ausgesetzt, erst gelblich, dann grünlich erscheint, dann in's Blaue, von da in's Violette über= geht, immer aber ein höheres Roth annimmt, und zuletzt durch Einwirkung der Sonne, besonders wenn er auf Battist aufgetragen worden, eine reine hohe rothe Farbe annimmt.

642.

Wir hätten also hier eine Steigerung von der Mi=
nusseite bis zur Culmination, die wir bei den unorga=
nischen Fällen nicht leicht gewahr wurden; ja wir
können diese Erscheinung beinahe ein Durchwandern des
5 ganzen Kreises nennen, und wir sind überzeugt, daß
durch gehörige Versuche wirklich die ganze Durchwan=
derung des Kreises bewirkt werden könne: denn es ist
wohl kein Zweifel, daß sich durch wohl angewendete
Säuern der Purpur vom Culminationspuncte her=
10 über nach dem Scharlach führen ließe.

643.

Diese Feuchtigkeit scheint von der einen Seite mit
der Begattung zusammenzuhängen, ja sogar finden
sich Eier, die Anfänge künftiger Schalthiere, welche
ein solches färbendes Wesen enthalten. Von der an=
15 dern Seite scheint aber dieser Saft auf das bei höher
stehenden Thieren sich entwickelnde Blut zu deuten.
Denn das Blut läßt uns ähnliche Eigenschaften der
Farbe sehen. In seinem verdünntesten Zustande er=
scheint es uns gelb, verdichtet, wie es in den Adern
20 sich befindet, roth, und zwar zeigt das arterielle Blut
ein höheres Roth, wahrscheinlich wegen der Säurung,
die ihm bei'm Athemholen widerfährt; das venöse
Blut geht mehr nach dem Violetten hin, und zeigt
durch diese Beweglichkeit auf jenes uns genugsam be=
25 kannte Steigern und Wandern.

644.

Sprechen wir, ehe wir das Element des Wassers
verlassen, noch einiges von den Fischen, deren schup=
pige Oberfläche zu gewissen Farben öfters theils im
Ganzen, theils streifig, theils fleckenweis specificirt ist,
noch öfter ein gewisses Farbenspiel zeigt, das auf die 5
Verwandtschaft der Schuppen mit den Gehäusen der
Schalthiere, dem Perlemutter, ja selbst der Perle hin=
weis't. Nicht zu übergehen ist hierbei, daß heißere
Himmelsstriche, auch schon in das Wasser wirksam,
die Farben der Fische hervorbringen, verschönern und 10
erhöhen.

645.

Auf Otahiti bemerkte Forster Fische, deren Ober=
flächen sehr schön spielten, besonders im Augenblick,
da der Fisch starb. Man erinnre sich hierbei des
Chamäleons und andrer ähnlichen Erscheinungen, 15
welche dereinst zusammengestellt diese Wirkungen deut=
licher erkennen lassen.

646.

Noch zuletzt, obgleich außer der Reihe, ist wohl
noch das Farbenspiel gewisser Mollusken zu erwäh=
nen, so wie die Phosphorescenz einiger Seegeschöpfe, 20
welche sich auch in Farben spielend verlieren soll.

647.

Wenden wir nunmehr unsre Betrachtung auf die=
jenigen Geschöpfe, welche dem Licht und der Luft und

der trocknen Wärme angehören; so finden wir uns
freilich erst recht im lebendigen Farbenreiche. Hier
erscheinen uns an trefflich organisirten Theilen die
Elementarfarben in ihrer größten Reinheit und Schön-
5 heit. Sie deuten uns aber doch, daß eben diese Geschöpfe noch auf einer niedern Stufe der Organisation stehen, eben weil diese Elementarfarben noch unverarbeitet bei ihnen hervortreten können. Auch hier
scheint die Hitze viel zu Ausarbeitung dieser Erschei-
10 nung beizutragen.

648.

Wir finden Insecten, welche als ganz concentrir-
ter Farbenstoff anzusehen sind, worunter besonders
die Coccusarten berühmt sind; wobei wir zu bemerken
nicht unterlassen, daß ihre Weise, sich an Vegeta-
15 bilien anzusiedeln, ja in dieselben hineinzunisten,
auch zugleich jene Auswüchse hervorbringt, welche
als Beizen zu Befestigung der Farben so große Dienste
leisten.

649.

Am auffallendsten aber zeigt sich die Farbenge-
20 walt, verbunden mit regelmäßiger Organisation, an
denjenigen Insecten, welche eine vollkommene Metamorphose zu ihrer Entwicklung bedürfen, an Käfern,
vorzüglich aber an Schmetterlingen.

650.

Diese letztern, die man wahrhafte Ausgeburten
25 des Lichtes und der Luft nennen könnte, zeigen schon

in ihrem Raupenzustand oft die schönsten Farben,
welche, specificirt wie sie sind, auf die künftigen Far=
ben des Schmetterlings deuten; eine Betrachtung, die
wenn sie künftig weiter verfolgt wird, gewiß in man=
ches Geheimniß der Organisation eine erfreuliche Ein=   5
sicht gewähren muß.

651.

Wenn wir übrigens die Flügel des Schmetterlings
näher betrachten und in seinem netzartigen Gewebe die
Spuren eines Armes entdecken, und ferner die Art,
wie dieser gleichsam verflächte Arm durch zarte Federn   10
bedeckt und zum Organ des Fliegens bestimmt wor=
den; so glauben wir ein Gesetz gewahr zu werden,
wonach sich die große Mannichfaltigkeit der Färbung
richtet, welches künftig näher zu entwickeln sein wird.

652.

Daß auch überhaupt die Hitze auf Größe des Ge=   15
schöpfes, auf Ausbildung der Form, auf mehrere
Herrlichkeit der Farben Einfluß habe, bedarf wohl
kaum erinnert zu werden.

LIII.

Vögel.

―――――

653.

Je weiter wir nun uns gegen die höhern Orga=
nisationen bewegen, desto mehr haben wir Ursache,
flüchtig und vorübergehend, nur einiges hinzustreuen.
5 Denn alles, was solchen organischen Wesen natürlich
begegnet, ist eine Wirkung von so vielen Prämissen,
daß ohne dieselben wenigstens angedeutet zu haben,
nur etwas Unzulängliches und Gewagtes ausgesprochen
wird.

654.

10 Wie wir bei den Pflanzen finden, daß ihr Höhe=
res, die ausgebildeten Blüthen und Früchte auf dem
Stamme gleichsam gewurzelt sind, und sich von voll=
kommneren Säften nähren, als ihnen die Wurzel
zuerst zugebracht hat; wie wir bemerken, daß die
15 Schmarotzerpflanzen, die das Organische als ihr Ele=
ment behandeln, an Kräften und Eigenschaften sich
ganz vorzüglich beweisen, so können wir auch die
Federn der Vögel in einem gewissen Sinne mit den
Pflanzen vergleichen. Die Federn entspringen als ein
20 Letztes aus der Oberfläche eines Körpers, der noch
viel nach außen herzugeben hat, und sind deßwegen
sehr reich ausgestattete Organe.

17*

655.

Die Kiele erwachsen nicht allein verhältnißmäßig zu einer ansehnlichen Größe, sondern sie sind durchaus geästet, wodurch sie eigentlich zu Federn werden, und manche dieser Ausästungen, Befiederungen sind wieder subdividirt, wodurch sie abermals an die Pflanzen erinnern.

656.

Die Federn sind sehr verschieden an Form und Größe, aber sie bleiben immer dasselbe Organ, das sich nur nach Beschaffenheit des Körpertheiles, aus welchem es entspringt, bildet und umbildet.

657.

Mit der Form verwandelt sich auch die Farbe, und ein gewisses Gesetz leitet sowohl die allgemeine Färbung, als auch die besondre, wie wir sie nennen möchten, diejenige nämlich, wodurch die einzelne Feder scheckig wird. Dieses ist es, woraus alle Zeichnung des bunten Gefieders entspringt, und woraus zuletzt das Pfauenauge hervorgeht. Es ist ein Ähnliches mit jenem, das wir bei Gelegenheit der Metamorphose der Pflanzen früher entwickelt, und welches darzulegen wir die nächste Gelegenheit ergreifen werden.

658.

Nöthigen uns hier Zeit und Umstände über dieses organische Gesetz hinauszugehen, so ist doch hier unsre

Pflicht, der chemischen Wirkungen zu gedenken, welche sich bei Färbung der Federn auf eine uns nun schon hinlänglich bekannte Weise zu äußern pflegen.

659.

Das Gefieder ist allfarbig, doch im Ganzen das
5 gelbe, das sich zum Rothen steigert, häufiger als das blaue.

660.

Die Einwirkung des Lichts auf die Federn und ihre Farben ist durchaus bemerklich. So ist zum Beispiel auf der Brust gewisser Papageien die Feder
10 eigentlich gelb. Der schuppenartig hervortretende Theil, den das Licht bescheint, ist aus dem Gelben in's Rothe gesteigert. So sieht die Brust eines sol= chen Thiers hochroth aus, wenn man aber in die Federn bläf't, erscheint das Gelbe.

661.

15 So ist durchaus der unbedeckte Theil der Federn von dem im ruhigen Zustand bedeckten höchlich unter= schieden, so daß sogar nur der unbedeckte Theil, z. B. bei Raben, bunte Farben spielt, der bedeckte aber nicht; nach welcher Anleitung man die Schwanz=
20 federn, wenn sie durch einander geworfen sind, so= gleich wieder zurecht legen kann.

LIV.

Säugethiere und Menschen.

———

662.

Hier fangen die Elementarfarben an uns ganz zu verlassen. Wir sind auf der höchsten Stufe, auf der wir nur flüchtig verweilen.

663.

Das Säugethier steht überhaupt entschieden auf der Lebensseite. Alles, was sich an ihm äußert, ist lebendig. Von dem Innern sprechen wir nicht, also hier nur einiges von der Oberfläche. Die Haare unterscheiden sich schon dadurch von den Federn, daß sie der Haut mehr angehören, daß sie einfach, fadenartig, nicht geästet sind. An den verschiedenen Theilen des Körpers sind sie aber auch, nach Art der Federn, kürzer, länger, zarter und stärker, farblos oder gefärbt, und dieß alles nach Gesetzen, welche sich aussprechen lassen.

664.

Weiß und Schwarz, Gelb, Gelbroth und Braun wechseln auf mannichfaltige Weise, doch erscheinen sie niemals auf eine solche Art, daß sie uns an die Elementarfarben erinnerten. Sie sind alle vielmehr gemischte, durch organische Kochung bezwungene Farben,

und bezeichnen mehr oder weniger die Stufenhöhe
des Wesens, dem sie angehören.

665.

Eine von den wichtigsten Betrachtungen der Morphologie, in sofern sie Oberflächen beobachtet, ist diese,
5 daß auch bei den vierfüßigen Thieren die Flecken der
Haut auf die innern Theile, über welche sie gezogen
ist, einen Bezug haben. So willkürlich übrigens die
Natur dem flüchtigen Anblick hier zu wirken scheint,
so consequent wird dennoch ein tiefes Gesetz beobach-
10 tet, dessen Entwicklung und Anwendung freilich nur
einer genauen Sorgfalt und treuen Theilnehmung
vorbehalten ist.

666.

Wenn bei Affen gewisse nackte Theile bunt, mit
Elementarfarben, erscheinen, so zeigt dieß die weite
15 Entfernung eines solchen Geschöpfs von der Vollkom-
menheit an: denn man kann sagen, je edler ein Ge-
schöpf ist, je mehr ist alles Stoffartige in ihm verarbeitet; je wesentlicher seine Oberfläche mit dem
Innern zusammenhängt, desto weniger können auf
20 derselben Elementarfarben erscheinen. Denn da, wo
alles ein vollkommenes Ganzes zusammen ausmachen
soll, kann sich nicht hier und da etwas Specifisches
absondern.

667.

Von dem Menschen haben wir wenig zu sagen,
25 denn er trennt sich ganz von der allgemeinen Natur-

lehre los, in der wir jetzt eigentlich wandeln. Auf
des Menschen Inneres ist so viel verwandt, daß seine
Oberfläche nur sparsamer begabt werden konnte.

668.

Wenn man nimmt, daß schon unter der Haut die
Thiere mit Intercutanmuskeln mehr belastet als be=
günstigt sind; wenn man sieht, daß gar manches
überflüssige nach außen strebt, wie zum Beispiel die
großen Ohren und Schwänze, nicht weniger die Haare,
Mähnen, Zotten: so sieht man wohl, daß die Natur
vieles abzugeben und zu verschwenden hatte.

669.

Dagegen ist die Oberfläche des Menschen glatt
und rein, und läßt, bei den vollkommensten, außer
wenigen mit Haar mehr gezierten als bedeckten Stel=
len, die schöne Form sehen: denn im Vorbeigehen
sei es gesagt, ein Überfluß der Haare an Brust, Ar=
men, Schenkeln deutet eher auf Schwäche als auf
Stärke; wie denn wahrscheinlich nur die Poeten,
durch den Anlaß einer übrigens starken Thiernatur
verführt, mit unter solche haarige Helden zu Ehren
gebracht haben.

670.

Doch haben wir hauptsächlich an diesem Ort von
der Farbe zu reden. Und so ist die Farbe der mensch=
lichen Haut, in allen ihren Abweichungen, durchaus

keine Elementarfarbe, sondern eine durch organische
Kochung höchst bearbeitete Erscheinung.

671.

Daß die Farbe der Haut und Haare auf einen
Unterschied der Charaktere deute, ist wohl keine Frage,
5 wie wir ja schon einen bedeutenden Unterschied an
blonden und braunen Menschen gewahr werden; wo=
durch wir auf die Vermuthung geleitet worden, daß
ein oder das andre organische System vorwaltend eine
solche Verschiedenheit hervorbringe. Ein Gleiches läßt
10 sich wohl auf Nationen anwenden; wobei vielleicht
zu bemerken wäre, daß auch gewisse Farben mit ge=
wissen Bildungen zusammentreffen, worauf wir schon
durch die Mohrenphysiognomien aufmerksam geworden.

672.

Übrigens wäre wohl hier der Ort, der Zweifler=
15 frage zu begegnen, ob denn nicht alle Menschenbil=
dung und Farbe gleich schön, und nur durch Ge=
wohnheit und Eigendünkel eine der andern vorgezogen
werde. Wir getrauen uns aber in Gefolg alles dessen,
was bisher vorgekommen, zu behaupten, daß der
20 weiße Mensch, d. h. derjenige, dessen Oberfläche vom
Weißen in's Gelbliche, Bräunliche, Röthliche spielt,
kurz dessen Oberfläche am gleichgültigsten erscheint,
am wenigsten sich zu irgend etwas Besondrem hin=
neigt, der schönste sei. Und so wird auch wohl künftig,

wenn von der Form die Rede sein wird, ein solcher
Gipsel menschlicher Gestalt sich vor das Anschauen
bringen lassen; nicht als ob diese alte Streitfrage
hierdurch für immer entschieden sein sollte: denn es
gibt Menschen genug, welche Ursache haben, diese
Deutsamkeit des Äußern in Zweifel zu setzen; son=
dern daß dasjenige ausgesprochen werde, was aus
einer Folge von Beobachtung und Urtheil einem
Sicherheit und Beruhigung suchenden Gemüthe hervor=
springt. Und so fügen wir zum Schluß noch einige
auf die elementarchemische Farbenlehre sich beziehende
Betrachtungen bei.

LV.
Physische und chemische Wirkungen farbiger Beleuchtung.

673.

Die physischen und chemischen Wirkungen farb=
loser Beleuchtung sind bekannt, so daß es hier un=
nöthig sein dürfte, sie weitläuftig aus einander zu
setzen. Das farblose Licht zeigt sich unter verschiede=
nen Bedingungen, als Wärme erregend, als ein Leuch=
ten gewissen Körpern mittheilend, als auf Säurung
und Entsäurung wirkend. In der Art und Stärke

dieser Wirkungen findet sich wohl mancher Unter=
schied, aber keine solche Differenz, die auf einen Gegen=
satz hinwiese, wie solche bei farbigen Beleuchtungen
erscheint, wovon wir nunmehr kürzlich Rechenschaft zu
5 geben gedenken.

674.

Von der Wirkung farbiger Beleuchtung als Wärme
erregend wissen wir Folgendes zu sagen: An einem
sehr sensiblen, sogenannten Luftthermometer beobachte
man die Temperatur des dunklen Zimmers. Bringt
10 man die Kugel darauf in das direct hereinscheinende
Sonnenlicht, so ist nichts natürlicher, als daß die
Flüssigkeit einen viel höhern Grad der Wärme anzeige.
Schiebt man alsdann farbige Gläser vor, so folgt
auch ganz natürlich, daß sich der Wärmegrad ver=
15 mindre, erstlich weil die Wirkung des directen Lichts
schon durch das Glas etwas gehindert ist, sodann aber
vorzüglich, weil ein farbiges Glas, als ein Dunkles,
ein wenigeres Licht hindurchläßt.

675.

Hiebei zeigt sich aber dem aufmerksamen Beob=
20 achter ein Unterschied der Wärmerregung, je nachdem
diese oder jene Farbe dem Glase eigen ist. Das gelbe
und gelbrothe Glas bringt eine höhere Temperatur,
als das blaue und blaurothe hervor, und zwar ist
der Unterschied von Bedeutung.

676.

Will man diesen Versuch mit dem sogenannten
prismatischen Spectrum anstellen, so bemerke man am
Thermometer erst die Temperatur des Zimmers, lasse
alsdann das blaufärbige Licht auf die Kugel fallen;
so wird ein etwas höherer Wärmegrad angezeigt, wel= 5
cher immer wächs't, wenn man die übrigen Farben
nach und nach auf die Kugel bringt. In der gelb=
rothen ist die Temperatur am stärksten, noch stärker
aber unter dem Gelbrothen.

Macht man die Vorrichtung mit dem Wasser= 10
prisma, so daß man das weiße Licht in der Mitte
vollkommen haben kann, so ist dieses zwar gebrochne,
aber noch nicht gefärbte Licht das wärmste; die übri=
gen Farben verhalten sich hingegen wie vorher gesagt.

677.

Da es hier nur um Andeutung, nicht aber um 15
Ableitung und Erklärung dieser Phänomene zu thun
ist, so bemerken wir nur im Vorbeigehen, daß sich
am Spectrum unter dem Rothen keineswegs das Licht
vollkommen abschneidet, sondern daß immer noch ein
gebrochnes, von seinem Wege abgelenktes, sich hinter 20
dem prismatischen Farbenbilde gleichsam herschleichen=
des Licht zu bemerken ist; so daß man bei näherer
Betrachtung wohl kaum nöthig haben wird zu un=
sichtbaren Strahlen und deren Brechung seine Zuflucht
zu nehmen. 25

678.

Die Mittheilung des Lichtes durch farbige Beleuch=
tung zeigt dieselbige Differenz. Den Bononischen Phos=
phoren theilt sich das Licht mit durch blaue und vio=
lette Gläser, keinesweges aber durch gelbe und gelb=
5 rothe; ja man will sogar bemerkt haben, daß die
Phosphoren, welchen man durch violette und blaue
Gläser den Glühschein mitgetheilt, wenn man solche
nachher unter die gelben und gelbrothen Scheiben
gebracht, früher verlöschen, als die, welche man im
10 dunklen Zimmer ruhig liegen läßt.

679.

Man kann diese Versuche wie die vorhergehenden
auch durch das prismatische Spectrum machen, und
es zeigen sich immer dieselben Resultate.

680.

Von der Wirkung farbiger Beleuchtung auf Säu=
15 rung und Entsäurung kann man sich folgendermaßen
unterrichten. Man streiche feuchtes, ganz weißes Horn=
silber auf einen Papierstreifen; man lege ihn in's
Licht, daß er einigermaßen grau werde und schneide
ihn alsdenn in drei Stücke. Das eine lege man in
20 ein Buch, als bleibendes Muster, das andre unter
ein gelbrothes, das dritte unter ein blaurothes Glas.
Dieses letzte Stück wird immer dunkelgrauer werden
und eine Entsäurung anzeigen. Das unter dem gelb=

rothen befindliche wird immer heller grau, tritt also dem ersten Zustand vollkommnerer Säurung wieder näher. Von beiden kann man sich durch Vergleichung mit dem Musterstücke überzeugen.

681.

Man hat auch eine schöne Vorrichtung gemacht, diese Versuche mit dem prismatischen Bilde anzustellen. Die Resultate sind denen bisher erwähnten gemäß, und wir werden das Nähere davon späterhin vortragen und dabei die Arbeiten eines genauen Beobachters benutzen, der sich bisher mit diesen Versuchen sorgfältig beschäftigte.

LVI.
Chemische Wirkung
bei der dioptrischen Achromasie.

682.

Zuerst ersuchen wir unsre Leser, dasjenige wieder nachzusehen, was wir oben (285—298) über diese Materie vorgetragen, damit es hier keiner weitern Wiederholung bedürfe.

683.

Man kann also einem Glase die Eigenschaft geben daß es, ohne viel stärker zu refrangiren als vorher,

b. h. ohne das Bild um ein sehr merkliches weiter zu verrücken, dennoch viel breitere Farbensäume hervorbringt.

684.

Diese Eigenschaft wird dem Glase durch Metall=
kalke mitgetheilt. Daher Mennige mit einem reinen Glase innig zusammengeschmolzen und vereinigt, diese Wirkung hervorbringt. Flintglas (291) ist ein solches mit Bleikalk bereitetes Glas. Auf diesem Wege ist man weiter gegangen und hat die sogenannte Spieß=
glanzbutter, die sich nach einer neuern Bereitung als reine Flüssigkeit darstellen läßt, in linsenförmigen und prismatischen Gefäßen benutzt, und hat eine sehr starke Farbenerscheinung bei mäßiger Refraction hervorgebracht, und die von uns sogenannte Hyperchro=
masie sehr lebhaft dargestellt.

685.

Bedenkt man nun, daß das gemeine Glas, wenigstens überwiegend alkalischer Natur sei, indem es vorzüglich aus Sand und Laugensalzen zusammengeschmolzen wird; so möchte wohl eine Reihe von Versuchen belehrend sein, welche das Verhältniß völlig alkalischer Liquoren zu völligen Säuren auseinandersetzten.

686.

Wäre nun das Maximum und Minimum gefunden; so wäre die Frage, ob nicht irgend ein brechend

Mittel zu erdenken sei, in welchem die von der Re=
fraction beinah unabhängig auf= und absteigende
Farbenerscheinung, bei Verrückung des Bildes, völlig
Null werden könnte.

687.

Wie sehr wünschenswerth wäre es daher für die= 5
sen letzten Punct sowohl, als für unsre ganze dritte
Abtheilung, ja für die Farbenlehre überhaupt, daß
die mit Bearbeitung der Chemie, unter immer fort=
schreitenden neuen Ansichten, beschäftigten Männer
auch hier eingreifen, und das, was wir beinahe nur 10
mit rohen Zügen angedeutet, in das Feinere verfolgen
und in einem allgemeinen, der ganzen Wissenschaft
zusagenden Sinne bearbeiten möchten.

Vierte Abtheilung.

Allgemeine Ansichten nach innen.

688.

Wir haben bisher die Phänomene fast gewaltsam aus einander gehalten, die sich theils ihrer Natur nach, theils dem Bedürfniß unsres Geistes gemäß, immer wieder zu vereinigen strebten. Wir haben sie, nach einer gewissen Methode, in drei Abtheilungen vorge= tragen, und die Farben zuerst bemerkt als flüchtige Wirkung und Gegenwirkung des Auges selbst, ferner als vorübergehende Wirkung farbloser, durchscheinender, durchsichtiger, undurchsichtiger Körper auf das Licht, besonders auf das Lichtbild; endlich sind wir zu dem Puncte gelangt, wo wir sie als dauernd, als den Körpern wirklich einwohnend zuversichtlich ansprechen konnten.

689.

In dieser stätigen Reihe haben wir, so viel es möglich sein wollte, die Erscheinungen zu bestimmen, zu sondern, und zu ordnen gesucht. Jetzt, da wir nicht mehr fürchten, sie zu vermischen, oder zu ver=

wirren, können wir unternehmen, erſtlich das Allge=
meine, was ſich von dieſen Erſcheinungen innerhalb
des geſchloſſenen Kreiſes prädiciren läßt, anzugeben,
zweitens, anzudeuten, wie ſich dieſer beſondre Kreis
an die übrigen Glieder verwandter Naturerſcheinungen 5
anſchließt und ſich mit ihnen verkettet.

Wie leicht die Farbe entſteht.

690.

Wir haben beobachtet, daß die Farbe unter man=
cherlei Bedingungen ſehr leicht und ſchnell entſtehe.
Die Empfindlichkeit des Auges gegen das Licht, die 10
geſetzliche Gegenwirkung der Retina gegen daſſelbe brin=
gen augenblicklich ein leichtes Farbenſpiel hervor. Je=
des gemäßigte Licht kann als ſarbig angeſehen werden,
ja wir dürfen jedes Licht, inſofern es geſehen wird,
ſarbig nennen. Farbloſes Licht, farbloſe Flächen ſind 15
gewiſſermaßen Abſtractionen; in der Erfahrung werden
wir ſie kaum gewahr.

691.

Wenn das Licht einen farbloſen Körper berührt,
von ihm zurückprallt, an ihm her=, durch ihn durch=
geht, ſo erſcheinen die Farben ſogleich; nur müſſen 20
wir hierbei bedenken, was ſo oft von uns urgirt wor=
den, daß nicht jene Hauptbedingungen der Refraction,

der Reflexion u. s. w. hinreichend sind, die Erscheinung hervorzubringen. Das Licht wirkt zwar manchmal dabei an und für sich, öfters aber als ein bestimmtes, begränztes, als ein Lichtbild. Die Trübe der Mittel ist oft eine nothwendige Bedingung, so wie auch Halb- und Doppelschatten zu manchen farbigen Erscheinungen erfordert werden. Durchaus aber entsteht die Farbe augenblicklich und mit der größten Leichtigkeit. So finden wir denn auch ferner, daß durch Druck, Hauch, Rotation, Wärme, durch mancherlei Arten von Bewegung und Veränderung an glatten reinen Körpern, so wie an farblosen Liquoren, die Farbe sogleich hervorgebracht werde.

692.

In den Bestandtheilen der Körper darf nur die geringste Veränderung vor sich gehen, es sei nun durch Mischung mit andern, oder durch sonstige Bestimmungen; so entsteht die Farbe an den Körpern, oder verändert sich an denselben.

Wie energisch die Farbe sei.

693.

Die physischen Farben und besonders die prismatischen wurden ehemals wegen ihrer besondern Herr-

lichkeit und Energie colores emphatici genannt. Bei
näherer Betrachtung aber kann man allen Farberschei=
nungen eine hohe Emphase zuschreiben; vorausgesetzt,
daß sie unter den reinsten und vollkommensten Be=
dingungen dargestellt werden.   5

694.

Die dunkle Natur der Farbe, ihre hohe gesättigte
Qualität ist das, wodurch sie den ernsthaften und
zugleich reizenden Eindruck hervorbringt, und indem
man sie als eine Bedingung des Lichtes ansehen kann,
so kann sie auch das Licht nicht entbehren als der 10
mitwirkenden Ursache ihrer Erscheinung, als der Unter=
lage ihres Erscheinens, als einer aufscheinenden und
die Farbe manifestirenden Gewalt.

Wie entschieden die Farbe sei.

695.

Entstehen der Farbe und sich entscheiden ist eins. 15
Wenn das Licht mit einer allgemeinen Gleichgültigkeit
sich und die Gegenstände darstellt, und uns von einer
bedeutungslosen Gegenwart gewiß macht, so zeigt sich
die Farbe jederzeit spécifisch, charakteristisch, bedeutend.

696.

Im Allgemeinen betrachtet entscheidet sie sich nach
zwei Seiten. Sie stellt einen Gegensatz dar, den wir
eine Polarität nennen und durch ein + und — recht
gut bezeichnen können.

Plus.	Minus.
Gelb.	Blau.
Wirkung.	Beraubung.
Licht.	Schatten.
Hell.	Dunkel.
Kraft.	Schwäche.
Wärme.	Kälte.
Nähe.	Ferne.
Abstoßen.	Anziehen.
Verwandtschaft	Verwandtschaft
mit Säuren.	mit Alkalien.

Mischung der beiden Seiten.

697.

Wenn man diesen specificirten Gegensatz in sich vermischt, so heben sich die beiderseitigen Eigenschaften
nicht auf; sind sie aber auf den Punct des Gleich-
gewichts gebracht, daß man keine der beiden besonders
erkennt, so erhält die Mischung wieder etwas Specifisches für's Auge, sie erscheint als eine Einheit, bei

der wir an die Zusammensetzung nicht denken. Diese
Einheit nennen wir Grün.

698.

Wenn nun zwei aus derselben Quelle entspringende
entgegengesetzte Phänomene, indem man sie zusammen=
bringt, sich nicht aufheben, sondern sich zu einem
dritten angenehm Bemerkbaren verbinden; so ist dieß
schon ein Phänomen, das auf Übereinstimmung hin=
deutet. Das Vollkommnere ist noch zurück.

Steigerung in's Rothe.

699.

Das Blaue und Gelbe läßt sich nicht verdichten,
ohne daß zugleich eine andre Erscheinung mit eintrete.
Die Farbe ist in ihrem lichtesten Zustand ein Dunkles,
wird sie verdichtet, so muß sie dunkler werden; aber
zugleich erhält sie einen Schein, den wir mit dem
Worte röthlich bezeichnen.

700.

Dieser Schein wächs't immer fort, so daß er auf
der höchsten Stufe der Steigerung prävalirt. Ein ge=
waltsamer Lichteindruck klingt purpurfarben ab. Bei
dem Gelbrothen der prismatischen Versuche, das un=

mittelbar aus dem Gelben entspringt, denkt man kaum
mehr an das Gelbe.

701.

Die Steigerung entsteht schon durch farblose trübe
Mittel, und hier sehen wir die Wirkung in ihrer
höchsten Reinheit und Allgemeinheit. Farbige specificirte durchsichtige Liquoren zeigen diese Steigerung
sehr auffallend in den Stufengefäßen. Diese Steigerung ist unaufhaltsam schnell und stätig; sie ist allgemein und kommt sowohl bei physiologischen als
physischen und chemischen Farben vor.

Verbindung der gesteigerten Enden.

702.

Haben die Enden des einfachen Gegensatzes durch
Mischung ein schönes und angenehmes Phänomen bewirkt; so werden die gesteigerten Enden, wenn man
sie verbindet, noch eine anmuthigere Farbe hervorbringen, ja es läßt sich denken, daß hier der höchste
Punct der ganzen Erscheinung sein werde.

703.

Und so ist es auch: denn es entsteht das reine
Roth, das wir oft, um seiner hohen Würde willen,
den Purpur genannt haben.

704.

Es gibt verschiedene Arten, wie der Purpur in der Erscheinung entsteht; durch Übereinanderführung des violetten Saums und gelbrothen Randes bei prismatischen Versuchen; durch fortgesetzte Steigerung bei chemischen; durch den organischen Gegensatz bei physiologischen Versuchen.

705.

Als Pigment entsteht er nicht durch Mischung oder Vereinigung; sondern durch Fixirung einer Körperlichkeit auf dem hohen culminirenden Farbenpuncte. Daher der Mahler Ursache hat, drei Grundfarben anzunehmen, indem er aus diesen die übrigen sämmtlich zusammensetzt. Der Physiker hingegen nimmt nur zwei Grundfarben an, aus denen er die übrigen entwickelt und zusammensetzt.

Vollständigkeit der mannichfaltigen Erscheinung.

706.

Die mannichfaltigen Erscheinungen auf ihren verschiedenen Stufen fixirt und neben einander betrachtet bringen Totalität hervor. Diese Totalität ist Harmonie für's Auge.

707.

Der Farbenkreis ist vor unsern Augen entstanden, die mannichfaltigen Verhältnisse des Werdens sind uns deutlich. Zwei reine ursprüngliche Gegensätze sind das Fundament des Ganzen. Es zeigt sich so=
5 dann eine Steigerung, wodurch sie sich beide einem dritten nähern; dadurch entsteht auf jeder Seite ein Tiefstes und ein Höchstes, ein Einfachstes und Be= dingtestes, ein Gemeinstes und ein Edelstes. Sodann kommen zwei Vereinungen (Vermischungen, Ver=
10 bindungen, wie man es nennen will) zur Sprache; einmal der einfachen anfänglichen, und sodann der gesteigerten Gegensätze.

— —

Übereinstimmung der vollständigen Erscheinung.

708.

15 Die Totalität neben einander zu sehen macht einen harmonischen Eindruck auf's Auge. Man hat hier den Unterschied zwischen dem physischen Gegensatz und der harmonischen Entgegenstellung zu bedenken. Der erste beruht auf der reinen nackten ursprünglichen
20 Dualität, insofern sie als ein Getrenntes angesehen wird; die zweite beruht auf der abgeleiteten, ent= wickelten und dargestellten Totalität.

709.

Jede einzelne Gegeneinanderstellung, die harmonisch sein soll, muß Totalität enthalten. Hievon werden wir durch die physiologischen Versuche belehrt. Eine Entwicklung der sämmtlichen möglichen Entgegen= stellungen um den ganzen Farbenkreis wird nächstens ₅ geleistet.

Wie leicht die Farbe von einer Seite auf die andre zu wenden.

710.

Die Beweglichkeit der Farbe haben wir schon bei der Steigerung und bei der Durchwanderung des ₁₀ Kreises zu bedenken Ursache gehabt; aber auch sogar hinüber und herüber werfen sie sich nothwendig und geschwind.

711.

Physiologische Farben zeigen sich anders auf dunk= lem als auf hellem Grund. Bei den physikalischen ₁₅ ist die Verbindung des objectiven und subjectiven Versuchs höchst merkwürdig. Die epoptischen Farben sollen bei'm durchscheinenden Licht und bei'm auf= scheinenden entgegengesetzt sein. Wie die chemischen Farben durch Feuer und Alkalien umzuwenden, ist ₂₀ seines Orts hinlänglich gezeigt worden.

Wie leicht die Farbe verſchwindet.

712.

Was ſeit der ſchnellen Erregung und ihrer Ent=
ſcheidung bisher bedacht worden, die Miſchung, die
Steigerung, die Verbindung, die Trennung, ſo wie die
5 harmoniſche Forderung, alles geſchieht mit der größten
Schnelligkeit und Bereitwilligkeit; aber eben ſo ſchnell
verſchwindet auch die Farbe wieder gänzlich.

713.

Die phyſiologiſchen Erſcheinungen ſind auf keine
Weiſe feſtzuhalten; die phyſiſchen dauern nur ſo lange,
10 als die äußre Bedingung währt; die chemiſchen ſelbſt
haben eine große Beweglichkeit und ſind durch ent=
gegengeſetzte Reagentien herüber und hinüber zu wer=
fen, ja ſogar aufzuheben.

Wie feſt die Farbe bleibt.

714.

15 Die chemiſchen Farben geben ein Zeugniß ſehr
langer Daner. Die Farben durch Schmelzung in
Gläſern fixirt, ſo wie durch Natur in Edelſteinen,
trotzen aller Zeit und Gegenwirkung.

715.

Die Färberei fixirt von ihrer Seite die Farben
sehr mächtig. Und Pigmente, welche durch Reagen=
tien sonst leicht herüber und hinüber geführt werden,
lassen sich durch Beizen zur größten Beständigkeit an
und in Körper übertragen.

Fünfte Abtheilung.

Nachbarliche Verhältnisse.

———— ...

Verhältniß zur Philosophie.

————

716.

Man kann von dem Physiker nicht fordern, daß
er Philosoph sei; aber man kann von ihm erwarten,
daß er so viel philosophische Bildung habe, um sich
gründlich von der Welt zu unterscheiden und mit ihr
wieder im höhern Sinne zusammenzutreten. Er soll
sich eine Methode bilden, die dem Anschauen gemäß
ist; er soll sich hüten, das Anschauen in Begriffe,
den Begriff in Worte zu verwandeln, und mit diesen
Worten, als wären's Gegenstände, umzugehen und
zu verfahren; er soll von den Bemühungen des Phi=
losophen Kenntniß haben, um die Phänomene bis an
die philosophische Region hinanzuführen.

717.

Man kann von dem Philosophen nicht verlangen,
daß er Physiker sei; und dennoch ist seine Einwirkung

auf den phyſiſchen Kreis ſo nothwendig und ſo wün=
ſchenswerth. Dazu bedarf er nicht des Einzelnen,
ſondern nur der Einſicht in jene Endpuncte, wo das
Einzelne zuſammentrifft.

718.

Wir haben früher (175 ff.) dieſer wichtigen Be=
trachtung im Vorbeigehen erwähnt, und ſprechen
ſie hier, als am ſchicklichen Orte, nochmals aus.
Das Schlimmſte, was der Phyſik, ſo wie mancher
andern Wiſſenſchaft, widerfahren kann, iſt, daß man
das Abgeleitete für das Urſprüngliche hält, und da
man`das Urſprüngliche aus Abgeleitetem nicht ab=
leiten kann, das Urſprüngliche aus dem Abgeleiteten
zu erklären ſucht. Dadurch entſteht eine unendliche
Verwirrung, ein Wortkram und eine fortdauernde
Bemühung, Ausflüchte zu ſuchen und zu finden, wo
das Wahre nur irgend hervortritt und mächtig wer=
den will.

719.

Indem ſich der Beobachter, der Naturforſcher auf
dieſe Weiſe abquält, weil die Erſcheinungen der Mei=
nung jederzeit widerſprechen; ſo kann der Philoſoph
mit einem falſchen Reſultate in ſeiner Sphäre noch
immer operiren, indem kein Reſultat ſo falſch iſt,
daß es nicht, als Form ohne allen Gehalt, auf
irgend eine Weiſe gelten könnte.

720.

Kann dagegen der Physiker zur Erkenntniß des=
jenigen gelangen, was wir ein Urphänomen genannt
haben; so ist er geborgen und der Philosoph mit
ihm; Er, denn er überzeugt sich, daß er an die
Gränze seiner Wissenschaft gelangt sei, daß er sich
auf der empirischen Höhe befinde, wo er rückwärts
die Erfahrung in allen ihren Stufen überschauen,
und vorwärts in das Reich der Theorie, wo nicht
eintreten, doch einblicken könne. Der Philosoph ist
geborgen: denn er nimmt aus des Physikers Hand
ein Letztes, das bei ihm nun ein Erstes wird. Er
bekümmert sich nun mit Recht nicht mehr um die
Erscheinung, wenn man darunter das Abgeleitete
versteht, wie man es entweder schon wissenschaftlich
zusammengestellt findet, oder wie es gar in empiri=
schen Fällen zerstreut und verworren vor die Sinne
tritt. Will er ja auch diesen Weg durchlaufen und
einen Blick in's Einzelne nicht verschmähen; so thut
er es mit Bequemlichkeit, anstatt daß er bei anderer
Behandlung sich entweder zu lange in den Zwischen=
regionen aufhält, oder sie nur flüchtig durchstreift,
ohne sie genau kennen zu lernen.

721.

In diesem Sinne die Farbenlehre dem Philosophen
zu nähern, war des Verfassers Wunsch, und wenn ihm
solches in der Ausführung selbst aus mancherlei Ur=

sachen nicht gelungen sein sollte; so wird er bei Re=
vision seiner Arbeit, bei Recapitulation des Vorge=
tragenen, so wie in dem polemischen und historischen
Theile, dieses Ziel immer im Auge haben, und später,
wo manches deutlicher wird auszusprechen sein, auf
diese Betrachtung zurückkehren.

Verhältniß zur Mathematik.

722.

Man kann von dem Physiker, welcher die Natur=
lehre in ihrem ganzen Umfange behandeln will, ver=
langen, daß er Mathematiker sei. In den mittleren
Zeiten war die Mathematik das vorzüglichste unter
den Organen, durch welche man sich der Geheimnisse
der Natur zu bemächtigen hoffte; und noch ist in
gewissen Theilen der Naturlehre die Meßkunst, wie
billig, herrschend.

723.

Der Verfasser kann sich keiner Cultur von dieser
Seite rühmen, und verweilt auch deßhalb nur in den
von der Meßkunst unabhängigen Regionen, die sich in
der neuern Zeit weit und breit aufgethan haben.

724.

Wer bekennt nicht, daß die Mathematik, als eins
der herrlichsten menschlichen Organe, der Physik von

einer Seite sehr vieles genützt; daß sie aber durch
falsche Anwendung ihrer Behandlungsweise dieser
Wissenschaft gar manches geschadet, läßt sich auch
nicht wohl läugnen, und man findet's, hier und da,
5 nothdürftig eingestanden.

725.

Die Farbenlehre besonders hat sehr viel gelitten,
und ihre Fortschritte sind äußerst gehindert worden,
daß man sie mit der übrigen Optik, welche der Meß=
kunst nicht entbehren kann, vermengte, da sie doch
10 eigentlich von jener ganz abgesondert betrachtet wer=
den kann.

726.

Dazn kam noch das Übel, daß ein großer Mathe=
matiker über den physischen Ursprung der Farben
eine ganz falsche Vorstellung bei sich festsetzte, und
15 durch seine großen Verdienste als Meßkünstler die
Fehler, die er als Naturforscher begangen, vor einer
in Vorurtheilen stets befangnen Welt auf lange Zeit
sanctionirte.

727.

Der Verfasser des Gegenwärtigen hat die Farben=
20 lehre durchaus von der Mathematik entfernt zu halten
gesucht, ob sich gleich gewisse Puncte deutlich genug
ergeben, wo die Beihülfe der Meßkunst wünschens=
werth sein würde. Wären die vorurtheilsfreien Ma=
thematiker, mit denen er umzugehen das Glück hatte

und hat, nicht durch andre Geschäfte abgehalten ge=
wesen, um mit ihm gemeine Sache machen zu können;
so würde der Behandlung von dieser Seite einiges
Verdienst nicht fehlen. Aber so mag denn auch dieser
Mangel zum Vortheil gereichen, indem es nunmehr
des geistreichen Mathematikers Geschäft werden kann,
selbst aufzusuchen, wo denn die Farbenlehre seiner
Hülfe bedarf, und wie er zur Vollendung dieses Theils
der Naturwissenschaft das Seinige beitragen kann.

728.

Überhaupt wäre es zu wünschen, daß die Deut=
schen, die so vieles Gute leisten, indem sie sich das
Gute fremder Nationen aneignen, sich nach und nach
gewöhnten, in Gesellschaft zu arbeiten. Wir leben
zwar in einer diesem Wunsche gerade entgegengesetzten
Epoche. Jeder will nicht nur original in seinen An=
sichten, sondern auch. im Gange seines Lebens und
Thuns, von den Bemühungen anderer unabhängig,
wo nicht sein, doch daß er es sei, sich überreden.
Man bemerkt sehr oft, daß Männer, die freilich man=
ches geleistet, nur sich selbst, ihre eigenen Schriften,
Journale und Compendien citiren; anstatt daß es
für den Einzelnen und für die Welt viel vortheil=
hafter wäre, wenn mehrere zu gemeinsamer Arbeit
gerufen würden. Das Betragen unserer Nachbarn,
der Franzosen, ist hierin musterhaft, wie man z. B.
in der Vorrede Cuviers zu seinem Tableau élémen-

taire de l'Histoire naturelle des animaux mit Ver=
gnügen sehen wird.

729.

Wer die Wissenschaften und ihren Gang mit
treuem Auge beobachtet hat, wird sogar die Frage
aufwerfen: ob es denn vortheilhaft sei? so manche,
obgleich verwandte, Beschäftigungen und Bemühungen
in Einer Person zu vereinigen; und ob es nicht bei
der Beschränktheit der menschlichen Natur gemäßer
sei, z. B. den aufsuchenden und findenden von dem
behandelnden und anwendenden Manne zu unter=
scheiden. Haben sich doch die himmelbeobachtenden und
sternaufsuchenden Astronomen von den bahnberechnen=
den, das Ganze umfassenden und näher bestimmenden,
in der neuern Zeit, gewissermaßen getrennt. Die Ge=
schichte der Farbenlehre wird uns zu diesen Betrach=
tungen öfter zurückführen.

Verhältniß zur Technik des Färbers.

730.

Sind wir bei unsern Arbeiten dem Mathematiker
aus dem Wege gegangen; so haben wir dagegen ge=
sucht, der Technik des Färbers zu begegnen. Und
obgleich diejenige Abtheilung, welche die Farben in

chemischer Rücksicht abhandelt, nicht die vollständigste
und umständlichste ist; so wird doch sowohl darin,
als in dem, was wir Allgemeines von den Farben
ausgesprochen, der Färber weit mehr seine Rechnung
finden, als bei der bisherigen Theorie, die ihn ohne
allen Trost ließ.

731.

Merkwürdig ist es, in diesem Sinne die Anlei=
tungen zur Färbekunst zu betrachten. Wie der katho=
lische Christ, wenn er in seinen Tempel tritt, sich
mit Weihwasser besprengt und vor dem Hochwürdigen
die Kniee beugt und vielleicht alsdann, ohne sonder=
liche Andacht, seine Angelegenheiten mit Freunden
bespricht, oder Liebesabenteuern nachgeht; so fangen
die sämmtlichen Färbelehren mit einer respectvollen
Erwähnung der Theorie geziemend an, ohne daß sich
auch nachher nur eine Spur fände, daß etwas aus
dieser Theorie herflösse, daß diese Theorie irgend etwas
erleuchte, erläutere und zu praktischen Handgriffen
irgend einen Vortheil gewähre.

732.

Dagegen finden sich Männer, welche den Umfang
des praktischen Färbewesens wohl eingesehen, in dem
Falle sich mit der herkömmlichen Theorie zu entzweien,
ihre Blößen mehr oder weniger zu entdecken, und ein
der Natur und Erfahrung gemäßeres Allgemeines auf=
zusuchen. Wenn uns in der Geschichte die Namen

Castel und Gülich begegnen, so werden wir hierüber
weitläuftiger zu handeln Ursache haben; wobei sich zu=
gleich Gelegenheit finden wird zu zeigen, wie eine
fortgesetzte Empirie, indem sie in allem Zufälligen
5 umhergreift, den Kreis, in den sie gebannt ist, wirk=
lich ausläuft und sich als ein hohes Vollendetes dem
Theoretiker, wenn er klare Augen und ein redliches
Gemüth hat, zu seiner großen Bequemlichkeit über=
liefert.

10 Verhältniß zur Physiologie und Pathologie.

733.

Wenn wir in der Abtheilung, welche die Farben
in physiologischer und pathologischer Rücksicht betrach=
tet, fast nur allgemein bekannte Phänomene über=
15 liefert; so werden dagegen einige neue Ansichten dem
Physiologen nicht unwillkommen sein. Besonders
hoffen wir seine Zufriedenheit dadurch erreicht zu
haben, daß wir gewisse Phänomene, welche isolirt
standen, zu ihren ähnlichen und gleichen gebracht und
20 ihm dadurch gewissermaßen vorgearbeitet haben.

734.

Was den pathologischen Anhang betrifft, so ist
er freilich unzulänglich und incohärent. Wir besitzen

aber die vortrefflichsten Männer, die nicht allein in
diesem Fache höchst erfahren und kenntnißreich sind;
sondern auch zugleich wegen eines so gebildeten Geistes
verehrt werden, daß es ihnen wenig Mühe machen
kann, diese Rubriken umzuschreiben, und das, was ich 5
angedeutet, vollständig auszuführen und zugleich an
die höheren Einsichten in den Organismus anzu=
schließen.

Verhältniß zur Naturgeschichte.

735.

Insofern wir hoffen können, daß die Naturgeschichte 10
auch nach und nach sich in eine Ableitung der Natur=
erscheinungen aus höhern Phänomenen umbilden wird,
so glaubt der Verfasser auch hierzu einiges angedeutet
und vorbereitet zu haben. Indem die Farbe in ihrer
größten Mannichfaltigkeit sich auf der Oberfläche 15
lebendiger Wesen dem Auge darstellt, so ist sie ein
wichtiger Theil der äußeren Zeichen, wodurch wir ge=
wahr werden, was im Innern vorgeht.

736.

Zwar ist ihr von einer Seite, wegen ihrer Un=
bestimmtheit und Versatilität nicht allzu viel zu 20
trauen; doch wird eben diese Beweglichkeit, insofern
sie sich uns als eine constante Erscheinung zeigt,

wieder ein Kriterion des beweglichen Lebens; und der Verfasser wünscht nichts mehr, als daß ihm Frist gegönnt sei, das, was er hierüber wahrgenommen, in einer Folge, zu der hier der Ort nicht war, weit=
5 läuftiger auseinander zu setzen.

Verhältniß zur allgemeinen Physik.

737.

Der Zustand, in welchem sich die allgemeine Physik gegenwärtig befindet, scheint auch unserer Arbeit be= sonders günstig, indem die Naturlehre durch rastlose,
10 mannichfaltige Behandlung sich nach und nach zu einer solchen Höhe erhoben hat, daß es nicht unmög= lich scheint, die gränzenlose Empirie an einen metho= dischen Mittelpunct heranzuziehen.

738.

Dessen, was zu weit von unserm besondern Kreise
15 abliegt, nicht zu gedenken, so finden sich die Formeln, durch die man die elementaren Naturerscheinungen, wo nicht dogmatisch, doch wenigstens zum didaktischen Behufe ausspricht, durchaus auf dem Wege, daß man sieht, man werde durch die Übereinstimmung der
20 Zeichen bald auch nothwendig zur Übereinstimmung im Sinne gelangen.

739.

Treue Beobachter der Natur, wenn sie auch sonst
noch so verschieden denken, werden doch darin mit
einander übereinkommen, daß alles, was erscheinen,
was uns als ein Phänomen begegnen solle, müsse ent=
weder eine ursprüngliche Entzweiung, die einer Ver=
einigung fähig ist, oder eine ursprüngliche Einheit,
die zur Entzweiung gelangen köne, andeuten, und
sich auf eine solche Weise darstellen. Das Geeinte zu
entzweien, das Entzweite zu einigen, ist das Leben
der Natur; dieß ist die ewige Systole und Diastole,
die ewige Synkrisis und Diakrisis, das Ein= und
Ausathmen der Welt, in der wir leben, weben und
sind.

740.

Daß dasjenige, was wir hier als Zahl, als Eins
und Zwei aussprechen, ein höheres Geschäft sei, ver=
steht sich von selbst; so wie die Erscheinung eines
Dritten, Vierten sich ferner entwickelnden immer in
einem höhern Sinne zu nehmen, besonders aber allen
diesen Ausdrücken eine echte Anschauung unterzu=
legen ist.

741.

Das Eisen kennen wir als einen besondern von
andern unterschiedenen Körper; aber es ist ein gleich=
gültiges, uns nur in manchem Bezug und zu man=
chem Gebrauch merkwürdiges Wesen. Wie wenig aber
bedarf es, und die Gleichgültigkeit dieses Körpers ist

aufgehoben. Eine Entzweiung geht vor, die, indem
sie sich wieder zu vereinigen strebt und sich selbst auf=
sucht, einen gleichsam magischen Bezug auf ihres
Gleichen gewinnt, und diese Entzweiung, die doch nur
5 wieder eine Vereinigung ist, durch ihr ganzes Ge=
schlecht fortsetzt. Hier kennen wir das gleichgültige
Wesen, das Eisen; wir sehen die Entzweiung an ihm
entstehen, sich fortpflanzen und verschwinden, und sich
leicht wieder auf's neue erregen: nach unserer Mei=
10 nung ein Urphänomen, das unmittelbar an der Idee
steht und nichts Irdisches über sich erkennt.

742.

Mit der Elektricität verhält es sich wieder auf
eine eigne Weise. Das Elektrische, als ein Gleich=
gültiges, kennen wir nicht. Es ist für uns ein Nichts,
15 ein Null, ein Nullpunct, ein Gleichgültigkeitspunct,
der aber in allen erscheinenden Wesen liegt, und zu=
gleich der Quellpunct ist, aus dem bei dem geringsten
Anlaß eine Doppelerscheinung hervortritt, welche nur
insofern erscheint, als sie wieder verschwindet. Die
20 Bedingungen, unter welchen jenes Hervortreten er=
regt wird, sind, nach Beschaffenheit der besondern
Körper, unendlich verschieden. Von dem gröbsten
mechanischen Reiben sehr unterschiedener Körper an
einander bis zu dem leisesten Nebeneinandersein zweier
25 völlig gleichen, nur durch weniger als einen Hauch
anders determinirten Körper, ist die Erscheinung rege

und gegenwärtig, ja auffallend und mächtig, und
zwar dergeſtalt beſtimmt und geeignet, daß wir die
Formeln der Polarität, des Plus und Minus, als
Nord und Süd, als Glas und Harz, ſchicklich und
naturgemäß anwenden.

743.

Dieſe Erſcheinung, ob ſie gleich der Oberfläche beſonders folgt, iſt doch keinesweges oberflächlich. Sie
wirkt auf die Beſtimmung körperlicher Eigenſchaften,
und ſchließt ſich an die große Doppelerſcheinung,
welche ſich in der Chemie ſo herrſchend zeigt, an
Oxydation und Desoxydation unmittelbar wirkend an.

744.

In dieſe Reihe, in dieſen Kreis, in dieſen Kranz
von Phänomenen auch die Erſcheinungen der Farbe
heranzubringen und einzuſchließen, war das Ziel
unſeres Beſtrebens. Was uns nicht gelungen iſt,
werden andre leiſten. Wir fanden einen uranfänglichen ungeheuren Gegenſatz von Licht und Finſterniß,
den man allgemeiner durch Licht und Nichtlicht ausbrücken kann; wir ſuchten denſelben zu vermitteln
und dadurch die ſichtbare Welt aus Licht, Schatten
und Farbe herauszubilden, wobei wir uns zu Entwickelung der Phänomene verſchiedener Formeln bedienten, wie ſie uns in der Lehre des Magnetismus,
der Elektricität, des Chemismus überliefert werden.

Wir mußten aber weiter gehen, weil wir uns in einer höhern Region befanden und mannichfaltigere Verhältnisse auszudrücken hatten.

745.

Wenn sich Elektricität und Galvanität in ihrer
5 Allgemeinheit von dem Besondern der magnetischen
Erscheinungen abtrennt und erhebt; so kann man
sagen, daß die Farbe, obgleich unter eben den Ge=
setzen stehend, sich doch viel höher erhebe und, indem
sie für den edlen Sinn des Auges wirksam ist, auch
10 ihre Natur zu ihrem Vortheile darthue. Man ver=
gleiche das Mannichfaltige, das aus einer Steigerung
des Gelben und Blauen zum Rothen, aus der Ver=
knüpfung dieser beiden höheren Euden zum Purpur,
aus der Vermischung der beiden niedern Enden zum
15 Grün entsteht. Welch ein ungleich mannichfaltigeres
Schema entspringt hier nicht, als dasjenige ist, worin
sich Magnetismus und Elektricität begreifen lassen.
Auch stehen diese letzteren Erscheinungen auf einer
niedern Stufe, so daß sie zwar die allgemeine Welt
20 durchdringen und beleben, sich aber zum Menschen im
höheren Sinne nicht heraufbegeben können, um von
ihm ästhetisch benutzt zu werden. Das allgemeine
einfache physische Schema muß erst in sich selbst er=
höht und vermannichfaltigt werden, um zu höheren
25 Zwecken zu dienen.

746.

Man rufe in diesem Sinne zurück, was durch=
aus von uns bisher sowohl im Allgemeinen als Be=
sondern von der Farbe prädicirt worden, und man
wird sich selbst dasjenige, was hier nur leicht ange=
deutet ist, ausführen und entwickeln. Man wird dem
Wissen, der Wissenschaft, dem Handwerk und der
Kunst Glück wünschen, wenn es möglich wäre, das
schöne Capitel der Farbenlehre aus seiner atomistischen
Beschränktheit und Abgesondertheit, in die es bisher
verwiesen, dem allgemeinen dynamischen Flusse des
Lebens und Wirkens wieder zu geben, dessen sich die
jetzige Zeit erfreut. Diese Empfindungen werden bei
uns noch lebhafter werden, wenn uns die Geschichte
so manchen wackern und einsichtsvollen Mann vor=
führen wird, dem es nicht gelang, von seinen Über=
zeugungen seine Zeitgenossen zu durchdringen.

Verhältniß zur Tonlehre.

747.

Ehe wir nunmehr zu den sinnlich=sittlichen und
daraus entspringenden ästhetischen Wirkungen der
Farbe übergehen, ist es der Ort, auch von ihrem
Verhältnisse zu dem Ton einiges zu sagen.

Daß ein gewisses Verhältniß der Farbe zum Ton
statt finde, hat man von jeher gefühlt, wie die öftern

Vergleichungen, welche theils vorübergehend, theils umständlich genug angestellt worden, beweisen. Der Fehler, den man hiebei begangen, beruhet nur auf Folgendem.

748.

Vergleichen lassen sich Farbe und Ton unter einander auf keine Weise; aber beide lassen sich auf eine höhere Formel beziehen, aus einer höhern Formel beide, jedoch jedes für sich, ableiten. Wie zwei Flüsse, die auf Einem Berge entspringen, aber unter ganz verschiedenen Bedingungen in zwei ganz entgegengesetzte Weltgegenden laufen, so daß auf dem beiderseitigen ganzen Wege keine einzelne Stelle der andern verglichen werden kann; so sind auch Farbe und Ton. Beide sind allgemeine elementare Wirkungen nach dem allgemeinen Gesetz des Trennens und Zusammenstrebens, des Auf= und Abschwankens, des Hin= und Wiederwägens wirkend, doch nach ganz verschiedenen Seiten, auf verschiedene Weise, auf verschiedene Zwischenelemente, für verschiedene Sinne.

749.

Möchte jemand die Art und Weise, wie wir die Farbenlehre an die allgemeine Naturlehre angeknüpft, recht fassen, und dasjenige, was uns entgangen und abgegangen durch Glück und Genialität ersetzen; so würde die Tonlehre, nach unserer Überzeugung, an die allgemeine Physik vollkommen anzuschließen sein,

da sie jetzt innerhalb derselben gleichsam nur historisch
abgesondert steht.

750.

Aber eben darin läge die größte Schwierigkeit,
die für uns gewordene positive, auf seltsamen empi=
rischen, zufälligen, mathematischen, ästhetischen, genia= 5
lischen Wegen entsprungene Musik zu Gunsten einer
physikalischen Behandlung zu zerstören und in ihre
ersten physischen Elemente aufzulösen. Vielleicht wäre
auch hierzu, auf dem Puncte, wo Wissenschaft und
Kunst sich befinden, nach so manchen schönen Vor= 10
arbeiten, Zeit und Gelegenheit.

Schlußbetrachtung
über Sprache und Terminologie.

751.

Man bedenkt niemals genug, daß eine Sprache
eigentlich nur symbolisch, nur bildlich sei und die 15
Gegenstände niemals unmittelbar, sondern nur im
Widerscheine ausdrücke. Dieses ist besonders der Fall,
wenn von Wesen die Rede ist, welche an die Erfah=
rung nur herantreten und die man mehr Thätigkeiten
als Gegenstände nennen kann, dergleichen im Reiche 20

der Naturlehre immerfort in Bewegung find. Sie
laffen fich nicht fefthalten, und doch foll man von
ihnen reden; man fucht daher alle Arten von For=
meln auf, um ihnen wenigftens gleichnißweife bei=
5 zukommen.

752.

Metaphyfifche Formeln haben eine große Breite
und Tiefe, jedoch fie würdig auszufüllen, wird ein
reicher Gehalt erfordert, fonft bleiben fie hohl. Ma=
thematifche Formeln laffen fich in vielen Fällen fehr
10 bequem und glücklich anwenden; aber es bleibt ihnen
immer etwas Steifes und Ungelenkes, und wir fühlen
bald ihre Unzulänglichkeit, weil wir, felbft in Ele=
mentarfällen, fehr früh ein Incommenfurables ge=
wahr werden; ferner find fie auch nur innerhalb
15 eines gewiffen Kreifes befonders hiezu gebildeter Gei=
fter verftändlich. Mechanifche Formeln fprechen mehr
zu dem gemeinen Sinn, aber fie find auch gemeiner,
und behalten immer etwas Rohes. Sie verwandlen
das Lebendige in ein Todtes; fie tödten das innre
20 Leben, um von außen ein unzulängliches heranzu=
bringen. Corpuscular=Formeln find ihnen nahe ver=
wandt; das Bewegliche wird ftarr durch fie, Vor=
ftellung und Ausdruck ungefchlacht. Dagegen erfchei=
nen die moralifchen Formeln, welche freilich zartere
25 Verhältniffe ausdrücken, als bloße Gleichniffe und
verlieren fich denn auch wohl zuletzt in Spiele des
Witzes.

753.

Könnte man sich jedoch aller dieser Arten der Vorstellung und des Ausdrucks mit Bewußtsein bedienen,
und in einer mannichfaltigen Sprache seine Betrach=
tungen über Naturphänomene überliefern; hielte man
sich von Einseitigkeit frei, und faßte einen lebendigen 5
Sinn in einen lebendigen Ausdruck, so ließe sich
manches Erfreuliche mittheilen.

754.

Jedoch wie schwer ist es, das Zeichen nicht an
die Stelle der Sache zu setzen, das Wesen immer
lebendig vor sich zu haben und es nicht durch das 10
Wort zu tödten. Dabei sind wir in den neuern
Zeiten in eine noch größere Gefahr gerathen, indem
wir aus allem Erkenn= und Wißbaren Ausdrücke und
Terminologien herübergenommen haben, um unsre
Anschauungen der einfacheren Natur auszudrücken. 15
Astronomie, Kosmologie, Geologie, Naturgeschichte, ja
Religion und Mystik werden zu Hülfe gerufen; und
wie oft wird nicht das Allgemeine durch ein Beson=
deres, das Elementare durch ein Abgeleitetes mehr
zugedeckt und verdunkelt, als aufgehellt und näher 20
gebracht. Wir kennen das Bedürfniß recht gut, wo=
durch eine solche Sprache entstanden ist und sich aus=
breitet; wir wissen auch, daß sie sich in einem gewissen
Sinne unentbehrlich macht: allein nur ein mäßiger

anspruchsloser Gebrauch mit Überzeugung und Be=
wußtsein kann Vortheil bringen.

755.

Am wünschenswerthesten wäre jedoch, daß man
die Sprache, wodurch man die Einzelnheiten eines
5 gewissen Kreises bezeichnen will, aus dem Kreise
selbst nähme; die einfachste Erscheinung als Grund=
formel behandelte, und die mannichfaltigern von da=
her ableitete und entwickelte.

756.

Die Nothwendigkeit und Schicklichkeit einer solchen
10 Zeichensprache, wo das Grundzeichen die Erscheinung
selbst ausdrückt, hat man recht gut gefühlt, indem
man die Formel der Polarität, dem Magneten ab=
geborgt, auf Elektricität u. s. w. hinüber geführt hat.
Das Plus und Minus, was an dessen Stelle gesetzt
15 werden kann, hat bei so vielen Phänomenen eine
schickliche Anwendung gefunden; ja der Tonkünstler
ist, wahrscheinlich ohne sich um jene andern Fächer
zu bekümmern, durch die Natur veranlaßt worden,
die Hauptdifferenz der Tonarten durch Majeur und
20 Mineur auszudrücken.

757.

So haben auch wir seit langer Zeit den Ausdruck
der Polarität in die Farbenlehre einzuführen ge=
wünscht; mit welchem Rechte und in welchem Sinne,

mag die gegenwärtige Arbeit ausweisen. Vielleicht
finden wir künftig Raum, durch eine solche Behand=
lung und Symbolik, welche ihr Anschauen jederzeit
mit sich führen müßte, die elementaren Naturphäno=
mene nach unsrer Weise an einander zu knüpfen,   5
und dadurch dasjenige deutlicher zu machen, was hier
nur im Allgemeinen, und vielleicht nicht bestimmt
genug ausgesprochen worden.

Sechste Abtheilung.

Sinnlich-sittliche Wirkung der Farbe.

758.

Da die Farbe in der Reihe der uranfänglichen Naturerscheinungen einen so hohen Platz behauptet, indem sie den ihr angewiesenen einfachen Kreis mit entschiedener Mannichfaltigkeit ausfüllt; so werden wir uns nicht wundern, wenn wir erfahren, daß sie auf den Sinn des Auges, dem sie vorzüglich zugeeignet ist, und durch dessen Vermittelung, auf das Gemüth, in ihren allgemeinsten elementaren Erscheinungen, ohne Bezug auf Beschaffenheit oder Form eines Materials, an dessen Oberfläche wir sie gewahr werden, einzeln eine specifische, in Zusammenstellung eine theils harmonische, theils charakteristische, oft auch unharmonische, immer aber eine entschiedene und bedeutende Wirkung hervorbringe, die sich unmittelbar an das Sittliche anschließt. Deßhalb denn Farbe, als ein Element der Kunst betrachtet, zu den höchsten ästhetischen Zwecken mitwirkend genutzt werden kann.

20*

759.

Die Menschen empfinden im Allgemeinen eine große Freude an der Farbe. Das Auge bedarf ihrer, wie es des Lichtes bedarf. Man erinnre sich der Erquickung, wenn an einem trüben Tage die Sonne auf einen einzelnen Theil der Gegend scheint und die Farben daselbst sichtbar macht. Daß man den farbigen Edelsteinen Heilkräfte zuschrieb, mag aus dem tiefen Gefühl dieses unaussprechlichen Behagens entstanden sein.

760.

Die Farben, die wir an den Körpern erblicken, sind nicht etwa dem Auge ein völlig Fremdes, wodurch es erst zu dieser Empfindung gleichsam gestempelt würde; nein. Dieses Organ ist immer in der Disposition, selbst Farben hervorzubringen, und genießt einer angenehmen Empfindung, wenn etwas der eignen Natur Gemäßes ihm von außen gebracht wird; wenn seine Bestimmbarkeit nach einer gewissen Seite hin bedeutend bestimmt wird.

761.

Aus der Idee des Gegensatzes der Erscheinung, aus der Kenntniß, die wir von den besondern Bestimmungen desselben erlangt haben, können wir schließen, daß die einzelnen Farbeindrücke nicht verwechselt werden können, daß sie specifisch wirken, und entschieden specifische Zustände in dem lebendigen Organ hervorbringen müssen.

762.

Eben auch so in dem Gemüth. Die Erfahrung lehrt uns, daß die einzelnen Farben besondre Ge= müthsstimmungen geben. Von einem geistreichen Franzosen wird erzählt: Il prétendoit que son ton
5 de conversation avec Madame étoit changé depuis qu'elle avoit changé en cramoisi le meuble de son cabinet qui étoit bleu.

763.

Diese einzelnen bedeutenden Wirkungen vollkom= men zu empfinden, muß man das Auge ganz mit
10 einer Farbe umgeben, z. B. in einem einsarbigen Zimmer sich befinden, durch ein sarbiges Glas sehen. Man identificirt sich alsdann mit der Farbe; sie stimmt Auge und Geist mit sich unisono.

764.

Die Farben von der Plusseite sind Gelb, Roth=
15 gelb (Orange), Gelbroth (Mennig, Zinnober). Sie stimmen regsam, lebhaft, strebend.

Gelb.

765.

Es ist die nächste Farbe am Licht. Sie entsteht durch die gelindeste Mäßigung desselben, es sei durch trübe Mittel, oder durch schwache Zurückwerfung von weißen Flächen. Bei den prismatischen Versuchen erstreckt sie sich allein breit in den lichten Raum, und kann dort, wenn die beiden Pole noch abgesondert von einander stehen, ehe sie sich mit dem Blauen zum Grünen vermischt, in ihrer schönsten Reinheit gesehen werden. Wie das chemische Gelb sich an und über dem Weißen entwickelt, ist gehörigen Orts umständlich vorgetragen worden.

766.

Sie führt in ihrer höchsten Reinheit immer die Natur des Hellen mit sich, und besitzt eine heitere, muntere, sanft reizende Eigenschaft.

767.

In diesem Grade ist sie als Umgebung, es sei als Kleid, Vorhang, Tapete, angenehm. Das Gold in seinem ganz ungemischten Zustande gibt uns, beson= ders wenn der Glanz hinzukommt, einen neuen und hohen Begriff von dieser Farbe; so wie ein starkes Gelb, wenn es auf glänzender Seide, z. B. auf Atlas erscheint, eine prächtige und edle Wirkung thut.

768.

So ist es der Erfahrung gemäß, daß das Gelbe einen durchaus warmen und behaglichen Eindruck mache. Daher es auch in der Mahlerei der beleuchteten und wirksamen Seite zukommt.

769.

Diesen erwärmenden Effect kann man am leb= haftesten bemerken, wenn man durch ein gelbes Glas, besonders in grauen Wintertagen, eine Landschaft an= sieht. Das Auge wird erfreut, das Herz ausgedehnt, das Gemüth erheitert; eine unmittelbare Wärme scheint uns anzuwehen.

770.

Wenn nun diese Farbe, in ihrer Reinheit und hellem Zustande angenehm und erfreulich, in ihrer ganzen Kraft aber etwas Heiteres und Edles hat; so ist sie dagegen äußerst empfindlich und macht eine sehr unangenehme Wirkung, wenn sie beschmutzt, oder einigermaßen in's Minus gezogen wird. So hat die Farbe des Schwefels, die in's Grüne fällt, etwas Unangenehmes.

771.

Wenn die gelbe Farbe unreinen und unedlen Ober= flächen mitgetheilt wird, wie dem gemeinen Tuch, dem Filz und dergleichen, worauf sie nicht mit ganzer Energie erscheint, entsteht eine solche unangenehme Wirkung. Durch eine geringe und unmerkliche Be=

wegung wird der schöne Eindruck des Feuers und
Goldes in die Empfindung des Kothigen verwandelt,
und die Farbe der Ehre und Wonne zur Farbe der
Schande, des Abscheus und Mißbehagens umgekehrt.
Daher mögen die gelben Hüte der Bankerottirer, die
gelben Ringe auf den Mänteln der Juden entstanden
sein; ja die sogenannte Hahnreifarbe ist eigentlich nur
ein schmutziges Gelb.

Rothgelb.

772.

Da sich keine Farbe als stillstehend betrachten läßt,
so kann man das Gelbe sehr leicht durch Verdichtung
und Verdunklung in's Röthliche steigern und erheben.
Die Farbe wächs't an Energie und erscheint im Rothgelben mächtiger und herrlicher.

773.

Alles was wir vom Gelben gesagt haben, gilt
auch hier, nur im höhern Grade. Das Rothgelbe
gibt eigentlich dem Auge das Gefühl von Wärme
und Wonne, indem es die Farbe der höhern Gluth,
so wie den mildern Abglanz der untergehenden Sonne
repräsentirt. Deßwegen ist sie auch bei Umgebungen
angenehm, und als Kleidung in mehr= oder minderm

Grade erfreulich oder herrlich. Ein kleiner Blick in's
Rothe gibt dem Gelben gleich ein ander Ansehn; und
wenn Engländer und Deutsche sich noch an blaßgelben
hellen Lederfarben genügen lassen, so liebt der Fran-
zose, wie Pater Castel schon bemerkt, das in's Roth
gesteigerte Gelb; wie ihn überhaupt an Farben alles
freut, was sich auf der activen Seite befindet.

Gelbroth.

774.

Wie das reine Gelb sehr leicht in das Rothgelbe
hinübergeht, so ist die Steigerung dieses letzten in's
Gelbrothe nicht aufzuhalten. Das angenehme heitre
Gefühl, das uns das Rothgelbe noch gewährt, steigert
sich bis zum unerträglich Gewaltsamen im hohen
Gelbrothen.

775.

Die active Seite ist hier in ihrer höchsten Energie,
und es ist kein Wunder, daß energische, gesunde, rohe
Menschen sich besonders an dieser Farbe erfreuen.
Man hat die Neigung zu derselben bei wilden Völ-
kern durchaus bemerkt. Und wenn Kinder, sich selbst
überlassen, zu illuminiren anfangen, so werden sie
Zinnober und Mennig nicht schonen.

776.

Man darf eine vollkommen gelbrothe Fläche starr ansehen, so scheint sich die Farbe wirklich in's Organ zu bohren. Sie bringt eine unglaubliche Erschütterung hervor und behält diese Wirkung bei einem ziemlichen Grade von Dunkelheit.

Die Erscheinung eines gelbrothen Tuches beunruhigt und erzürnt die Thiere. Auch habe ich gebildete Menschen gekannt, denen es unerträglich fiel, wenn ihnen an einem sonst grauen Tage jemand im Scharlachrock begegnete.

777.

Die Farben von der Minusseite sind Blau, Rothblau und Blauroth. Sie stimmen zu einer unruhigen, weichen und sehnenden Empfindung.

Blau.

778.

So wie Gelb immer ein Licht mit sich führt, so kann man sagen, daß Blau immer etwas Dunkles mit sich führe.

779.

Diese Farbe macht für das Auge eine sonderbare und fast unaussprechliche Wirkung. Sie ist als Farbe

eine Energie; allein sie steht auf der negativen Seite
und ist in ihrer höchsten Reinheit gleichsam ein reizen=
des Nichts. Es ist etwas Widersprechendes von Reiz
und Ruhe im Anblick.

780.

Wie wir den hohen Himmel, die fernen Berge
blau sehen, so scheint eine blaue Fläche auch vor uns
zurückzuweichen.

781.

Wie wir einen angenehmen Gegenstand, der vor
uns flieht, gern verfolgen, so sehen wir das Blaue
gern an, nicht weil es auf uns dringt, sondern weil
es uns nach sich zieht.

782.

Das Blaue gibt uns ein Gefühl von Kälte, so
wie es uns auch an Schatten erinnert. Wie es vom
Schwarzen abgeleitet sei, ist uns bekannt.

783.

Zimmer, die rein blau austapezirt sind, erscheinen
gewissermaßen weit, aber eigentlich leer und kalt.

784.

Blaues Glas zeigt die Gegenstände im traurigen
Licht.

785.

Es ist nicht unangenehm, wenn das Blau einiger=
maßen vom Plus participirt. Das Meergrün ist
vielmehr eine liebliche Farbe.

Rothblau.

786.

Wie wir das Gelbe sehr bald in einer Steigerung gefunden haben, so bemerken wir auch bei dem Blauen dieselbe Eigenschaft.

787.

Das Blaue steigert sich sehr sanft in's Rothe und erhält dadurch etwas Wirksames, ob es sich gleich auf der passiven Seite befindet. Sein Reiz ist aber von ganz andrer Art, als der des Rothgelben. Er belebt nicht sowohl, als daß er unruhig macht.

788.

So wie die Steigerung selbst unaufhaltsam ist, so wünscht man auch mit dieser Farbe immer fort= zugehen, nicht aber, wie bei'm Rothgelben, immer thätig vorwärts zu schreiten, sondern einen Punct zu finden, wo man ausruhen könnte.

789.

Sehr verdünnt kennen wir die Farbe unter dem Namen Lila; aber auch so hat sie etwas Lebhaftes ohne Fröhlichkeit.

Blauroth.

790.

Jene Unruhe nimmt bei der weiter schreitenden Steigerung zu, und man kann wohl behaupten, daß eine Tapete von einem ganz reinen gesättigten Blau= roth eine Art von unerträglicher Gegenwart sein müsse. Deßwegen es auch, wenn es als Kleidung, Band, oder sonstiger Zierrath vorkommt, sehr ver= dünnt und hell angewendet wird; da es denn seiner bezeichneten Natur nach einen ganz besondern Reiz ausübt.

791.

Indem die hohe Geistlichkeit diese unruhige Farbe sich angeeignet hat; so dürfte man wohl sagen, daß sie auf den unruhigen Staffeln einer immer vor= dringenden Steigerung unaufhaltsam zu dem Car= dinalpurpur hinaufstrebe.

Roth.

792.

Man entferne bei dieser Benennung alles, was im Rothen einen Eindruck von Gelb oder Blau machen

könnte. Man denke sich ein ganz reines Roth, einen
vollkommenen, auf einer weißen Porzellanschale auf=
getrockneten Carmin. Wir haben diese Farbe, ihrer
hohen Würde wegen, manchmal Purpur genannt, ob
wir gleich wohl wissen, daß der Purpur der Alten   5
sich mehr nach der blauen Seite hinzog.

793.

Wer die prismatische Entstehung des Purpurs
kennt, der wird nicht paradox finden, wenn wir be=
haupten, daß diese Farbe theils actu, theils potentia
alle andern Farben enthalte.   10

794.

Wenn wir bei'm Gelben und Blauen eine stre=
bende Steigerung in's Rothe gesehen und dabei unsre
Gefühle bemerkt haben; so läßt sich denken, daß nun
in der Vereinigung der gesteigerten Pole eine eigent=
liche Beruhigung, die wir eine ideale Befriedigung 15
nennen möchten, statt siuden könne. Und so entsteht,
bei physischen Phänomenen, diese höchste aller Farben=
erscheinungen aus dem Zusammentreten zweier ent=
gegengesetzten Enden, die sich zu einer Vereinigung
nach und nach selbst vorbereitet haben.   20

795.

Als Pigment hingegen erscheint sie uns als ein
Fertiges und als das vollkommenste Roth in der
Cochenille; welches Material jedoch durch chemische

Behandlung bald in's Plus, bald in's Minus zu führen ist, und allenfalls im besten Carmin als völlig im Gleichgewicht stehend angesehen werden kann.

796.

Die Wirkung dieser Farbe ist so einzig wie ihre Natur. Sie gibt einen Eindruck sowohl von Ernst und Würde, als von Huld und Anmuth. Jenes leistet sie in ihrem dunklen verdichteten, dieses in ihrem hellen verdünnten Zustande. Und so kann sich die Würde des Alters und die Liebenswürdigkeit der Jugend in Eine Farbe kleiden.

797.

Von der Eifersucht der Regenten auf den Purpur erzählt uns die Geschichte manches. Eine Umgebung von dieser Farbe ist immer ernst und prächtig.

798.

Das Purpurglas zeigt eine wohlerleuchtete Land= schaft in furchtbarem Lichte. So müßte der Farbe= ton über Erd' und Himmel am Tage des Gerichts ausgebreitet sein.

799.

Da die beiden Materialien, deren sich die Färberei zur Hervorbringung dieser Farbe vorzüglich bedient, der Kermes und die Cochenille, sich mehr oder weni= ger zum Plus und Miuns neigen; auch sich durch Behandlung mit Säuern und Alkalien herüber und

hinüber führen laſſen: ſo iſt zu bemerken, daß die
Franzoſen ſich auf der wirkſamen Seite halten, wie
der franzöſiſche Scharlach zeigt, welcher in's Gelbe
zieht; die Italiäner hingegen auf der paſſiven Seite
verharren, ſo daß ihr Scharlach eine Ahndung von
Blau behält.

800.

Durch eine ähnliche alkaliſche Behandlung ent=
ſteht das Karmeſin, eine Farbe, die den Franzoſen
ſehr verhaßt ſein muß, da ſie die Ausdrücke sot en
cramoisi, méchant en cramoisi als das Äußerſte des
Abgeſchmackten und Böſen bezeichnen.

G r ü n.

801.

Wenn man Gelb und Blau, welche wir als die
erſten und einfachſten Farben anſehen, gleich bei
ihrem erſten Erſcheinen, auf der erſten Stufe ihrer
Wirkung zuſammenbringt, ſo entſteht diejenige Farbe,
welche wir Grün nennen.

802.

Unſer Auge findet in derſelben eine reale Be=
friedigung. Wenn beide Mutterfarben ſich in der
Miſchung genau das Gleichgewicht halten, dergeſtalt,

daß keine vor der andern bemerklich ist, so ruht das
Auge und das Gemüth auf diesem Gemischten wie
auf einem Einfachen. Man will nicht weiter und
man kann nicht weiter. Deßwegen für Zimmer, in
5 denen man sich immer befindet, die grüne Farbe zur
Tapete meist gewählt wird.

Totalität und Harmonie.

803.

Wir haben bisher zum Behuf unsres Vortrages
angenommen, daß das Ange genöthigt werden köune,
10 sich mit irgend einer einzelnen Farbe zu identificiren;
allein dieß möchte wohl nur auf einen Augenblick
möglich sein.

804.

Denn wenn wir uns von einer Farbe umgeben
sehen, welche die Empfindung ihrer Eigenschaft in
15 unserm Auge erregt und uns durch ihre Gegenwart
nöthigt, mit ihr in einem identischen Zustande zu
verharren; so ist es eine gezwungene Lage, in welcher das Organ ungern verweilt.

805.

Wenn das Auge die Farbe erblickt, so wird es
20 gleich in Thätigkeit gesetzt, und es ist seiner Natur

gemäß, auf der Stelle eine andre, so unbewußt als
nothwendig, hervorzubringen, welche mit der gegebenen
die Totalität des ganzen Farbenkreises enthält. Eine
einzelne Farbe erregt in dem Auge, durch eine specifische Empfindung, das Streben nach Allgemeinheit. ₅

806.

Um nun diese Totalität gewahr zu werden, um
sich selbst zu befriedigen, sucht es neben jedem farbigen Raum einen farblosen, um die geforderte Farbe
an demselben hervorzubringen.

807.

Hier liegt also das Grundgesetz aller Harmonie ₁₀
der Farben, wovon sich jeder durch eigene Erfahrung
überzeugen kann, indem er sich mit den Versuchen,
die wir in der Abtheilung der physiologischen Farben
angezeigt, genau bekannt macht.

808.

Wird nun die Farbentotalität von außen dem ₁₅
Auge als Object gebracht, so ist sie ihm erfreulich,
weil ihm die Summe seiner eignen Thätigkeit als
Realität entgegen kommt. Es sei also zuerst von
diesen harmonischen Zusammenstellungen die Rede.

809.

Um sich davon auf das leichteste zu unterrichten, ₂₀
denke man sich in dem von uns angegebenen Farben-

kreise einen beweglichen Diameter und führe denselben
im ganzen Kreise herum; so werden die beiden Enden
nach und nach die sich fordernden Farben bezeichnen;
welche sich denn freilich zuletzt auf drei einfache Gegen=
5 sätze zurückführen lassen.

810.

Gelb fordert Rothblau
Blau fordert Rothgelb
Purpur fordert Grün

und umgekehrt.

811.

10 Wie der von uns supponirte Zeiger von der Mitte
der von uns naturgemäß geordneten Farben wegrückt;
eben so rückt er mit dem andern Ende in der entgegen=
gesetzten Abstufung weiter, und es läßt sich durch
eine solche Vorrichtung zu einer jeden fordernden Farbe
15 die geforderte bequem bezeichnen. Sich hiezu einen
Farbenkreis zu bilden, der nicht wie der unsre abge=
setzt, sondern in einem stetigen Fortschritte die Farben
und ihre Übergänge zeigte, würde nicht unnütz sein:
denn wir stehen hier auf einem sehr wichtigen Punct,
20 der alle unsre Aufmerksamkeit verdient.

812.

Wurden wir vorher bei dem Beschauen einzelner
Farben gewissermaßen pathologisch afficirt, indem wir
zu einzelnen Empfindungen fortgerissen, uns bald leb=

haft und strebend, bald weich und sehnend, bald zum
Edlen emporgehoben, bald zum Gemeinen herabgezogen
fühlten; so führt uns das Bedürfniß nach Totalität,
welches unserm Organ eingeboren ist, aus dieser Be=
schränkung heraus; es setzt sich selbst in Freiheit, in=
dem es den Gegensatz des ihm aufgedrungenen Ein=
zelnen und somit eine befriedigende Ganzheit hervor=
bringt.

813.

So·einfach also diese eigentlich harmonischen Ge=
gensätze sind, welche uns in dem engen Kreise gegeben
werden, so wichtig ist der Wink, daß uns die Natur
durch Totalität zur Freiheit heraufzuheben angelegt
ist, und daß wir dießmal eine Naturerscheinung zum
ästhetischen Gebrauch unmittelbar überliefert erhalten.

814.

Indem wir also aussprechen können, daß der Far=
benkreis, wie wir ihn angegeben, auch schon dem Stoff
nach eine angenehme Empfindung hervorbringe, ist es
der Ort zu gedenken, daß man bisher den Regenbogen
mit Unrecht als ein Beispiel der Farbentotalität an=
genommen: denn es fehlt demselben die Hauptfarbe,
das reine Roth, der Purpur, welcher nicht entstehen
kann, da sich bei dieser Erscheinung so wenig als bei
dem hergebrachten prismatischen Bilde das Gelbroth
und Blauroth zu erreichen vermögen.

815.

Überhaupt zeigt uns die Natur kein allgemeines Phänomen, wo die Farbentotalität völlig beisammen wäre. Durch Versuche läßt sich ein solches in seiner vollkommnen Schönheit hervorbringen. Wie sich aber 5 die völlige Erscheinung im Kreise zusammenstellt, machen wir uns am besten durch Pigmente auf Papier begreiflich, bis wir, bei natürlichen Anlagen und nach mancher Erfahrung und Übung, uns endlich von der Idee dieser Harmonie völlig penetrirt und sie 10 uns im Geiste gegenwärtig fühlen.

Charakteristische Zusammenstellungen.

816.

Außer diesen rein harmonischen, aus sich selbst entspringenden Zusammenstellungen, welche immer Totalität mit sich führen, gibt es noch andre, welche 15 durch Willkür hervorgebracht werden, und die wir dadurch am leichtesten bezeichnen, daß sie in unserm Farbenkreise nicht nach Diametern, sondern nach Chorden aufzufinden sind, und zwar zuerst dergestalt, daß eine Mittelfarbe übersprungen wird.

817.

20 Wir nennen diese Zusammenstellungen charakteristisch, weil sie sämmtlich etwas Bedeutendes haben,

das sich uns mit einem gewissen Ausdruck aufdringt,
aber uns nicht befriedigt, indem jedes Charakteristische
nur dadurch entsteht, daß es als ein Theil aus einem
Ganzen heraustritt, mit welchem es ein Verhältniß
hat, ohne sich darin aufzulösen.   5

818.

Da wir die Farben in ihrer Entstehung, so wie
deren harmonische Verhältnisse kennen, so läßt sich
erwarten, daß auch die Charaktere der willkürlichen
Zusammenstellungen von der verschiedensten Bedeutung
sein werden. Wir wollen sie einzeln durchgehen.   10

Gelb und Blau.

819.

Dieses ist die einfachste von solchen Zusammen=
stellungen. Man kann sagen, es sei zu wenig in ihr:
denn da ihr jede Spur von Roth fehlt, so geht ihr
zu viel von der Totalität ab. In diesem Sinne kann   15
man sie arm und, da die beiden Pole auf ihrer nie=
drigsten Stufe stehn, gemein nennen. Doch hat sie
den Vortheil, daß sie zunächst am Grünen und also
an der realen Befriedigung steht.

Gelb und Purpur.

820.

Hat etwas Einseitiges, aber Heiteres und Präch=
tiges. Man sieht die beiden Enden der thätigen Seite
neben einander, ohne daß das stetige Werden ausge=
5 drückt sei.

Da man aus ihrer Mischung durch Pigmente das
Gelbrothe erwarten kann, so stehn sie gewissermaßen
anstatt dieser Farbe.

Blau und Purpur.

821.

10 Die beiden Enden der passiven Seite mit dem
Übergewicht des obern Endes nach dem activen zu.
Da durch Mischung beider das Blaurothe entsteht,
so wird der Effect dieser Zusammenstellung sich auch
gedachter Farbe nähern.

Gelbroth und Blauroth.

822.

Haben zusammengestellt, als die gesteigerten Enden
der beiden Seiten, etwas Erregendes, Hohes. Sie

geben uns die Vorahndung des Purpurs, der bei
physikalischen Versuchen aus ihrer Vereinigung ent=
steht.

823.

Diese vier Zusammenstellungen haben also das
Gemeinsame, daß sie, vermischt, die Zwischenfarben
unsres Farbenkreises hervorbringen würden; wie sie
auch schon thun, wenn die Zusammenstellung aus
kleinen Theilen besteht und aus der Ferne betrachtet
wird. Eine Fläche mit schmalen blau= und gelben
Streifen erscheint in einiger Entfernung grün.

824.

Wenn nun aber das Auge Blau und Gelb neben
einander sieht, so befindet es sich in der sonderbaren
Bemühung, immer Grün hervorbringen zu wollen,
ohne damit zu Stande zu kommen, und ohne also im
Einzelnen Ruhe, oder im Ganzen Gefühl der Tota=
lität bewirken zu können.

825.

Man sieht also, daß wir nicht mit Unrecht diese
Zusammenstellungen charakteristisch genannt haben, so
wie denn auch der Charakter einer jeden sich auf den
Charakter der einzelnen Farben, woraus sie zusammen=
gestellt ist, beziehen muß.

Charakterlose Zusammenstellungen.

826.

Wir wenden uns nun zu der letzten Art der Zu=
sammenstellungen, welche sich aus dem Kreise leicht
herausfinden lassen. Es sind nämlich diejenigen,
5 welche durch kleinere Chorden angedeutet werden,
wenn man nicht eine ganze Mittelfarbe, sondern nur
den Übergang aus einer in die andere überspringt.

827.

Man kann diese Zusammenstellungen wohl die
charakterlosen nennen, indem sie zu nahe an einander
10 liegen, als daß ihr Eindruck bedeutsam werden könnte.
Doch behaupten die meisten immer noch ein gewisses
Recht, da sie ein Fortschreiten andeuten, dessen Ver=
hältniß aber kaum fühlbar werden kann.

828.

So drücken Gelb und Gelbroth, Gelbroth und
15 Purpur, Blau und Blauroth, Blauroth und Purpur
die nächsten Stufen der Steigerung und Culmination
aus, und können in gewissen Verhältnissen der Massen
keine üble Wirkung thun.

829.

Gelb und Grün hat immer etwas Gemein=Heiteres,
20 Blau und Grün aber immer etwas Gemein=Wider=

liches; deßwegen unsre guten Vorfahren diese letzte
Zusammenstellung auch Narrenfarbe genannt haben.

Bezug der Zusammenstellungen
zu Hell und Dunkel.

830.

Diese Zusammenstellungen können sehr vermannich=
faltigt werden, indem man beide Farben hell, beide
Farben dunkel, eine Farbe hell die andre dunkel zu=
sammenbringen kann; wobei jedoch, was im Allge=
meinen gegolten hat, in jedem besondern Falle gelten
muß. Von dem unendlich Mannichfaltigen, was da=
bei statt findet, erwähnen wir nur Folgendes.

831.

Die active Seite mit dem Schwarzen zusammen=
gestellt, gewinnt an Energie; die passive verliert. Die
active mit dem Weißen und Hellen zusammengebracht,
verliert an Kraft; die passive gewinnt an Heiterkeit.
Purpur und Grün mit Schwarz sieht dunkel und
düster, mit Weiß hingegen erfreulich aus.

832.

Hierzu kommt nun noch, daß alle Farben mehr
oder weniger beschmutzt, bis auf einen gewissen Grad

unkenntlich gemacht, und so theils unter sich selbst,
theils mit reinen Farben zusammengestellt werden
können; wodurch zwar die Verhältnisse unendlich
variirt werden, wobei aber doch alles gilt, was von
den reinen gegolten hat.

Historische Betrachtungen.

833.

Wenn in dem Vorhergehenden die Grundsätze der
Farbenharmonie vorgetragen worden; so wird es
nicht zweckwidrig sein, wenn wir das dort Ausge=
sprochene in Verbindung mit Erfahrungen und Bei=
spielen nochmals wiederholen.

834.

Jene Grundsätze waren aus der menschlichen Natur
und aus den anerkannten Verhältnissen der Farben=
erscheinungen abgeleitet. In der Erfahrung begegnet
uns manches, was jenen Grundsätzen gemäß, manches,
was ihnen widersprechend ist.

835.

Naturmenschen, rohe Völker, Kinder haben große
Neigung zur Farbe in ihrer höchsten Energie, und
also besonders zu dem Gelbrothen. Sie haben auch

eine Neigung zum Bunten. Das Bunte aber ent=
steht, wenn die Farben in ihrer höchsten Energie ohne
harmonisches Gleichgewicht zusammengestellt worden.
Findet sich aber dieses Gleichgewicht durch Instinct,
oder zufällig beobachtet, so entsteht eine angenehme
Wirkung. Ich erinnere mich, daß ein hessischer Offi=
cier, der aus Amerika kam, sein Gesicht nach Art
der Wilden mit reinen Farben bemahlte, wodurch eine
Art von Totalität entstand, die keine unangenehme
Wirkung that.

836.

Die Völker des südlichen Europas tragen zu Klei=
dern sehr lebhafte Farben. Die Seidenwaaren, welche
sie leichten Kaufs haben, begünstigen diese Neigung.
Auch sind besonders die Frauen mit ihren lebhaftesten
Miedern und Bändern immer mit der Gegend in
Harmonie, indem sie nicht im Stande sind, den
Glanz des Himmels und der Erde zu überscheinen.

837.

Die Geschichte der Färberei belehrt uns, daß bei
den Trachten der Nationen gewisse technische Bequem=
lichkeiten und Vortheile sehr großen Einfluß hatten.
So sieht man die Deutschen viel in Blau gehen,
weil es eine dauerhafte Farbe des Tuches ist; auch
in manchen Gegenden, alle Landleute in grünem
Zwillich, weil dieser gedachte Farbe gut annimmt.
Möchte ein Reisender hierauf achten, so würden

ihm bald angenehme und lehrreiche Beobachtungen gelingen.

838.

Farben, wie sie Stimmungen hervorbringen, fügen sich auch zu Stimmungen und Zuständen. Lebhafte Nationen, z. B. die Franzosen, lieben die gesteigerten Farben, besonders der activen Seite; gemäßigte, als Engländer und Deutsche, das Stroh= oder Ledergelb, wozu sie Dunkelblau tragen. Nach Würde strebende Nationen, als Italiäner und Spanier, ziehen die rothe Farbe ihrer Mäntel auf die passive Seite hin= über.

839.

Man bezieht bei Kleidungen den Charakter der Farbe auf den Charakter der Person. So kann man das Verhältniß der einzelnen Farben und Zusammen= stellungen zu Gesichtsfarbe, Alter und Stand beob= achten.

840.

Die weibliche Jugend hält auf Rosenfarb und Meergrün; das Alter auf Violett und Dunkelgrün. Die Blondine hat zu Violett und Hellgelb, die Brü= nette zu Blau und Gelbroth Neigung, und sämmt= lich mit Recht.

Die römischen Kaiser waren auf den Purpur höchst eifersüchtig. Die Kleidung des chinesischen Kaisers ist Orange mit Purpur gestickt. Citronen= gelb dürfen auch seine Bedienten und die Geistlichen tragen.

841.

Gebildete Menschen haben einige Abneigung vor Farben. Es kann dieses theils aus Schwäche des Organs, theils aus Unsicherheit des Geschmacks ge= schehen, die sich gern in das völlige Nichts flüchtet. Die Frauen gehen nunmehr fast durchgängig weiß, 5 und die Männer schwarz.

842.

Überhaupt aber steht hier eine Beobachtung nicht am unrechten Platze, daß der Mensch, so gern er sich auszeichnet, sich auch eben so gern unter Seines= gleichen verlieren mag. 10

843.

Die schwarze Farbe sollte den venetianischen Edel= mann an eine republicanische Gleichheit erinnern.

844.

In wiefern der trübe nordische Himmel die Farben nach und nach vertrieben hat, ließe sich vielleicht auch noch untersuchen. 15

845.

Man ist freilich bei dem Gebrauch der ganzen Farben sehr eingeschränkt; dahingegen die beschmutz= ten, getödteten, sogenannten Modefarben unendlich viele abweichende Grade und Schattirungen zeigen, wovon die meisten nicht ohne Anmuth sind. 20

846.

Zu bemerken ist noch, daß die Frauenzimmer bei ganzen Farben in Gefahr kommen, eine nicht ganz lebhafte Gesichtsfarbe noch unscheinbarer zu machen; wie sie denn überhaupt genöthigt sind, sobald sie
5 einer glänzenden Umgebung das Gleichgewicht halten sollen, ihre Gesichtsfarbe durch Schminke zu erhöhen.

847.

Hier wäre nun noch eine artige Arbeit zu machen übrig, nämlich eine Beurtheilung der Uniformen, Livreen, Cocarden und andrer Abzeichen, nach den
10 oben aufgestellten Grundsätzen. Man könnte im All= gemeinen sagen, daß solche Kleidungen oder Abzeichen keine harmonischen Farben haben dürfen. Die Uni= formen sollten Charakter und Würde haben; die Livreen können gemein und in's Auge fallend sein.
15 An Beispielen von guter und schlechter Art würde es nicht fehlen, da der Farbenkreis eng und schon oft genug durchprobirt worden ist.

Ästhetische Wirkung.

848.

Aus der sinnlichen und sittlichen Wirkung der
20 Farben, sowohl einzeln als in Zusammenstellung,

wie wir sie bisher vorgetragen haben, wird nun für
den Künstler die ästhetische Wirkung abgeleitet. Wir
wollen auch darüber die nöthigsten Winke geben,
wenn wir vorher die allgemeine Bedingung mahleri=
scher Darstellung, Licht und Schatten, abgehandelt, 5
woran sich die Farbenerscheinung unmittelbar an=
schließt.

———————

Hell dunkel.

———

849.

Das Helldunkel, clair-obscur, nennen wir die Er=
scheinung körperlicher Gegenstände, wenn an denselben 10
nur die Wirkung des Lichtes und Schattens betrachtet
wird.

850.

Im engern Sinne wird auch manchmal eine
Schattenpartie, welche durch Reflexe beleuchtet wird,
so genannt; doch wir brauchen hier das Wort in 15
seinem ersten allgemeinern Sinne.

851.

Die Trennung des Helldunkels von aller Farben=
erscheinung ist möglich und nöthig. Der Künstler
wird das Räthsel der Darstellung eher lösen, wenn
er sich zuerst das Helldunkel unabhängig von Farben 20
denkt, und dasselbe in seinem ganzen Umfange kennen
lernt.

852.

Das Helldunkel macht den Körper als Körper
erscheinen, indem uns Licht und Schatten von der
Dichtigkeit belehrt.

853.

Es kommt dabei in Betracht das höchste Licht,
die Mitteltinte, der Schatten, und bei dem letzten
wieder der eigene Schatten des Körpers, der auf
andre Körper geworfene Schatten, der erhellte Schatten oder Reflex.

854.

Zum natürlichsten Beispiel für das Helldunkel
wäre die Kugel günstig, um sich einen allgemeinen
Begriff zu bilden, aber nicht hinlänglich zum ästhetischen Gebrauch. Die verfließende Einheit einer solchen
Rundung führt zum Nebulistischen. Um Kunstwirkun-
gen zu erzwecken, müssen an ihr Flächen hervorgebracht werden, damit die Theile der Schatten- und
Lichtseite sich mehr in sich selbst absondern.

855.

Die Italiäner nennen dieses il piazzoso; man
könnte es im Deutschen das Flächenhafte nennen.
Wenn nun also die Kugel ein vollkommenes Beispiel
des natürlichen Helldunkels wäre; so würde ein Vieleck ein Beispiel des künstlichen sein, wo alle Arten
von Lichtern, Halblichtern, Schatten und Reflexen bemerklich wären.

856.

Die Traube iſt als ein gutes Beiſpiel eines mahle-
riſchen Ganzen im Hellbunkel anerkannt, um ſo mehr
als ſie ihrer Form nach eine vorzügliche Gruppe darzuſtellen im Staude iſt; aber ſie iſt bloß für den
Meiſter tauglich, der das, was er auszuüben verſteht, 5
in ihr zu ſehen weiß.

857.

Um den erſten Begriff faßlich zu machen, der
ſelbſt von einem Vieleck immer noch ſchwer zu ab-
ſtrahiren iſt, ſchlagen wir einen Cubus vor, deſſen
drei geſehene Seiten das Licht, die Mitteltinte und 10
den Schatten, abgeſondert neben einander vorſtellen.

858.

Jedoch um zum Hellbunkel einer zuſammengeſetz-
tern Figur überzugehen, wählen wir das Beiſpiel
eines aufgeſchlagenen Buches, welches uns einer grö-
ßern Mannichfaltigkeit näher bringt.			15

859.

Die antiken Statuen aus der ſchönen Zeit findet
man zu ſolchen Wirkungen höchſt zweckmäßig ge-
arbeitet. Die Lichtpartien ſind einfach behandelt, die
Schattenſeiten deſto mehr unterbrochen, damit ſie für
mannichfaltige Reflexe empfänglich würden; wobei 20
man ſich des Beiſpiels vom Vieleck erinnern kann.

860.

Beispiele antiker Mahlerei geben hierzu die herkula=
nischen Gemählde und die aldobrandinische Hochzeit.

861.

Moderne Beispiele finden sich in einzelnen Figuren
Raphaels, an ganzen Gemählden Correggio's, der nie=
⁵ derländischen Schule, besonders des Rubens.

Streben zur Farbe.

862.

Ein Kunstwerk schwarz und weiß kann in der
Mahlerei selten vorkommen. Einige Arbeiten von Po=
lydor geben uns davon Beispiele, so wie unsre Kupfer=
¹⁰ stiche und geschabten Blätter. Diese Arten, in sofern
sie sich mit Formen und Haltung beschäftigen, sind
schätzenswerth; allein sie haben wenig Gefälliges für's
Auge, indem sie nur durch eine gewaltsame Abstraction
entstehen.

863.

¹⁵ Wenn sich der Künstler seinem Gefühl überläßt,
so meldet sich etwas Farbiges gleich. Sobald das
Schwarze in's Blauliche fällt, entsteht eine Forderung
des Gelben, das denn der Künstler instinctmäßig ver=
theilt und theils rein in den Lichtern, theils geröthet

22*

und beschmutzt als Braun in den Reflexen, zu Be=
lebung des Ganzen anbringt, wie es ihm am räth=
lichsten zu sein scheint.

864.

Alle Arten von Camayeu, oder Farb' in Farbe,
laufen doch am Ende dahin hinaus, daß ein gefor= 5
derter Gegensatz oder irgend eine farbige Wirkung
angebracht wird. So hat Polydor in seinen schwarz=
und weißen Frescogemählden ein gelbes Gefäß, oder
sonst etwas der Art eingeführt.

865.

Überhaupt strebten die Menschen in der Kunst 10
instinctmäßig jederzeit nach Farbe. Man darf nur
täglich beobachten, wie Zeichenlustige von Tusche oder
schwarzer Kreide auf weiß Papier zu farbigem Papier
sich steigern; dann verschiedene Kreiden anwenden und
endlich in's Pastell übergehen. Man sah in unsern 15
Zeiten Gesichter mit Silberstift gezeichnet, durch rothe
Bäckchen belebt und mit farbigen Kleidern angethan;
ja Silhouetten in bunten Uniformen. Paolo Uccello
mahlte farbige Landschaften zu farblosen Figuren.

866.

Selbst die Bildhauerei der Alten konnte diesem 20
Trieb nicht widerstehen. Die Ägypter strichen ihre
Basreliefs an. Den Statuen gab man Augen von
farbigen Steinen. Zu marmornen Köpfen und Extre=

mitäten fügte man porphyrne Gewänder, so wie man
bunte Kalkfinter zum Sturze der Brustbilder nahm.
Die Jesuiten verfehlten nicht, ihren heiligen Aloysius
in Rom auf diese Weise zusammen zu setzen, und die
5 neuste Bildhauerei unterscheidet das Fleisch durch
eine Tinctur von den Gewändern.

Haltung.

867.

Wenn die Linearperspective die Abstufung der Gegenstände in scheinbarer Größe durch Entfernung zeigt;
10 so läßt uns die Luftperspective die Abstufung der
Gegenstände in mehr- oder minderer Deutlichkeit durch
Entfernung sehen.

868.

Ob wir zwar entfernte Gegenstände nach der
Natur unsres Auges nicht so deutlich sehen als nähere;
15 so ruht doch die Luftperspective eigentlich auf dem
wichtigen Satz, daß alle durchsichtigen Mittel einigermaßen trübe sind.

869.

Die Atmosphäre ist also immer mehr oder weniger
trüb. Besonders zeigt sie diese Eigenschaft in den süd-
20 lichen Gegenden bei hohem Barometerstand, trocknem
Wetter und wolkenlosem Himmel, wo man eine sehr

merkliche Abstufung wenig auseinanderstehender Gegen=
stände beobachten kann.

870.

Im Allgemeinen ist diese Erscheinung jedermann
bekannt; der Mahler hingegen sieht die Abstufung bei
den geringsten Abständen, oder glaubt sie zu sehen. 5
Er stellt sie praktisch dar, indem er die Theile eines
Körpers., z. B. eines völlig vorwärts gekehrten Ge=
sichtes, von einander abstuft. Hiebei behauptet Be=
leuchtung ihre Rechte. Diese kommt von der Seite
in Betracht, so wie die Haltung von vorn nach der 10
Tiefe zu.

Colorit.

871.

Indem wir nunmehr zur Farbengebung übergehen,
setzen wir voraus, daß der Mahler überhaupt mit dem
Entwurf unserer Farbenlehre bekanut sei und sich ge= 15
wisse Capitel und Rubriken, die ihn vorzüglich be=
rühren, wohl zu eigen gemacht habe: denn so wird
er sich im Stande befinden, das Theoretische sowohl
als das Praktische, im Erkennen der Natur und im
Anwenden auf die Kunst, mit Leichtigkeit zu behan= 20
deln.

Colorit des Orts.

872.

Die erste Erscheinung des Colorits tritt in der Natur gleich mit der Haltung ein: denn die Luftper=spective beruht auf der Lehre von den trüben Mitteln. Wir sehen den Himmel, die entfernten Gegenstände, ja die nahen Schatten blau. Zugleich erscheint uns das Leuchtende und Beleuchtete stufenweise gelb bis zur Purpurfarbe. In manchen Fällen tritt sogleich die physiologische Forderung der Farben ein, und eine ganz farblose Landschaft wird durch diese mit und gegen einander wirkenden Bestimmungen vor unserm Auge völlig farbig erscheinen.

Colorit der Gegenstände.

873.

Localfarben sind die allgemeinen Elementarfarben, aber nach den Eigenschaften der Körper und ihrer Oberflächen, an denen wir sie gewahr werden, speci=ficirt. Diese Specification geht bis in's Unendliche.

874.

Es ist ein großer Unterschied, ob man gefärbte Seide oder Wolle vor sich hat. Jede Art des Berei=

tens und Webens bringt schon Abweichungen hervor.
Rauhigkeit, Glätte, Glanz kommen in Betrachtung.

875.

Es ist daher ein der Kunst sehr schädliches Vor=
urtheil, daß der gute Mahler keine Rücksicht auf den
Stoff der Gewänder nehmen, sondern nur immer 5
gleichsam abstracte Falten mahlen müsse. Wird nicht
hierdurch alle charakteristische Abwechslung aufgehoben,
und ist das Porträt von Leo X. deßhalb weniger
trefflich, weil auf diesem Bilde Sammt, Atlas und
Mohr neben einander nachgeahmt ward? 10

876.

Bei Naturproducten erscheinen die Farben mehr
oder weniger modificirt, specificirt, ja individualisirt;
welches bei Steinen und Pflanzen, bei den Federn
der Vögel und den Haaren der Thiere wohl zu beob=
achten ist. 15

877.

Die Hauptkunst des Mahlers bleibt immer, daß er
die Gegenwart des bestimmten Stoffes nachahme und
das Allgemeine, Elementare der Farbenerscheinung
zerstöre. Die höchste Schwierigkeit findet sich hier bei
der Oberfläche des menschlichen Körpers. 20

878.

Das Fleisch steht im Ganzen auf der activen
Seite; doch spielt das Bläuliche der passiven auch

mit herein. Die Farbe ist durchaus ihrem elementaren Zustande entrückt und durch Organisation neutralisirt.

879.

Das Colorit des Ortes und das Colorit der Gegenstände in Harmonie zu bringen, wird nach Betrachtung dessen, was von uns in der Farbenlehre abgehandelt worden, dem geistreichen Künstler leichter werden, als bisher der Fall war, und er wird im Stande sein, unendlich schöne, mannichfaltige und zugleich wahre Erscheinungen darzustellen.

Charakteristisches Colorit.

880.

Die Zusammenstellung farbiger Gegenstände sowohl als die Färbung des Raums, in welchem sie enthalten sind, soll nach Zwecken geschehen, welche der Künstler sich vorsetzt. Hiezu ist besonders die Kenntniß der Wirkung der Farben auf Empfindung, sowohl im Einzelnen als in Zusammenstellung, nöthig. Deßhalb sich denn der Mahler von dem allgemeinen Dualism sowohl als von den besondern Gegensätzen penetriren soll; wie er denn überhaupt wohl inne haben müßte, was wir von den Eigenschaften der Farben gesagt haben.

881.

Das Charakteristische kann unter drei Hauptrubri=
ken begriffen werden, die wir einstweilen durch das
Mächtige, das Sanfte und das Glänzende bezeichnen
wollen.

882.

Das erste wird durch das Übergewicht der activen,
das zweite durch das Übergewicht der passiven Seite,
das dritte durch Totalität und Darstellung des ganzen
Farbenkreises im Gleichgewicht hervorgebracht.

883.

Der mächtige Effect wird erreicht durch Gelb,
Gelbroth und Purpur, welche letzte Farbe auch noch
auf der Plusseite zu halten ist. Wenig Violett und
Blau, noch weniger Grün ist anzubringen. Der sanfte
Effect wird durch Blau, Violett und Purpur, welcher
jedoch auf die Minusseite zu führen ist, hervorgebracht.
Wenig Gelb und Gelbroth, aber viel Grün, kann
statt finden.

884.

Wenn man also diese beiden Effecte in ihrer vollen
Bedeutung hervorbringen will, so kann man die ge=
forderten Farben bis auf ein Minimum ausschließen
und nur so viel von ihnen sehen lassen, als eine Ahn=
dung der Totalität unweigerlich zu verlangen scheint.

Harmonisches Colorit.

885.

Obgleich die beiden charakteriftischen Bestimmungen, nach der eben angezeigten Weise, auch gewissermaßen harmonisch genannt werden können; so entsteht doch
5 die eigentliche harmonische Wirkung nur alsdann, wenn alle Farben neben einander im Gleichgewicht angebracht sind.

886.

Man kann hieburch das Glänzende sowohl als das Angenehme hervorbringen, welche beide jedoch
10 immer etwas Allgemeines und in diesem Sinne etwas Charakterloses haben werden.

887.

Hierin liegt die Ursache, warum das Colorit der meisten Neuern charakterlos ist; denn indem sie nur ihrem Instinct folgen, so bleibt das Letzte, wohin er
15 sie führen kann, die Totalität, die sie mehr oder weniger erreichen, dadurch aber zugleich den Charakter versäumen, den das Bild allenfalls haben könnte.

888.

Hat man hingegen jene Grundsätze im Auge, so sieht man, wie sich für jeden Gegenstand mit Sicher=
20 heit eine andre Farbenstimmung wählen läßt. Frei=

lich fordert die Anwendung unendliche Modificationen,
welche dem Genie allein, wenn es von diesen Grund=
sätzen durchdrungen ist, gelingen werden.

Echter Ton.

889.

Wenn man das Wort Ton, oder vielmehr Tonart,
auch noch künftig von der Musik borgen und bei der
Farbengebung brauchen will; so wird es in einem
bessern Sinne als bisher geschehen können.

890.

Man würde nicht mit Unrecht ein Bild von mäch=
tigem Effect, mit einem musikalischen Stücke aus dem
Durton; ein Gemählde von sanftem Effect, mit einem
Stücke aus dem Mollton vergleichen; so wie man für
die Modification dieser beiden Haupteffecte andre Ver=
gleichungen finden könnte.

Falscher Ton.

891.

Was man bisher Ton nannte, war ein Schleier
von einer einzigen Farbe über das ganze Bild gezogen.

Man nahm ihn gewöhnlich gelb, indem man aus Instinct das Bild auf die mächtige Seite treiben wollte.

892.

Wenn man ein Gemählde durch ein gelbes Glas ansieht, so wird es uns in diesem Ton erscheinen. Es ist der Mühe werth, diesen Versuch zu machen und zu wiederholen, um genau kennen zu lernen, was bei einer solchen Operation eigentlich vorgeht. Es ist eine Art Nachtbeleuchtung, eine Steigerung, aber zugleich Verdüsterung der Plusseite, und eine Beschmutzung der Minusseite.

893.

Dieser unechte Ton ist durch Instinct aus Unsicherheit dessen, was zu thun sei, entstanden; so daß man anstatt der Totalität eine Uniformität hervorbrachte.

Schwaches Colorit.

894.

Eben diese Unsicherheit ist Ursache, daß man die Farben der Gemählde so sehr gebrochen hat, daß man aus dem Grauen heraus, und in das Graue hinein mahlt, und die Farbe so leise behandelt als möglich.

895.

Man findet in solchen Gemählden oft die harmo=
nischen Gegenstellungen recht glücklich, aber ohne
Muth, weil man sich vor dem Bunten fürchtet.

Das Bunte.

896.

Bunt kann ein Gemählde leicht werden, in welchem ₅
man bloß empirisch, nach unsichern Eindrücken, die
Farben in ihrer ganzen Kraft neben einander stellen
wollte.

897.

Wenn man dagegen schwache, obgleich widrige
Farben neben einander setzt, so ist freilich der Effect ₁₀
nicht auffallend. Man trägt seine Unsicherheit auf
den Zuschauer hinüber, der denn an seiner Seite
weder loben noch tadeln kann.

898.

Auch ist es eine wichtige Betrachtung, daß man
zwar die Farben unter sich in einem Bilde richtig ₁₅
aufstellen könne, daß aber doch ein Bild bunt werden
müsse, wenn man die Farben in Bezug auf Licht und
Schatten falsch anwendet.

899.

Es kann dieser Fall um so leichter eintreten, als
Licht und Schatten schon durch die Zeichnung gegeben
und in derselben gleichsam enthalten ist, dahingegen
die Farbe der Wahl und Willkür noch unterworfen
bleibt.

Furcht vor dem Theoretischen.

900.

Man fand bisher bei den Mahlern eine Furcht,
ja eine entschiedene Abneigung gegen alle theoretische
Betrachtungen über die Farbe und was zu ihr gehört;
welches ihnen jedoch nicht übel zu deuten war. Denn
das bisher sogenannte Theoretische war grundlos,
schwankend und auf Empirie hindeutend. Wir wünschen, daß unsre Bemühungen diese Furcht einigermaßen vermindern und den Künstler anreizen mögen,
die aufgestellten Grundsätze praktisch zu prüfen und
zu beleben.

Letzter Zweck.

901.

Denn ohne Übersicht des Ganzen wird der letzte
Zweck nicht erreicht. Von allem dem, was wir bis-

her vorgetragen, durchdringe sich der Künstler. Nur
durch die Einstimmung des Lichtes und Schattens,
der Haltung, der wahren und charakteristischen Far=
bengebung kann das Gemählde von der Seite, von der
wir es gegenwärtig betrachten, als vollendet erscheinen. 5

Gründe.

902.

Es war die Art der ältern Künstler, auf hellen
Grund zu mahlen. Er bestand aus Kreide und wurde
auf Leinwand oder Holz stark aufgetragen und polirt.
Sodann wurde der Umriß aufgezeichnet und das Bild 10
mit einer schwärzlichen oder bräunlichen Farbe aus=
getuscht. Dergleichen auf diese Art zum Coloriren
vorbereitete Bilder sind noch übrig von Leonardo da
Vinci, Fra Bartolomeo und mehrere von Guido.

903.

Wenn man zur Colorirung schritt und weiße Ge= 15
wänder darstellen wollte; so ließ man zuweilen diesen
Grund stehen. Tizian that es in seiner spätern Zeit,
wo er die große Sicherheit hatte, und mit wenig
Mühe viel zu leisten wußte. Der weißliche Grund
wurde als Mitteltinte behandelt, die Schatten auf= 20
getragen und die hohen Lichter aufgesetzt.

904.

Bei'm Coloriren war das untergelegte gleichsam getuschte Bild immer wirksam. Man mahlte z. B. ein Gewand mit einer Lasurfarbe, und das Weiße schien durch und gab der Farbe ein Leben, so wie der schon früher zum Schatten angelegte Theil die Farbe gedämpft zeigte, ohne daß sie gemischt oder beschmutzt gewesen wäre.

905.

Diese Methode hat viele Vortheile. Denn an den lichten Stellen des Bildes hatte man einen hellen, an den beschatteten einen dunkeln Grund. Das ganze Bild war vorbereitet; man konnte mit leichten Farben mahlen, und man war der Übereinstimmung des Lichtes mit den Farben gewiß. Zu unsern Zeiten ruht die Aquarellmahlerei auf diesen Grundsätzen.

906.

Übrigens wird in der Ölmahlerei gegenwärtig durchaus ein heller Grund gebraucht, weil Mittel-tinten mehr oder weniger durchsichtig sind, und also durch einen hellen Grund einigermaßen belebt, so wie die Schatten selbst nicht so leicht dunkel werden.

907.

Auf dunkle Gründe mahlte man auch eine Zeit-lang. Wahrscheinlich hat sie Tintoret eingeführt; ob Giorgione sich derselben bedient, ist nicht bekannt.

Tizians beste Bilder sind nicht auf dunkeln Grund
gemahlt.

908.

Ein solcher Grund war rothbraun, und wenn auf
denselben das Bild aufgezeichnet war, so wurden die
stärksten Schatten aufgetragen, die Lichtfarben im=
pastirte man auf den hohen Stellen sehr stark und
vertrieb sie gegen den Schatten zu; da denn der dunkle
Grund durch die verdünnte Farbe als Mitteltinte
durchsah. Der Effect wurde bei'm Ausmahlen durch
mehrmaliges Übergehen der lichten Partien und Auf=
setzen der hohen Lichter erreicht.

909.

Wenn diese Art sich besonders wegen der Ge=
schwindigkeit bei der Arbeit empfiehlt, so hat sie doch
in der Folge viel Schädliches. Der energische Grund
wächf't und wird dunkler; was die hellen Farben nach
und nach an Klarheit verlieren, gibt der Schatten=
seite immer mehr und mehr Übergewicht. Die Mittel=
tinten werden immer dunkler und der Schatten zu=
letzt ganz finster. Die stark aufgetragenen Lichter
bleiben allein hell und man sieht nur lichte Flecken
auf dem Bilde; wovon uns die Gemählde der bolog=
nesischen Schule und des Caravaggio genugsame Bei=
spiele geben.

910.

Auch ist nicht unschicklich, hier noch zum Schlusse
des Lasirens zu erwähnen. Dieses geschieht, wenn

man eine schon aufgetragene Farbe als hellen Grund
betrachtet. Man kann eine Farbe dadurch für's
Auge mischen, sie steigern, ihr einen sogenannten Ton
geben; man macht sie dabei aber immer dunkler.

Pigmente.

911.

Wir empfangen sie aus der Hand des Chemikers
und Naturforschers. Manches ist darüber aufgezeichnet
und durch den Druck bekannt geworden; doch ver=
diente dieses Capitel von Zeit zu Zeit neu bearbeitet
10 zu werden. Indessen theilt der Meister seine Kennt=
nisse hierüber dem Schüler mit, der Künstler dem
Künstler.

912.

Diejenigen Pigmente, welcher ihrer Natur nach
die dauerhaftesten sind, werden vorzüglich ausgesucht;
15 aber auch die Behandlungsart trägt viel zur Dauer
des Bildes bei. Deßwegen sind so wenig Farben=
körper als möglich anzuwenden, und die simpelste
Methode des Auftrags nicht genug zu empfehlen.

913.

Denu aus der Menge der Pigmente ist manches
20 Übel für das Colorit entsprungen. Jedes Pigment

23*

hat fein eigenthümliches Wefen in Abficht feiner Wir=
kung auf's Auge; ferner etwas Eigenthümliches, wie
es technifch behandelt fein will. Jenes ift Urfache,
daß die Harmonie fchwerer durch mehrere als durch
wenige Pigmente zu erreichen ift; diefes, daß chemifche 5
Wirkung und Gegenwirkung unter den Farbekörpern
ftatt finden kann.

914.

Ferner gedenken wir noch einiger falfchen Rich=
tungen, von denen fich die Künftler hinreißen laffen.
Die Mahler begehren immer nach neuen Farbekör= 10
pern, und glauben, wenn ein folcher gefunden wird,
einen Vorfchritt in der Kunft gethan zu haben. Sie
tragen großes Verlangen, die alten mechanifchen Be=
handlungsarten kennen zu lernen, wodurch fie viel
Zeit verlieren; wie wir uns denn zu Ende des vorigen 15
Jahrhunderts mit der Wachsmahlerei viel zu lange
gequält haben. Andre gehen darauf aus, neue Be=
handlungsarten zu erfinden; wodurch denn auch weiter
nichts gewonnen wird. Denn es ift zuletzt doch nur
der Geift, der jede Technik lebendig macht.   20

Allegorischer, symbolischer, mystischer Gebrauch der Farbe.

915.

Es ist oben umständlich nachgewiesen worden, daß eine jede Farbe einen besondern Eindruck auf den Menschen mache, und dadurch ihr Wesen sowohl dem Auge als Gemüth offenbare. Daraus folgt sogleich, daß die Farbe sich zu gewissen sinnlichen, sittlichen, ästhetischen Zwecken anwenden lasse.

916.

Einen solchen Gebrauch also, der mit der Natur völlig übereinträfe, könnte man den symbolischen nennen, indem die Farbe ihrer Wirkung gemäß angewendet würde, und das wahre Verhältniß sogleich die Bedeutung ausspräche. Stellt man z. B. den Purpur als die Majestät bezeichnend auf, so wird wohl kein Zweifel sein, daß der rechte Ausdruck gefunden worden; wie sich alles dieses schon oben hinreichend auseinandergesetzt findet.

917.

Hiermit ist ein anderer Gebrauch nahe verwandt, den man den allegorischen nennen könnte. Bei diesem ist mehr Zufälliges und Willkürliches, ja man kann sagen etwas Conventionelles, indem uns erst der Sinn

des Zeichens überliefert werden muß, ehe wir wissen,
was es bedeuten soll, wie es sich z. B. mit der grünen
Farbe verhält, die man der Hoffnung zugetheilt hat.

918.

Daß zuletzt auch die Farbe eine mystische Deu=
tung erlaube, läßt sich wohl ahnden. Denn da jenes
Schema, worin sich die Farbenmannichfaltigkeit dar=
stellen läßt, solche Urverhältnisse andeutet, die sowohl
der menschlichen Anschauung als der Natur angehören,
so ist wohl kein Zweifel, daß man sich ihrer Bezüge,
gleichsam als einer Sprache, auch da bedienen könne,
wenn man Urverhältnisse ausdrücken will, die nicht
eben so mächtig und mannichfaltig in die Sinne fallen.
Der Mathematiker schätzt den Werth und Gebrauch
des Triangels; der Triangel steht bei dem Mystiker
in großer Verehrung; gar manches läßt sich im Tri=
angel schematisiren und die Farbenerscheinung gleich=
falls, und zwar dergestalt, daß man durch Verdopp=
lung und Verschränkung zu dem alten geheimniß=
vollen Sechseck gelangt.

919.

Wenn man erst das Auseinandergehen des Gelben
und Blauen wird recht gefaßt, besonders aber die
Steigerung in's Rothe genugsam betrachtet haben,
wodurch das Entgegengesetzte sich gegen einander neigt,
und sich in einem Dritten vereinigt; dann wird ge=

wiß eine besondere geheimnißvolle Anschauung ein=
treten, daß man diesen beiden getrennten, einander
entgegengesetzten Wesen eine geistige Bedeutung unter=
legen könne, und man wird sich kaum enthalten, wenn
man sie unterwärts das Grün, und oberwärts das
Roth hervorbringen sieht, dort an die irdischen, hier
an die himmlischen Ausgeburten der Elohim zu ge=
deuten.

920.

Doch wir thun besser, uns nicht noch zum Schlusse
dem Verdacht der Schwärmerei auszusetzen, um so
mehr als es, wenn unsre Farbenlehre Gunst gewinnt,
an allegorischen, symbolischen und mystischen Anwen=
dungen und Deutungen, dem Geiste der Zeit gemäß,
gewiß nicht fehlen wird.

Zugabe.

————

Das Bedürfniß des Mahlers, der in der bisherigen Theorie keine Hülfe fand, sondern seinem Gefühl, seinem Geschmack, einer unsichern Überlieferung in Absicht auf die Farbe völlig überlassen war, ohne ⁵ irgend ein physisches Fundament gewahr zu werden, worauf er seine Ausübung hätte gründen können, dieses Bedürfniß war der erste Anlaß, der den Ver= fasser vermochte, in eine Bearbeitung der Farbenlehre sich einzulassen. Da nichts wünschenswerther ist, als ¹⁰ daß diese theoretische Ausführung bald im Praktischen genutzt und dadurch geprüft und schnell weiter geführt werde; so muß es zugleich höchst willkommen sein, wenn wir finden, daß Künstler selbst schon den Weg einschlagen, den wir für den rechten halten.   ¹⁵

Ich lasse daher zum Schluß, um hiervon ein Zeugniß abzugeben, den Brief eines talentvollen Mahlers, des Herrn Philipp Otto Runge, mit Vergnügen abdrucken, eines jungen Mannes, der ohne von meinen Bemühungen unterrichtet zu sein, ²⁰ durch Naturell, Übung und Nachdenken sich auf die gleichen Wege gefunden hat. Man wird in diesem Briefe, den ich ganz mittheile, weil seine sämmtlichen Glieder in einem innigen Zusammenhange stehen, bei aufmerksamer Vergleichung gewahr werden, daß meh= ²⁵

rere Stellen genau mit meinem Entwurf überein=
kommen, daß andere ihre Deutung und Erläuterung
aus meiner Arbeit gewinnen können, und daß dabei
der Verfasser in mehreren Stellen mit lebhafter Über=
5 zeugung und wahrem Gefühle mir selbst auf meinem
Gange vorgeschritten ist. Möge sein schönes Talent
praktisch bethätigen, wovon wir uns beide überzeugt
halten, und möchten wir bei fortgesetzter Betrachtung
und Ausübung mehrere gewogene Mitarbeiter fiuden.

10   Wolgaft den 3. Julii 1806.

Nach einer kleinen Wanderung, die ich durch unsere
anmuthige Insel Rügen gemacht hatte, wo der stille
Eruft des Meeres von den freundlichen Halbinseln
und Thälern, Hügeln und Felsen, auf mannichfaltige
15 Art unterbrochen wird, fand ich zu dem freundlichen
Willkommen der Meinigen, auch noch Ihren werthen
Brief; und es ist eine große Beruhigung für mich,
meinen herzlichen Wunsch in Erfüllung gehen zu
sehen, daß meine Arbeiten doch auf irgend eine Art
20 ansprechen möchten. Ich empfinde es sehr, wie Sie
ein Bestreben, was auch außer der Richtung, die Sie
der Kunst wünschen, liegt, würdigen; und es würde
eben so albern sein, Ihnen meine Ursachen, warum
ich so arbeite, zu sagen, als wenn ich bereden wollte,
25 die meinige wäre die rechte.

Wenn die Praktik für jeden mit so großen
Schwierigkeiten verbunden ist, so ist sie es in unsern

Zeiten im höchſten Grade. Für den aber, der in
einem Alter, wo der Verſtand ſchon eine große Ober=
hand erlangt hat, erſt anfängt, ſich in den Anfangs=
gründen zu üben, wird es unmöglich, ohne zu Grunde
zu gehen, aus ſeiner Individualität heraus ſich in   5
ein allgemeines Beſtreben zu verſetzen.

Derjenige, der, indem er ſich in der unendlichen
Fülle von Leben, die um ihn ausgebreitet iſt, ver=
liert, und unwiderſtehlich dadurch zum Nachbilden
angereizt wird, ſich von dem totalen Eindrucke eben   10
ſo gewaltig ergriffen fühlt, wird gewiß auf eben die
Weiſe, wie er in das Charakteriſtiſche der Einzeln=
heiten eingeht, auch in das Verhältniß, die Natur
und die Kräfte der großen Maſſen einzudringen ſuchen.

Wer in dem beſtändigen Gefühl, wie alles bis   15
in's kleinſte Detail lebendig iſt, und auf einander
wirkt, die großen Maſſen betrachtet, kann ſolche nicht
ohne eine beſondere Connexion oder Verwandtſchaft
ſich deuten, noch viel weniger darſtellen, ohne ſich
auf die Grundurſachen einzulaſſen. Und thut er dieß,   20
ſo kann er nicht eher wieder zu der erſten Freiheit
gelangen, wenn er ſich nicht gewiſſermaßen bis auf
den reinen Grund durchgearbeitet hat.

Um es deutlicher zu machen, wie ich es meine:
ich glaube, daß die alten deutſchen Künſtler, wenn   25
ſie etwas von der Form gewußt hätten, die
Unmittelbarkeit und Natürlichkeit des Ausdrucks
in ihren Figuren würden verloren haben, bis ſie

in dieser Wissenschaft einen gewissen Grad erlangt
hätten.

Es hat manchen Menschen gegeben, der aus freier
Faust Brücken und Hängewerke und gar künstliche
5 Sachen gebaut hat. Es geht auch wohl eine Zeit
lang, wann er aber zu einer gewissen Höhe gekom=
men und er von selbst auf mathematische Schlüsse
verfällt, so ist sein ganzes Talent fort, er arbeite sich
denn durch die Wissenschaft durch wieder in die Frei=
10 heit hinein.

So ist es mir unmöglich gewesen, seit ich zuerst
mich über die besondern Erscheinungen bei der Mischung
der drei Farben verwunderte, mich zu beruhigen, bis
ich ein gewisses Bild von der ganzen Farbenwelt
15 hatte, welches groß genug wäre, um alle Verwand=
lungen und Erscheinungen in sich zu schließen.

Es ist ein sehr natürlicher Gedanke für einen
Mahler, wenn er zu wissen begehrt, indem er eine
schöne Gegend sieht, oder auf irgend eine Art von
20 einem Effect in der Natur angesprochen wird, aus
welchen Stoffen gemischt dieser Effect wieder zu geben
wäre. Dieß hat mich wenigstens angetrieben, die
Eigenheiten der Farben zu studiren, und ob es
möglich wäre, so tief einzudringen in ihre Kräfte,
25 damit es mir deutlicher würde, was sie leisten, oder
was durch sie gewirkt wird, oder was auf sie wirkt.
Ich hoffe, daß Sie mit Schonung einen Versuch an=
sehen, den ich bloß aufschreibe, um Ihnen meine

Ansicht deutlich zu machen, die, wie ich doch glaube, sich praktisch nur ganz auszusprechen vermag. Indeß hoffe ich nicht, daß es für die Mahlerei unnütz ist, oder nur entbehrt werden kann, die Farben von dieser Seite anzusehen; auch wird diese Ansicht den physikalischen Versuchen, etwas Vollständiges über die Farben zu erfahren, weder widersprechen, noch sie unnöthig machen.

Da ich Ihnen hier aber keine unumstößlichen Beweise vorlegen kann, weil diese auf eine vollständige Erfahrung begründet sein müssen, so bitte ich nur, daß Sie auf Ihr eignes Gefühl sich reduciren möchten, um zu verstehen, wie ich meinte, daß ein Mahler mit keinen andern Elementen zu thun hätte, als mit denen, die Sie hier angegeben finden.

1) Drei Farben, Gelb, Roth und Blau, gibt es bekanntlich nur, wenn wir diese in ihrer ganzen Kraft annehmen, und stellen sie uns wie einen Cirkel vor, z. B. (siehe die Tafeln)

Roth

Orange   Violett

Gelb   Blau

Grün

so bilden sich aus den drei Farben, Gelb, Roth und Blau drei Übergänge, Orange, Violett und Grün (ich heiße alles Orange, was zwischen Gelb und Roth fällt, oder was von Gelb oder Roth aus sich nach diesen Seiten hinneigt) und diese sind in ihrer mittleren Stellung am brillantesten und die reinen Mischungen der Farben.

2) Wenn man sich ein bläuliches Orange, ein röthliches Grün oder ein gelbliches Violett denken will, wird einem so zu Muthe wie bei einem süd= westlichen Nordwinde. Wie sich aber ein warmes Violett erklären läßt, gibt es im Verfolg vielleicht Materie.

3) Zwei reine Farben wie Gelb und Roth geben eine reine Mischung Orange. Wenn man aber zu solcher Blau mischt, so wird sie beschmutzt, also daß wenn sie zu gleichen Theilen geschieht, alle Farbe in ein unscheinendes Grau aufgehoben ist.

Zwei reine Farben lassen sich mischen, zwei Mittel= farben aber heben sich einander auf oder beschmutzen sich, da ein Theil von der dritten Farbe hinzuge= kommen ist.

Wenn die drei reinen Farben sich einander auf= heben in Grau, so thuu die drei Mischungen, Orange, Violett und Grün dasselbe in ihrer mittlern Stel= lung, weil die drei Farben wieder gleich stark darin sind.

Da nun in diesem ganzen Kreise nur die reinen

Übergänge der drei Farben liegen und sie durch ihre
Mischung nur den Zusatz von Grau erhalten, so
liegt außer ihnen zur größern Vervielfältigung noch
Weiß und Schwarz.

4) Das Weiß macht durch seine Beimischung alle
Farben matter, und wenn sie gleich heller werden,
so verlieren sie doch ihre Klarheit und Feuer.

5) Schwarz macht alle Farben schmutzig, und
wenn es solche gleich dunkler macht, so verlieren sie
eben so wohl ihre Reinheit und Klarheit.

6) Weiß und Schwarz mit einander gemischt gibt
Grau.

7) Man empfindet sehr leicht, daß in dem Um=
fang von den drei Farben nebst Weiß und Schwarz
der durch unsre Augen empfundene Eindruck der Natur
in seinen Elementen nicht erschöpft ist. Da Weiß
die Farben matt, und Schwarz sie schmutzig macht,
werden wir daher geneigt, ein Hell und Dunkel an=
zunehmen. Die folgenden Betrachtungen werden uns
aber zeigen, in wiefern sich hieran zu halten ist.

8) Es ist in der Natur außer dem Unterschied
von Heller und Dunkler in den reinen Farben noch
ein andrer wichtiger auffallend. Wann wir z. B. in
einer Helligkeit und in einer Reinheit rothes Tuch,
Papier, Taft, Atlas oder Sammet, das Rothe des
Abendroths oder rothes durchsichtiges Glas annehmen,
so ist da noch ein Unterschied, der in der Durchsichtig=
keit oder Undurchsichtigkeit der Materie liegt.

9) Wenn wir die drei Farben, Roth, Blau und Gelb undurchsichtig zusammen mischen, so entsteht ein Grau, welches Grau eben so aus Weiß und Schwarz gemischt werden kann.

10) Wenn man diese drei Farben durchsichtig also mischt, daß keine überwiegend ist, so erhält man eine Dunkelheit, die durch keine von den andern Theilen hervorgebracht werden kann.

11) Weiß sowohl als Schwarz sind beide un= durchsichtig oder körperlich. Man darf sich an den Ausdruck weißes Glas nicht stoßen, womit man klares meint. Weißes Wasser wird man sich nicht denken können, was rein ist, so wenig wie klare Milch. Wenn das Schwarze bloß dunkel machte, so könnte es wohl klar sein, da es aber schmutzt, so kann es solches nicht.

12) Die undurchsichtigen Farben stehen zwischen dem Weißen und Schwarzen; sie können nie so hell wie Weiß und nie so dunkel wie Schwarz sein.

13) Die durchsichtigen Farben sind in ihrer Er= leuchtung wie in ihrer Dunkelheit gränzenlos, wie Feuer und Wasser als ihre Höhe und ihre Tiefe an= gesehen werden kann.

14) Das Product der drei undurchsichtigen Farben, Grau, kann durch das Licht nicht wieder zu einer Reinheit kommen, noch durch eine Mischung dazu ge= bracht werden; es verbleicht entweder zu Weiß oder verkohlt sich zu Schwarz.

15) Drei Stücken Glas von den drei reinen durch=
sichtigen Farben würden auf einander gelegt eine
Dunkelheit hervorbringen, die tiefer wäre als jede
Farbe einzeln, nämlich so: Drei durchsichtige Farben
zusammen geben eine farblose Dunkelheit, die tiefer ⁵
ist, als irgend eine von den Farben. Gelb ist z. E.
die hellste und leuchtendste unter den drei Farben,
und doch, wenn man zu ganz dunklem Violett so
viel Gelb mischt, bis sie sich einander aufheben, so
ist die Dunkelheit in hohem Grade verstärkt. ¹⁰

16) Wenn man ein dunkles durchsichtiges Glas,
wie es allenfalls bei den optischen Gläsern ist, nimmt,
und von der halben Dicke eine polirte Steinkohle, und
legt beide auf einen weißen Grund, so wird das
Glas heller erscheinen; verdoppelt man aber beide, so ¹⁵
muß die Steinkohle stille stehen, wegen der Undurch=
sichtigkeit; das Glas wird aber bis in's Unendliche
sich verdunkeln, obwohl für unsre Augen nicht sicht=
bar. Eine solche Dunkelheit können eben sowohl die
einzelnen durchsichtigen Farben erreichen, so daß ²⁰
Schwarz dagegen nur wie ein schmutziger Fleck er=
scheint.

17) Wenn wir ein solches durchsichtiges Product
der drei durchsichtigen Farben auf die Weise ver=
dünnen und das Licht durchscheinen ließen, so wird ²⁵
es auch eine Art Grau geben, die aber sehr verschieden
von der Mischung der drei undurchsichtigen Farben
sein würde.

18) Die Helligkeit an einem klaren Himmel bei
Sonnenaufgang dicht um die Sonne herum, oder vor
der Sonne her kann so groß sein, daß wir sie kaum
ertragen können. Wenn wir nun von dieser dort
5 vorkommenden farblosen Klarheit, als einem Product
von den drei Farben auf diese schließen wollten, so
würden diese so hell sein müssen, und so sehr über
unsere Kräfte weggerückt, daß sie für uns dasselbe
Geheimniß blieben, wie die in der Dunkelheit ver=
10 sunkenen.

19) Nun merken wir aber auch, daß die Hellig=
keit oder Dunkelheit nicht in den Vergleich oder Ver=
hältniß zu den durchsichtigen Farben zu setzen sei,
wie das Schwarz und Weiß zu den undurchsichtigen.
15 Sie ist vielmehr eine Eigenschaft und eins mit der
Klarheit und mit der Farbe. Man stelle sich einen
reinen Rubin vor, so dick oder so dünn man will,
so ist das Roth eins und dasselbe, und ist also nur
ein durchsichtiges Roth, welches hell oder dunkel wird,
20 je nachdem es vom Licht erweckt oder verlassen wird.
Das Licht entzündet natürlich eben so das Product
dieser Farben in seiner Tiefe und erhebt es zu einer
leuchtenden Klarheit, die jede Farbe durchscheinen
läßt. Diese Erleuchtung, der sie fähig ist, indem das
25 Licht sie zu immer höherem Brand entzündet, macht,
daß sie oft unbemerkt um uns wogt und in tausend
Verwandlungen die Gegenstände zeigt, die durch eine
einfache Mischung unmöglich wären, und alles in

seiner Klarheit läßt und noch erhöht. So können wir über die gleichgültigsten Gegenstände oft einen Reiz verbreitet sehen, der meist mehr in der Erleuchtung der zwischen uns und dem Gegenstand befindlichen Luft liegt, als in der Beleuchtung seiner Formen.

20) Das Verhältniß des Lichts zur durchsichtigen Farbe ist, wenn man sich darein vertieft, unendlich reizend, und das Entzünden der Farben und das Verschwimmen in einander und Wiederentstehen und Verschwinden ist wie das Odemholen in großen Pausen von Ewigkeit zu Ewigkeit vom höchsten Licht bis in die einsame und ewige Stille in den allertiefsten Tönen.

21) Die undurchsichtigen Farben stehen wie Blumen dagegen, die es nicht wagen, sich mit dem Himmel zu messen, und doch mit der Schwachheit von der einen Seite, dem Weißen, und dem Bösen, dem Schwarzen, von der andern zu thun haben.

22) Diese sind aber gerade fähig, wenn sie sich nicht mit Weiß noch Schwarz vermischen, sondern dünn darüber gezogen werden, so anmuthige Variationen und so natürliche Effecte hervorzubringen, daß sich an ihnen gerade der praktische Gebrauch der Ideen halten muß, und die durchsichtigen am Ende nur wie Geister ihr Spiel darüber haben, und nur dienen, um sie zu heben und zu erhöhen in ihrer Kraft.

Der feste Glaube an eine bestimmte geistige Ver-

bindung in den Elementen kann dem Mahler ̄nletzt
einen Trost und Heiterkeit mittheilen, den er auf
keine andre Art zu erlangen im Stande ist; da sein
eignes Leben sich so in seiner Arbeit verliert und
5 Materie, Mittel und Ziel in eins ̄nletzt in ihm eine
Vollendung hervorbringt, die gewiß durch ein stets
fleißiges und getreues Bestreben hervorgebracht wer=
den muß, so daß es auch auf andere nicht ohne
wohlthätige Wirkung bleiben kann.

10 Wenn ich die Stoffe, womit ich arbeite, betrachte,
und ich halte sie an den Maßstab dieser Qualitäten,
so weiß ich bestimmt wo und wie ich sie anwenden
kann, da kein Stoff, den wir verarbeiten, ganz rein
ist. Ich kann mich hier nicht über die Praktik aus=
15 breiten, weil es erstlich zu weitläuftig wäre, auch ich
bloß im Sinne gehabt habe, Ihnen den Standpunct
zu zeigen, von welchem ich die Farben betrachte.

Schlußwort.

Indem ich diese Arbeit, welche mich lange genug beschäftigt, doch zuletzt nur als Entwurf gleichsam aus dem Stegreife herauszugeben im Falle bin, und nun die vorstehenden gedruckten Bogen durchblättere, 5 so erinnere ich mich des Wunsches, den ein sorgfäl= tiger Schriftsteller vormals geäußert, daß er seine Werke lieber zuerst in's Concept gedruckt sähe, um alsdann auf's neue mit frischem Blick an das Ge= schäft zu gehen, weil alles Mangelhafte uns im 10 Drucke deutlicher entgegen komme, als selbst in der saubersten Handschrift.

Um wie lebhafter mußte bei mir dieser Wunsch entstehen, da ich nicht einmal eine völlig reinliche Abschrift vor dem Druck durchgehen konnte, da die 15 successive Redaction dieser Blätter in eine Zeit fiel, welche eine ruhige Sammlung des Gemüths unmög= lich machte.

Wie vieles hätte ich daher meinen Lesern zu sagen, wovon sich doch manches schon in der Einleitung 20 findet. Ferner wird man mir vergönnen, in der Geschichte der Farbenlehre auch meiner Bemühungen und der Schicksale zu gedenken, welche sie erdul= beten.

Hier aber stehe wenigstens eine Betrachtung viel=
leicht nicht am unrechten Orte, die Beantwortung
der Frage, was kann derjenige, der nicht im Fall ist,
sein ganzes Leben den Wissenschaften zu widmen, doch
5 für die Wissenschaften leisten und wirken? was kann
er als Gast in einer fremden Wohnung zum Vor=
theile der Besitzer ausrichten?

Wenn man die Kunst in einem höhern Sinne
betrachtet, so möchte man wünschen, daß nur Meister
10 sich damit abgäben, daß die Schüler auf das strengste
geprüft würden, daß Liebhaber sich in einer ehr=
furchtsvollen Annäherung glücklich fühlten. Denn
das Kunstwerk soll aus dem Genie entspringen, der
Künstler soll Gehalt und Form aus der Tiefe seines
15 eigenen Wesens hervorrufen, sich gegen den Stoff be=
herrschend verhalten, und sich der äußern Einflüsse
nur zu seiner Ausbildung bedienen.

Wie aber dennoch aus mancherlei Ursachen schon
der Künstler den Dilettanten zu ehren hat, so ist es
20 bei wissenschaftlichen Gegenständen noch weit mehr
der Fall, daß der Liebhaber etwas Erfreuliches und
Nützliches zu leisten im Stande ist. Die Wissenschaften
ruhen weit mehr auf der Erfahrung als die Kunst,
und zum Erfahren ist gar mancher geschickt. Das
25 Wissenschaftliche wird von vielen Seiten zusammen=
getragen, und kann vieler Hände, vieler Köpfe nicht
entbehren. Das Wissen läßt sich überliefern, diese
Schätze können vererbt werden; und das von Einem

Erworbene werden manche sich zueignen. Es ist da=
her niemand, der nicht seinen Beitrag den Wissen=
schaften anbieten dürfte. Wie vieles sind wir nicht
dem Zufall, dem Handwerk, einer augenblicklichen
Aufmerksamkeit schuldig. Alle Naturen, die mit einer 5
glücklichen Sinnlichkeit begabt sind, Frauen, Kinder
sind fähig, uns lebhafte und wohlgefaßte Bemer=
kungen mitzutheilen.

In der Wissenschaft kann also nicht verlangt
werden, daß derjenige, der etwas für sie zu leisten 10
gedenkt, ihr das ganze Leben widme, sie ganz über=
schaue und umgehe; welches überhaupt auch für den
Eingeweihten eine hohe Forderung ist. Durchsucht
man jedoch die Geschichte der Wissenschaften über=
haupt, besonders aber die Geschichte der Naturwissen= 15
schaft; so findet man, daß manches Vorzüglichere
von Einzelnen in einzelnen Fächern, sehr oft von
Laien geleistet worden.

Wohin irgend die Neigung, Zufall oder Gelegen=
heit den Menschen führt, welche Phänomene besonders 20
ihm auffallen, ihm einen Antheil abgewinnen, ihn
festhalten, ihn beschäftigen, immer wird es zum Vor=
theil der Wissenschaft sein. Denn jedes neue Ver=
hältniß, das an den Tag kommt, jede neue Behand=
lungsart, selbst das Unzulängliche, selbst der Irrthum 25
ist brauchbar, oder aufregend und für die Folge nicht
verloren.

In diesem Sinne mag der Verfasser denn auch

mit einiger Beruhigung auf seine Arbeit zurücksehen; in dieser Betrachtung kann er wohl einigen Muth schöpfen zu dem, was zu thun noch übrig bleibt, und, zwar nicht mit sich selbst zufrieden, doch in sich selbst getrost, das Geleistete und zu Leistende einer theilnehmenden Welt und Nachwelt empfehlen.

Multi pertransibunt et augebitur scientia.

Lesarten.

Die Reihenfolge der in der zweiten Abtheilung ver-
einigten Werke wird durch eine in besonderem Codicill
niedergelegte Verfügung Goethes bestimmt. Diese lautet:

„Wegen der naturwissenschaftlichen Schriften ist die
Meinung[1]), solche in fünf Bände zu vertheilen, wie
gegenübersteht[2]).

1. Band. Die Farbenlehre. Theoretischer Theil.

2. Band. Die Farbenlehre. Historischer Theil.

3. Band. Morphologie, Alles auf die Pflanzen- und
Knochenlehre Bezügliche enthaltend.

4. und 5. Band. Mineralogie, Natur im Allgemeinen,
Einzelnes und was sich überhaupt von bezeichneten[3]) Papieren fände, die in die
drey ersten Bände nicht eingehen.

Weimar d. 10 Juni 1831

JW v. Goethe   Eckermann.“

Es wird durch diese, neben dem Testator von dem er-
wählten Herausgeber unterzeichnete Verfügung ein älterer
Entwurf vom 22. Januar desselben Jahres ausdrücklich aufgehoben. Hier waren in einem Überschlag des Inhalts der
„zehn bis zwölf Bände, welche im Gefolg der vierzig herausgegeben werden könnten“, als 7. 8. 9. einbegriffen:

---

[1]) Goethe hat geschrieben: „ist der Vorschlag“. Beim Durch-
sprechen des Wortlauts hat der Kanzler v. Müller mit Blei darüber gesetzt: „die Meinung“.

[2]) Das Weitere auf der rechten Spalte des Blattes.

[3]) „bezeichneten“ über der Zeile mit Blei, v. Müllers Hand.

„Allgemeine Naturlehre. .

Entwurf einer Farbenlehre (wenn man auch den
historischen und polemischen Theil weglassen
wollte)

Morphologie, daher Metamorphose und was sich
auf Organisation bezieht.“

Auf diesen aufgegebenen Entwurf geht die in Einzelnem
unsichere Anordnung der „Nachgelassenen Werke“ zurück.

Für unsere Ausgabe ist Goethes letztwillige Anordnung
massgebend. (Vorbericht der Werke S. XIX.) Es wird daher im Einvernehmen mit den Herausgebern der einzelnen
Schriften, Salomo Kalischer, Rudolf Steiner und Karl
Bardeleben, der Plan zur Ausführung gebracht, welcher
die Farbenlehre vorantreten lässt.

Keiner Rechtfertigung bedarf es, dass der Farbenlehre
polemischer Theil an seiner Stelle erscheint. Nur unter
der Annahme, es könnte an Raum gebrechen[1]) hat Goethe
es seinem Beauftragten anheimgegeben, diesen, ja sogar
den historischen Theil auszuscheiden, letzteren Gedanken
aber alsbald selbst fallen lassen.

Im Namen der Redactoren
Bernhard Suphan.

---

[1]) Eckermann II⁶, 231.

Der vorliegende erste Band der Naturwissenschaftlichen Schriften, bearbeitet von S. Kalischer, entspricht dem zweiundfünfzigsten Bande der Ausgabe letzter Hand, also dem zwölften Bande der Nachgelassenen Werke. Er enthält den Didaktischen Theil der Farbenlehre.

Die Aufgabe der Textkritik ist gegenüber der Farbenlehre wie den naturwissenschaftlichen Schriften Goethes überhaupt eine etwas andere als hinsichtlich der meisten übrigen Werke, insofern als dieselben nicht mehr bei seinem Leben in der Ausgabe letzter Hand erschienen sind, und der Text der Nachgelassenen Werke nicht dasselbe Ansehen beanspruchen kann, wie derjenige der unter Goethes Augen erschienenen Werke. Dem Druck der Farbenlehre ist daher das 1810 in zwei Bänden erschienene Werk zu Grunde gelegt, zum Zwecke des kritischen Apparates jedoch C und in besonderen Fällen auch C^1 verglichen worden. Dabei sind aber die mannichfachen Abweichungen in der Interpunction, an denen auch die einzelnen Drucke unter sich sehr reich sind, und die daher nichts Grundsätzliches erkennen lassen, wie z. B. ob vor dem den Nachsatz beginnenden ſo Komma oder Semikolon oder Kolon steht, unberücksichtigt geblieben und der Befund des Originals [E], wenn im Apparat nichts Anderes gesagt ist, in dieser Beziehung unverändert gelassen. Dasselbe gilt von der Schreibung, soweit es die für die vorliegende Ausgabe geltenden Grundsätze zuliessen.

Das handschriftliche Material zur Farbenlehre, wie es im Archiv in vier Kästen aufbewahrt wird, von denen jedoch der Inhalt des vierten, als ausschliesslich von Riemer herrührend, für unsere Zwecke ausscheidet, ist an sich sehr

reichhaltig. Es besteht aus 29 Heften, theils in Folio,
theils in Quart; vielfach nur in losen Blättern. Allein für
den kritischen Apparat des vorliegenden Bandes war davon
nur weniges zu verwenden. Zweifelloses Druckmanuscript
von Riemers Hand hat sich nur zum Titel, zur Widmung,
zum Vorwort und zur Einleitung vorgefunden. Dasselbe,
in Heft 23 Blatt 1—17 enthalten, ist im kritischen Apparat
berücksichtigt worden. Im übrigen sind, ausser sehr
vielen Dispositionen, Excerpten und mehr oder weniger zu-
sammenhängenden oder völlig isolirten Notizen, zahlreiche
Bruchstücke, ältere Entwürfe zu einzelnen Abschnitten vorhanden, zu manchen in mehrfacher Gestalt, die bisweilen
nur als Anklänge an die schliessliche Redaction zu bezeichnen sind, und nur wenige stimmen mit dieser nahezu
oder völlig überein. Letzteres gilt z. B. für eine Partie,
die sich in dem mit blauem Umschlag versehenen, die Auf-
schrift: „Schema der Farbenlehre. Göttingen 1801“, tragen-
den Heft 3 in Folio (über das Heft vgl. Tagebuch vom
2. August 1801, Werke III 3, 29, 17 und Lesarten zu dieser
Stelle) Blatt 7—12 findet und den §§ 688—715 des vorliegenden Bandes entspricht. Darin stimmen die den
§§ 695—698, 706—707, 712—715 entsprechenden Ab-
schnitte nahezu oder völlig mit ersteren überein, während
die übrigen mehr oder weniger erheblich abweichen. Anderer-
seits werden in Heft 5 auf Blatt 1—32 unter der Überschrift:
„Farbenerscheinung bey der Refraction frühere tastende Bemühungen“ in 83 Paragraphen die dioptrischen Farben der
zweiten Classe in einer Fassung behandelt, in welcher die
schliessliche Redaction der Form nach ganz und gar nicht
wiederzuerkennen ist.

Beispiele der ersteren und letzteren Art liessen sich
noch mehrere geben. Alle diese Aufzeichnungen, welche,
wie gesagt, kleinere, mit dem Texte ganz oder nahezu
wörtlich übereinstimmende Stücke gleichsam nur eingestreut
enthalten, schienen für den kritischen Apparat nicht ver-
werthbar. Ein Schriftstück jedoch unter dem zum vorliegenden Bande gehörigen handschriftlichen Material dürfte
ein höheres Interesse beanspruchen. Es ist dies eine Vorarbeit zu dem Abschnitt: „Sinnlich-sittliche Wirkung der

„Farbe." Die Bezeichnung Vorarbeit sagt am Ende zu wenig, es ist vielleicht die vorletzte Redaction des genannten Abschnitts. Die Arbeit findet sich (von der Hand des Schreibers Ludwig Geist, *g* und *g*¹ durchcorrigirt) in Heft 4 in Folio mit blauem Umschlag, auf welchem der Titel steht: „Sinnlich-sittliche Wirkung der Farben. Schon benutzter Aufsatz." Ihr geht auf Blatt 1 eine eigenhändige Disposition voran, während der Aufsatz selbst, der übrigens nicht paragraphirt ist, Blatt 2—25 und 27—29 einnimmt; doch findet sich auf Blatt 27, wo der dem § 910 entsprechende Abschnitt steht, noch einiges nicht dazu Gehörige.

Diese Handschrift hat im kritischen Apparat Aufnahme gefunden. Wo die Varianten zwischen derselben und dem Texte nicht zu erheblich waren, sich nur auf einzelne Worte, kleinere Sätze erstrecken, sind sie in der üblichen Weise angeführt, in anderen Fällen sind die betreffenden Stellen vollständig wiedergegeben.

Für die Chronologie hat das handschriftliche Material keinen neuen Anhalt geboten. Wir wussten bereits, dass der Didaktische Theil der Farbenlehre schon 1807 gedruckt war, und aus den Tagebüchern erfahren wir nunmehr, dass Goethe am 17. Februar dieses Jahres den 22sten, d. i. den letzten Aushängebogen desselben erhalten hat. Es erklärt sich daraus und aus dem Umstande, dass ein eben so rasches Fortschreiten der folgenden Theile erwartet wurde, wie ich bereits an einer anderen Stelle bemerkt habe (Hempel, 35, XXXV), dass sich Exemplare der Farbenlehre vorfinden, deren erster Band die Jahreszahl 1808 trägt, da Goethe gehofft hatte, in diesem Jahre das ganze Werk gedruckt zu sehen. Der Zufall wollte es, dass diesem Bande ein solches Exemplar und zwar dasselbe, welches bei der Hempel-Ausgabe benutzt worden war, als Druckmanuscript zu Grunde gelegen hat.

Es bedeutet *H* Handschrift, *g* eigenhändig mit Tinte, *g*¹ eigenhändig mit Bleistift, *g*³ eigenhändig mit rother Tinte Geschriebenes, Schwabacher Ausgestrichenes, *Cursirdruck* lateinisch Geschriebenes der Handschrift. In ⟨ ⟩ steht Gestrichenes innerhalb Gestrichenem.

Lesarten.

Widmungstitel 2 Herzogin] Herzoginn *E* Fürstinn *H*
4 Herzogin] Herzoginn *EH* Sachsen-Weimar und Eisenach]
Sachsen Weimar Eisenach und Jena *H* VII, 1 Herzogin]
Herzoginn *EH* VIII, 2 auseinander Liegende] auseinander
liegende *HE* Auseinanderliegende *C* 10 Möge — 21 findet
sich in *H* zweimal; die zweite Niederschrift, über die erste
geklebt, ist eine genaue Abschrift der *g* auf *g*¹ corrigirten
ersten. Die Correcturen der letztern sind: 11 Höchstdieselben
zu aR für Ew. Durchlaucht mit 13 mir ununterbrochen aR
14 vorschwebt aR 16. 17 Ew. Durchlaucht — unterthänigster und
Datum *g* 18 Mit innigster Verehrung mich] Mich mit innigster
Verehrung *H* Die Unterschrift fehlt in der ersten Niederschrift. 21 v.] von *H*

Vorwort.

IX, 5 es scheine bedenklich aR *H* ursprünglich so scheine
bedenklich hinter worden 7 18 denselben über den Farben *H*
IX, 19 — X, 2 Farben und Licht — offenbaren will aR für
Fragt man jedoch nach den Farben als einem Abgesonderten
von der übrigen Natur, so wird man sie nie begreifen.
Die Farben sind die ganze Natur dem Organ des Auges
offenbart und recht sehen heißt recht seyn. *H* ganze üdZ *H*
8 Schrei über Worte *H* Worte über Laute *H* 18 an dessen
kleinsten Theilen wir aus das uns in seinen kleinsten Theilen *H*
19 gewahr werden sollten. aus dollmetschen sollte. *H* 23 wägt
sich die Natur aus wägt sie sich *H* 24 ein Oben nach ein Rechts
und Links *H* XI, 8 zu finden glaubt über findet *H* 9 zu be=
zeichnen über auszudrücken *H* 10 ein Wirken ein Widerstreben,]
ein Wirken, ein Widerstreben, *C* und so auch in den folgenden
Antithesen. · XII, 12 Anblicken über Ansehen *H* 13 Ansehen
über Anschauen *H* geht über in aR für ist *H* 14 so über
doch *H* 18 Wortes nach in der neuern Zeit gern gebrauchten *H*
19 — 22 eine solche — werden soll aR für Dieses ist die Operation
durch welche das, wofür wir uns fürchten, unschädlich, und das
was wir hoffen, nach unsrem Wunsche recht lebendig und nützlich

.wird. *H*   23 Jm — uns aus Der zweyte Theil beschäftigt sich *H*
24 freien über offenen *H*   26 wir bestreiten aR *H*   eine aus einer *H*
27 wird über wurde *H*   XIII, 19 daneben [aus darneben] nach
etwas *H*   20 daran nach etwas *H*   hinaus nach etwas *H*
25 Galerien] Gallerien *H*   XIV, 6—10 Vorzüglich — jetzt aR für
Aber (besonders) berühmt war jenes alte Schloß besonders dadurch
daß es als Jungfrau zum Beispiel einer uneingenommenen
Festung angeführt werden konnte, einer Feste, welche gar manchen
Angriff abgeschlagen, gar manche Befehdung vereitelt. So erhält sich noch jetzt [noch jetzt über der] Ruf und (der) Nahme. *H*
11 fällt über fiel *H*   12 wird über wurde *H*   13 wallfahrten
aus wallfahrteten *H*   14 flüchtige Abrisse zeigt aus flüchtigen
Abriß zeigte *H*   15 empfiehlt sie aus empfahl ihn *H*   16 bereits
über immer *H*   steht über stand *H*   XV, 29 unerträglichen aR
für unverschämten *H*   XVI, 11 nicht nach und *H*   12 rich=
tiger *g* aR für ruhiger *H*   13 nun über also *H*   24 hat —
Verfasser über haben wir uns früher *H*   25 lange nachträglich eingefügt *H*   25. 26 meist — steht aus leider der Vorsatz
nur ein Ganzes zu sein scheint *H*   27 gewöhnlich über meistens *H*
29 in über aus *H*   XVII, 12. 13 enthält — Revision aus soll die
Revision enthalten *H*   20 unerläßlich. Bei — haben aus unerläß=
lich, denen *H*   21 nachgebracht über hinzugefügt haben *H*
22 B. über E. *H*   27 sucht aR für wird *H*   28 indem nach
suchen *H*   29 beschreibt aus beschreiben wird *H*   XVIII, 2 dem
Ganzen über dem Werke *H*   9 seiner über der *H*   10 seiner
über der *H*   17 seinen Zuhörern aR *H*   die nach entweder *H*
theils nachträglich eingefügt *H*   18 theils über oder *H*
20 als über zum *H*   erst — machen aR für seiner Lehre, seiner
Auslegung vor die Augen bringen *H*   27. 28 chemische — er=
läutern aus zu chemischen Versuchen Figuren beyzulegen *H*
29 weil über indem *H*   XIX, 8 man über wir *H*   10 kann
aus können *H*   12 hin üdZ *H*   weisen über gehen *H*   16 *novisti*]
scis H   istis] *illis H*   Das Citat stammt aus Horaz, Episteln I,
6, 67 f. Auf den Titel (S XXI) folgt Inhalt *H*, aber die Inhalts-
angabe selbst fehlt.   XXI *Si vera nostra etc.* Dieses Motto
als ein Spruch von Linné findet sich *g* in Goethes im Jahre
1805 angefangenem Notizbuch 4° mit der alten Nummer 33
Bl. 3 von vorn unmittelbar unter Nr. 28 der „Sprüche in
Prosa" (Hempel).   *qui nunc ludunt* ist in der Handschrift

durch 2 Kommata eingeschlossen.　　　　XXIII, 1. 2 Vorwort,
Einleitung] fehlt *E* Zueignung, Vorwort, Einleitung *C*

Einleitung.

XXIX, 11 woburd über da denn *H*　　　XXX, 14 umherſtellte;
wie] aus umherſtellte. Wie *H*　　22 Schreiten wir über Laſſet
uns *H*　　23 weiter vor aus weiterſchreiten *H*　　24 ein Gleiches
nach *C* ein gleiches *E* und ſo öfter.　　XXXI, 5 aus dieſen
Dreien üdZ *H*　　7 vollkommner aus vollkommener *H*　　14—17
alten — erkannt aR *H*　　18. 19 ausbrücken über mittheilen *H*
20—24 Die Quelle zu dieſen Verſen iſt nach dem oben an-
geführten Notizbuch von 1805, Bl. 3 *g*, Plotin: *Neque vero
oculus unquam videret solem, nisi factus solaris esset (ἡλιοειδής).*
Etwas verändert 1828 in Zahme Xenien Abth. III, *C* 3, 277.
XXXII, 6—10 Im wachenden — hervor aR für Jede äußere Licht-
einwirkung wird uns gleich bemerkbar, ja durch mechaniſchen
Anſtoß werden Licht und Farben lebendig *H*　　14 was nach
wovon denn eigentlich die Rede ſei. Sie verlangen wohl vor
allen Dingen von uns zu wiſſen, *H*　　Dieſer nach Auch *H*
gar gern] gar zu gern *C*　　15 hier abermals aR *H*　　26 Erſt=
geſagte] erſtgeſagte *E* und ſo oder Ähnliches öfter. umſchreiben.]
umſchreiben: *H*　　XXXIII, 10 etwas Gefährliches] etwas gefähr=
liches *E* und ſo öfter.　　XXXIV, 3 als üdZ *H*　　angehörig denken
über ſelbſt zuſchreiben *H*　　5 Jene über die erſten *H*　　6 andern
über zweyten *H*　　7 letzten über dritten *H*　　9 in ſolcher natur=
gemäßen Ordnung aR *H*　　11—12 ſonderten — darzuſtellen aR
für geſondert und auseinander gehalten, ſo ſind wir doch
jener Ordnung die wir naturgemäß gefunden auch deswegen
gerne treu geblieben, weil es uns auf dieſem Wege möglich
ward *H*　　14 zu verknüpfen, und ſo über in einer ſtetigen Reihe zu
verbinden; wobey wir *H*　　16 aufzuheben aus aufheben konnten *H*
17 Hierauf aR für Nachdem wir nun dieſes ſo gut als es uns
in der unruhigen Zeit, in welche die Redaction gefallen, möglich war, vollführt; *H*　　24 wenn nach eigentlich, *H*　　XXXV, 8
ſo üdZ *H*　　daß nach dergeſtalt *H*　　12 daß über wenn *H*
Enden nach geſteigerten *H*　　19 brey oder üdZ *H*　　XXXVI, 7
mag über iſt *H*　　8 gelungen über gerathen *H*　　Da das darauf

folgende ſein in *H* unverändert ſteht, ſo ſcheint ift ſtatt
mag Abſchreibefehler oder Gedächtniſsfehler beim Dictiren
zu ſein. 15. 16 von uns möglichſt Geleiſtete über was wir zu
leiſten im Stande waren *H* XXXVII, 20 Lehrer nach ein *H*
XXXVIII, 5 um die geheimern aR für welche ihm *H* 6 zu ent=
decken über und ihre Wirkungen offenbaren ſollen *H* 24—26
ben übrigen — war aus der übrigen Optik, welcher die Mathematik
ſo große Dienſte geleiſtet hat. *H* 27 bearbeitete über behandelte *H*
XXXIX, 15 der Fabricant aR *H* 24. 25 wenn — paßt aus wenn
ſie auch zu der Unterlage nicht paßt *H* XL, 8. 9 ergehen —
mag aus ergeht und zu einem geſetzlichen Hervorbringen gelangt *H*

Erſte Abtheilung.

Phyſiologiſche Farben.

3, 22 dämmrigen] dämmerigen *C* und ſo öfter. 4, 26 Dämm=
rung] Dämmerung *C* und ſo öfter. 6, 17 ſoviel] ſo viel *C*
8, 4 äußre] äußere *C* und ſo öfter. 13 Morgens] morgens *E*,
aber 42, 29 auch *E* Morgens 9, 5 andre] andere *C* und ſo
öfter. 13, 1 dunklen] dunkeln *C* und ſo oft. 14, 18 Hell und
Dunkel] hell und dunkel *E* 22, 16 blendendweißem] blendend=
weißem *C* 23, 8 Binde ein] Binde, ein *E* 33, 4 Flächen]
Fläche *C*¹ 12 blau färbenden] blaufärbenden *C* 35, 17 ſtär=
keren] ſtärkern *C* und ſo oder Ähnliches öfter. 22 Smaragd=
grün] Smaragdgrün *C* 38, 2 nämlich] nehmlich *E* und ſo
meiſt. 40, 21 bemungeachtet] deſſen ungeachtet *C*

Zweite Abtheilung.

Phyſiſche Farben.

69, 8 132] 131 *EC* fälſchlich 70, 17 trefflichen] vortreff=
lichen *C*¹ 74, 2 im] in *C* 93, 6 vorgehaltnen] vorgehaltenen *C*
96, 19 ab=,] mit *C* ab, *E* in anderen analogen Fällen auch *E*
wie im Text z. B. XXX, 1 98, 7 innre] innere *C* und ſo oder
Ähnliches oft. 99, 14 willkürliche] mit *C* willführliche *E*
immer. 104, 1 oben= oder untenhin] mit *C* oben oder unten=
hin *E* 107, 21—22 rothe — ſchmutzig] fehlt *C*¹ 111, 18 in's

Blaue] mit *C* ins blaue *E*　Ebendieser] Eben dieser *C*　　116,14
unbekannt,] mit *C* unbekannt; *E*　　15 verkannt;] mit *C* ver=
kannt, *E*　　118,20 sobald] mit *C* so bald *E* ebenso 122,8.
126,1 äußre] äußere *C*　　130,1 entgegengesetzten] entgegen=
gesetzte *C*　　133,9 spitzwinklige] spitzwinkelige *C*　　136,20
Saums] Saumes *C*　　140,6 eines] Eines *C*　　142,18 farbige]
farbigen *C*　　150,21 Entwicklung] Entwickelung *C*　　151,25
sowohl] mit *C* so wohl *E*　　152,15 sei: dieß] wie es die
Satzconstruction fordert, sei. Dieß *EC*　　153,6 Verwundrung]
Verwunderung *C* und Ähnliches öfter.　　157,22 Farber=
scheinungen] Farbenerscheinungen *C* und so öfter, z. B. 276,2.
158,21 widerscheinen] mit *C* wiederscheinen *E*　　159,19 theoreti=
schen] theoretischem *C*　　vollkommnere] vollkommenere *C* · 163,16
keineswegs] keineswegs *C* und so öfter.　　166,9 Sonnenlichtes]
Sonnenlichts *C*　　13 Strahlenbüscheln und =Bündeln] Strahlen=
büscheln= und Bündeln *E* Strahlenbüscheln und Bündeln *C*
14 hypothetischen] hypothetischem *C*　　19 vierecke] viereckten *C*
169,24 Drähten] Dräthen *C*　　170,18 hineinsehen] hinein sehen *C*
173,5 ein Lineal] eine Lineal *E* offenbar nur ein Versehen,
da es zwei Zeilen später heisst das Lineal, auch *C* ein.
180,21 Gesagten] mit *C* gesagten *E*　　22 Sagenden] mit *C* sagen=
ben *E*　　181,17 Convex=Glases] Convexglases *C*　　182,19
eins] eines *C*　　183,14 Handschuh] Handschuhe *C*　　23 gedrückte]
gedruckte *EC* scheint aber lediglich ein Druckfehler zu sein,
da sonst stets in diesem Sinne der Umlaut gesetzt ist, z. B.
184,11, 188,10, 192,19 u. a. a. O.　　191,3 eignen] eigenen *C* und
so öfter.　　192,12 wäßrig] wässerig *C*　　193,4 unsres] unseres *C*
und so oder Ähnliches oft.　　durch einander ziehen] durcheinander=
ziehen *C*　　195,19 angelaufnen] angelaufenen *C*　　196,12 Stiele]
mit *C* Stile *E*

Dritte Abtheilung.

Chemische Farben.

202,5 Säuern] Säuren *C* und so öfter.　　202,6 Alkalien]
mit *C* Alcalien *E* und so fast immer, 259,13 auch *E* Alkalien
11 Säuerungen] Säurungen *C* und so oder Ähnliches öfter
z. B. 205,6.　　202,17 Besondres] Besonderes *C* und so öfter
204,2 Thonerde] mit *C* Tonerde *E*　　16 Breter] Bretter *C*　　206,3

gewordnes] gewordenes C und so oder Ähnliches öfter, z. B.
206, 20 gehaltnen E gehaltenen C　207, 19 vorhandne E vorhan=
bene C　207, 15 demungeachtet] Dessen ungeachtet C　208, 24
eine] Eine C　211, 15 und] oder C　212, 16 (485)] 452 EC
fälschlich.　214, 17 Wiefern] Wie fern C　215, 8. 9 Curcuma]
mit C Curcuma E　19 her] her, E　216, 15. 16 Lacmus] mit C
Lacmus E　218, 2 Durchwandrung] Durchwanderung C　222, 14
baumwollnes] C baumwollenes　233, 14 zu ein] ein zu C
234, 7 hinter Weißen] (494) C　235, 6 ahndungsvolle] ahnungs=
volle C　238, 2 Bononischen] mit C Bonnonischen E fälschlich.　22 Vermittlendes] Vermittelndes C　241, 14 stehn] stehen
C und so öfter.　15. 16 des Entziehens, der Flüchtigkeit] des
Entziehens der Flüchtigkeit C　242, 22 2ter Band — 59]
53ster Band, Seite 59—64 C　248, 5 Stengel] Stängel C und
so öfter.　15 von weiten] von weitem C　252, 5 Tobaksrauch]
Tabaksrauch C im Sachregister zu E Tabacksrauch　253, 14
Axe] Achse C　22 epochenweis] mit C Epochenweiß E　256, 12
Otahiti] Otaheiti C　14 erinnre] erinnere C　19 Molusken]
mit C Molusken E　267, 14. 15 vermindre] vermindere C
17 Dunkles] dunkles C　20 Wärmerregung] Wärme=Erregung C
269, 19 alsdenn] alsdann C

Fünfte Abtheilung.
Nachbarliche Verhältnisse.

288, 4 Theile] Theil C　289, 17 befangnen] befangenen C
291, 11 himmelbeobachtenden] mit C ebenso die darauf folgenden Adjectiva, die E gross schreibt.　301, 17 Wiederwägens]
mit C wiederwägens E offenbar Versehen, vgl. 16 Abschwankens.
303, 21 Corpuscular=Formeln] Corpuscularformeln C　305, 19
Hauptdifferenz] mit C Haupt=Differenz E

Sechste Abtheilung.
Sinnlich=sittliche Wirkung der Farbe.

307, 3 Farbe] Farben H　5 so] sehr H　6. 7 indem—aus=
füllt fehlt H　9. 10 dem—ist fehlt H　10 Vermittelung] Ver=
mittlung C　13 an dessen Oberfläche] oder einer Oberfläche, an

denen *H* 18 an das] ans *H* · 20 mitwirkend] als mitwirkend *H*
308, 5 Gegend] Landschaft *C* 10. 11 dem Auge — es] ein fremdes,
wodurch das Auge *H* 12 würde; — Organ] würde, nein, das
Auge *H* 13. 14. und — wann] und die angenehme Empfindung
entsteht daher wann [wann *g* über indem] *H* 14. 15 der eignen]
seiner *H* 16. 17 wenn — wird] wenn es sich nach einer gewissen
Seite hin bedeutend determinirt fühlt *H* 22 wirken] sein
müssen *H* 23 lebendigen fehlt *H* 309, 1 Eben auch so]
Eben so auch *H* 11 einer] Einer *H* 13 sich] ihr *H* 14. 15
Rothgelb] Gelbroth *H* 15 (Orange) fehlt *H* Gelbroth] Roth=
gelb *H* (Mennig, Zinnober) fehlt *H* 310, 7 wenn nach
vor ihrer Vermischung mit dem Grünen *H* 8 von] gegen *H*
10—12 Wie — worden fehlt *H* 13. 14 die — Hellen] einen Begriff
von Hellung *H* 22 nach thut] daher es auch in China die
Farbe ist welche die Hofleute und die Geistlichen tragen. *H*
311, 1 So] Ebenso *H* 12 hellem] dem hellsten *H* ihrer *g* über
seiner *H* 13 etwas — hat] edel und prächtig ist *H* 14 dagegen
fehlt *H* 15. 16 beschmutzt — einigermaßen fehlt *H* 16 gezogen
nach herüber *H* 17 die — fällt fehlt *H* 18 hinter Unange=
nehmes] so macht das Neapolisgelb dem Mahler zu schaffen. *H*
19—23 Wenn — Wirkung] Eine solche Wirkung thun unreine und
unedle Oberflächen auf die Farbe, wie das gemeine Tuch, Filz u.
dergl. von denen es nicht mit seiner ganzen Energie zurückstrahlen
kann *H* 23 eine nach so *H* und fehlt *H* 312, 4 Abscheus] mit
C Abscheu's *E* Abscheues *H* 5 Bankerottirer] Bankeroutier *H*
7 eigentlich nur fehlt *H* 8 hinter Gelb] womit man einen
armen Mann bekleidet, nicht etwa weil er, sondern weil man
i h m [sic, ihm *g* aus ihn] bankerout gemacht hat *H* dazu aR *g*1
keine gelben beliebten Blumen 9 Rothgelb *g*1 über Gelbroth *H*
10—14 Da — herrlicher] So wie sich die gelbe Farbe leicht in
das Minus hinunterziehen ließe, so leicht hebt sie sich, weil keine
Farbe eigentlich als stillstehend zu betrachten ist, in's Gelbrothe,
wodurch sie an Energie wächst und verherrlicht erscheint *H*
16 Das Rothgelbe] Das Gelbrothe aR *g* für Sie *H* 18 höhern]
höheren *g* über wärmeren *H* 313, 1. 2 in's Rothe] rothes *H*
2 Ansehn] Ansehen *C* 7 was sich — befindet] was auf der activen
Seite sich befindet *H* 8 Gelbroth *g*1 aus Rothgelb *H* 9 in das
Rothgelbe] ins Gelbrothe *H* 10. 11 in's Gelbrothe] ins Roth=
gelbe *H* 11 heitre] heitere *C* und Ähnliches oft. · 12 Roth=

gelbe] Gelbrothe *H* noch fehlt *H* 14 Gelbrothen] Rothgelben *H*
20 so fehlt *H* 314, 1 eine nach mit einem gebildeten Auge *H*
gelbrothe] rothgelbe *H* starr fehlt *H* 2 sich die Farbe] sie sich *H*
Hierzu aR von Riemers Hand *Panno rubro fugantur armenta
L. 50 § ult. D. de furtis et ibi Gothofredus.* Zorn der wel=
schen Hähne. 6. 7 beunruhigt und fehlt *H* 7—10 Auch — be=
gegnete fehlt *H* 11. 12 Rothblau] Blauroth *H* 12 Blau=
roth] Rothblau *H* 12. 13 zu — Empfindung] unruhig, weich,
sehnend *H* 315, 13. 14 erinnert. Wie — bekannt] erinnert, da
es mit Schwarz und Grau verwandt und daher immer dunkler
ist *H* 17. 18 im traurigen Licht] traurig *H* 19. 20 einiger=
maßen — participirt] ins Majus hinüber gezogen wird *H*
316, 1 Rothblau *g*¹ aus Blauroth *H* 2 sehr bald fehlt *H*
3 gefunden nach begriffen *H* 3. 4 bemerken — Eigenschaft] finden
wir auch das Blaue in diesem Falle *H* 6 Wirksames] wirkendes
H 8 Rothgelben] Gelbrothen *H* 12 ebenso immer nach
gleichsam *H* Den § 789 vertritt in *H* Blaurothe Tappeten
sind ernst sie haben etwas Lebhaftes ohne Fröhlichkeit. 317, 1
Blauroth *g*¹ aus Rothblau *H* 4 gesättigten fehlt *H* Blau=
roth] Rothblau *H* 9 bezeichneten] beschriebenen *H* nach]
wegen *H* 11 Indem] Da *H* 12 sich angeeignet] die zugleich
Würde und Ernst darstellt, zu ihrer Zierde gewählt *H* 13. 14
immer vordringenden fehlt *H* 14 unaufhaltsam zu dem Cardi=
nalpurpur] zu dem Cardinalspurpur unaufhaltsam *H* Der In=
halt des § 792 fehlt *H* es findet sich an der entsprechenden
Stelle nur das Wort Purpur in Form einer Überschrift.
318, 7 prismatische] phisikalische *H* 8. 9 wir behaupten] man
sagt *H* 16 denn nach entsteht] *H* 17 den phisischen *H*
18—20 aus — haben fehlt *H* 21. 22 erscheint — Fertiges] kennen
wir sie ganz rein *H* 23 welches — jedoch] welche aber *H* 319, 1
Plus] *majus H* 2 führen] treiben *H* besten] fehlt *H* 5 dieser *g*
über der *H* 7 Anmuth. Jenes] Anmuth, jenen [jenen *g* aus jenes]
(sc. Eindruck) *H* 8 dieses] diesen *g* aus dieses *H* 13 manches nach
gar *H* 15 Das] Ein *H* 16 in furchtbarem Lichte] furchtbar *H*
Farbeton] Ton *H* 17 Erd'] Erde *H* 19—320, 1 Da — lassen]
Da bei dem Färben die Cochenille sich leicht ins *majus* und
minus treiben läßt *H* 2—4 sich — zieht] die Farbe ins *majus*
treiben, woraus der Charlach entsteht *H* 4. 5 auf — Scharlach]
ins Minus so daß er *H* 5 Ahndung] Ahnung *C* 6 behält]

erhält *H*   7 alkalische fehlt *H*   8 Karmesin] *cramoisi H*
10. 11 das Äußerste — Bösen] das äußerste des Bösen und Un=
erträglichen *H*   13—16 wir — zusammenbringt] die einfachsten
und ersten Farben genannt werden durften, auf der ersten Stufe,
in der ersten Potenz zusammenbringen *H*   18 eine nach gleich=
sam *H*   20 genau nach einander *H*   dergestalt] so *H*   321, 2
und] wie *H*   5. 6 zur — meist] meist als Tapete *H*   6 wird nach
werden *H*   7 Totalität und Harmonie fehlt *H*   9 genöthigt
nach gleichsam *H*   10 irgend fehlt *H*   einzelnen fehlt *H*
11 dieß] es *H*   13 Denn fehlt *H*   16 Zustande] Zustand *H*
19 Farbe nach reine *H*   322, 1 auf der Stelle] sogleich *H*
3 Eine] Durch eine *H*   4 erregt] wird *H*   4. 5 durch — specifische]
mit einer spezifischen [spezifischen *g* über besondere] *H*   5 hinter
Allgemeinheit] erregt *H*   10 Hier] Hierin *H*   12—14 indem —
macht fehlt *H*   15 Wird] Wenn *H*   von außen fehlt *H*   15. 16
dem — gebracht] als Object dem Auge gebracht wird *H*   18 zuerst]
erst *H*   19 diesen über den *H*   21· denke nach so *H*   323, 2 im
nach nach und nach *H*   6 Rothblau *g*¹ aus Blauroth *H*   7 Roth=
gelb *g*¹ aus Gelbroth *H*   9 und umgekehrt fehlt *H*   10 von nach
mit dem einen Ende *H*   11 Der — geordneten] dieser angezeigten
H   weggrückt] wegruckt *H*   12 rückt] ruckt *H*   Ende fehlt *H*
13—18 läßt — sein] ist ein solches Instrument der Bequemlichkeit
wegen nicht unnütz, um zu jeder fordernden Farbe die geforderte
zu finden *H*, ausserdem aR *g*¹ Totalität in den drei Farben
gezeigt   19 Denn fehlt *H*   22 gewissermaßen] gleichsam *H*
324, 2 Edlen] Edeln *C*   3 das Bedürfniß] schon das nothwendige
Streben unseres Organs *H*   4 welches — ist fehlt *H*   5 es]
und *H*   6. 7 Einzelnen fehlt *H*   7 somit] so *H*   Auf das
Ende dieses Abschnitts folgt: In dieser Höhe der phisio-
logischen Erscheinung ist fürwahr ein sittliches Gleichniß nicht
am unrechten Orte. Der weise Mann wird im Trauerhause
Heiterkeit und im Haus der Freude Ernst einzuführen suchen und
auch so eine sittliche Totalität und Lebensgenuß bewirken. *H*   12. 13
heraufzuheben — dießmal] in der Empfindung heraufhebt und
uns *H*   14 überliefert erhalten] in die Hand giebt *H*   Hierauf
folgt *g*¹ Farbenkreis als Totalität neben einander   Die Stelle
des § 814 vertritt [nach Wenn wir uns von diesen eigentlich
reinharmonischen Zu-] in *H*   Es ist hier noch der Ort zu ge=
denken, daß man bisher den Regenbogen mit Unrecht als ein

Beyſpiel der Farbentotalität angenommen. Es fehlt demſelben
die Hauptfarbe der Purpur, welcher, da ſich bei dieſer Erſcheinung,
ſo wenig als bei dem hergebrachten prismatiſchen Bilde, das gelb=
roth nnd blauroth erreichen können, keinesweges entſtehen kann.
325, 1 Überhaupt — Natur] die Natur zeigt uns *H*   2 Farben=
totalität] Farbenerſcheinung *H* völlig fehlt *H*   3—10 durch —
fühlen] auch können wir ein ſolches durch Verſuche nur unvoll=
ſtändig hervorbringen. Den vollſtändigen Farbenkreis können wir
uns nur durch Pigmente am beſten aber durch die Idee hervor=
bringen, wenn wir uns bei natürlichen Anlagen nach langer Er=
fahrung und Übung endlich von dieſer reinen Harmonie völlig
penetrirt fühlen *H*   11 Überſchrift fehlt *H*   16 Totalität
nach in gewiſſem Sinne *H*   18 aufzufinden] zu finden *H*
326, 6. 7 ſo wie — kennen] kennen, ſo wie die ſonderbaren Verhält=
niſſe derſelben *H* Darauf folgen noch die Zeichen „*C. 2 g*" deren
Bedeutung nicht erſichtlich iſt.   12 ſolchen] allen *H*   18 zu=
nächſt am] der nächſte Schritt zum *H*   19 an der] zur *H*
ſteht] iſt *H*   327, 3 Man — beiden] Es ſind die zwei *H*
4. 5 neben — ſei] mit Ausſchluß des ſtätigen Werdens *H*   7 Gelb=
rothe] Gelbroth *H*   ſtehn] ſtehen *C*   11 Übergewicht] über=
gewichte *C*   12 Blaurothe] Blauroth *H*   13 der Effect fehlt *H*
dieſer] dieſe *H*   13. 14 ſich — nähern] auch ohngefähr den Effect
dieſer Farbe machen *H*   16 geſteigerten nach beiden *H*   17 der
— Seiten fehlt *H*   328, 1 Vorahndung] Vorahnung *C*   2. 3
ihrer — entſteht] ihnen gemiſcht wird *H*   5 Zwiſchenfarben]
Zwiſchenfarbe *H*   15 Gefühl der fehlt *H*   19 denn auch
fehlt *H* einer jeden] der Zuſammenſtellung *H*   329, 1 Über=
ſchrift fehlt *H*   3 leicht] ſelbſt *H*   7 den] einen *H*   8 kann]
könnte vielleicht *H*   wohl fehlt *H*   9 zu fehlt *H*   10 als —
könnte] ohne etwas zu bedeuten *H*   12. 13 deſſen — kann] das
aber freilich zu gering iſt als daß es als Verhältniß fühlbar
werden ſollte *H*   20. 330, 1 hinter Gemein=Widerliches] an
ſich *H*   330, 2 Narrenfarbe unterſtrichen *H*   3. 4 Über=
ſchrift fehlt *H*   6 indem] wenn *H*   7. 8 hell — kann] dunkel
die andern hell zuſammenſtellt *H*   10. 11 Von — Folgendes] Um
aber alle Fälle zu erſchöpfen welche vorkommen können, ſo müſſen
wir die Zuſammenſtellung der reinen Farbe mit ſchwarz und
weiß auch noch bedenken wobey man findet: *H*   12 Die] daß
die *H*   13 gewinnt an Energie] an Energie gewinnt *H*   Die]

Daß die *H* 14 und Hellen fehlt *H* 14. 15 zusammengebracht
— Kraft] zusammengestellt an Kraft verliert *H* 15 gewinnt an
Heiterkeit] an Heiterkeit gewinnt *H* 16 Purpur nach daß *H*
mit Schwarz — düster] mit Schwarz zusammengebracht düster *H*
17 mit *g* über und *H* aus] aussehen *H* 19 bis nach und *H*
331, 3 wodurch zwar] da denn die Abstufungen im Einzelnen so wie *H*
3—5 unendlich — hat] bei Zusammenstellungen unendlich werden
müssen *H* 5 den reinen] dem reinen *E* dem Reinen *C* Es erscheint kaum zweifelhaft, dass in *E* ein Druckfehler vor-
liegt, dem statt den sc. Farben, während dem Reinen
äusserst gezwungen erscheint. 6 Überschrift fehlt *H*
9. 10 das — Ausgesprochene] die dort gegebenen Beyspiele *H*
10 Erfahrungen nach anderen *H* und Beispielen fehlt *H*
13. 14 Farbenerscheinungen] Farbenerscheinung *H* nach 16 hat *H*
Es würde interessant seyn die Geschichte der Färberey von den
ältesten Zeiten her zu studiren. Dabey wäre zu untersuchen was
nothwendig und was zufällig gewesen sey. Nothwendig nennen
wir was jenen Gesetzen gemäß geschieht. Zufällig was entweder
aus Willkühr oder aus gegebenen Umständen entspringt. Von
dem letzten giebt ein Beyspiel die Leichtigkeit ein Färbematerial
vor dem andern zu finden, oder die Dauer eines Farbematerials
vor dem andern. 19 Gelbrothen] Scharlach *H* 332, 4 Findet
sich] Wird *H* durch] aus *H* 8 bemahlte] mahlte *H* 11. 12 zu
— Farben] sehr lebhafte Farben und bunte Kleider *H* 13 begünstigen — Neigung] tragen hierzu vieles bey *H* 14 besonders
die Frauen] sie *H* 14. 15 lebhaftesten — Bändern] Farben *H*
17 überscheinen *g*³ aR für überschreiten *H* Die Stelle des
§ 837 vertritt in *H*. Die nördlichen Völker Deutschlands
sieht man viel in blau und grün gehen, jenes weil das Tuch,
dieses weil der Zwilch gedachte Farben leicht annimmt. Es
würde nicht schwer seyn hierüber bald etwas vollständiges zu
sammeln, wenn ein Gelehrter sich mit Reisenden und geistreichen
Bewohnern verschiedener Gegenden in Rapport setzte. 333, 5
z. B.] als *H* 6 besonders — Seite] als das Gelb ins Gelbrothe, überhaupt die active Seite *H* 7 Stroh] Schwefel *H*
8 wozu — tragen] dazu ganz Blau *H* 9 ziehen] treiben *H*
10 ihrer Mäntel] die gewöhnlich zu Mänteln getragen wird *H*
17 weibliche fehlt *H* 20. 21 und — Recht fehlt *H* 22 römischen nach alten *H* 24 Orange — gestickt] goldgelb (wahr-

ſcheinlich ins röthliche geſteigert) mit purpurrother Stickerey; *H*
334, 1 haben nach beſonders im Norden *H* 4 in — Nichts]
hinter die negative *H* 5 nunmehr — durchgängig fehlt *H*
6 und fehlt *H* 7 aber fehlt *H* 8 gern] gerne *H* 9 eben
nach wieder *H* 10—12 fehlt *H* 13—15 In — unterſuchen]
Ferner iſt nicht zu leugnen, daß die traurige Umgebung des nordi=
ſchen Himmels mit dazu beytragen kann. Ein rother Rock iſt an
einem trüben Tage unerträglich *H* 16 Man — dem] Nicht weniger
iſt man beym *H* 17 beſchmutzten fehlt *H* 19 abweichende
Grade] Abweichungen *H* 335, 15 Art nach Wahl dieſer *H*
18 Überſchrift fehlt *H* 336, 1 wie wir ſie] die wir *H* 4 wenn
wir] jedoch ſind wir genöthigt 5 abgehandelt] abzuhandeln *H*
6 unmittelbar nach wie uns ſchon bekannt iſt *H* 14 beleuchtet]
erleuchtet *H* 15 genannt] benannt *H* 16 ſeinem — allgemeinern]
jenem allgemeinen *H* § 853 hat in *H* folgende Geſtalt:

Es kommt dabey in Betracht

höchſtes Licht,

Mitteltinte,

Schatten

· eigner Schatten des Körpers.

Verurſachter Schatten auf andre Körper.

Erhellter Schatten, Reflex.

337, 9—11 Zum — bilden] Das natürlichſte Beyſpiel für das Hell=
dunkel iſt die Kugel. Günſtig für den allgemeinen Begriff *H*
12 einer ſolchen] in ihrer *H* 13 führt — Nebuliſtiſchen] würde
zum Nebuliſtiſchen führen *H* 14. 15 müſſen — hervorgebracht]
muß ſie in Flächen verwandelt *H* 20 Hellbunkels] *clair obscur H*
23 wären] erſcheinen *H* 338, 3 vorzügliche] gute *H* 3. 4 dar=
zuſtellen — iſt] ausmacht *H* 11 vorſtellen nach und flächenhaft *H*
13 Figur nach z. B. menſchlichen *H* 14 Buches] Buchs *H*
18 Lichtpartien] mit *C* Lichtparthien *H* Lichtpartieen *E* 19 deſto
nach hingegen *H* 339, 1. 2 geben — Hochzeit] wären aus dem
Herkulanum oder aus der albobrandiniſchen Hochzeit zu nehmen *H*
3—5 finden — Rubens] geben

Einzelne Figuren Raphaels

Ganze Gemählde Correggios, der niederländiſchen
Schule, beſonders des Rubens *H* 6 Überſchrift fehlt *H*
10 geſchabten Blätter] ſchwarze Kunſtarbeiten *H* 13. 14 indem —

entstehen] sie entstehen durch eine gewaltsame Abstraction *H*
15 Gefühl] Gefühle *H*   16 Sobald] *HC* So bald *E*   340, 4
Farb' in Farbe] Farb in Farb *H*   5 dahin] darauf *H*   6 eine
— Wirkung] etwas von dem entgegengesetzten gefordert und *H*
7 schwarz *g* aus Schwarz *H* weißen] weisen *g* aus Weisen *H*
9 eingeführt] angebracht *H*   15 endlich fehlt *H*   19 farblosen]
unfarbigen *H* un *g* üdZ   21 Ägypter] Ägyptier *C*   21. 22
Der Satz Die — an steht in *H* nach 19, aber durch
eigenhändige Zeichen ✝ ist ihm seine gegenwärtige Stelle
angewiesen.   22 den — man fehlt *H*   23 marmornen]
Marmor= *H*   341, 1 fügte man fehlt *H*   1. 2 so — bunte]
Bunte *H*   2 zum] zu dem *H* der Brustbilder] des Brust=
bildes *H* nahm fehlt *H*   4—6 und — Gewändern fehlt *H*
8 Linearperspective] Linearperspectiv *H*   10 Luftperspective] Luft=
perspectiv *H* und so immer.   16 durchsichtigen] durchsichtige *H*
einigermaßen fehlt *H*   18 ist] hat *H*   18. 19 mehr — trübe]
einige Trübe *H*   21 hinter Himmel] besonders in südlichen
Gegenden. *H* Hiermit schliesst der Satz und es folgt an
Stelle von 21—342, 2 wo — kann ein neuer aphoristischer
Satz auf neuer Zeile Erfahrung einer sehr merklichen Abstufung
in Palermo   4 Hingegen sieht] sieht hingegen *H*   7 völlig]
ganz *H*   10 die fehlt *H*   14—21 überhaupt — behandeln] mit
unserer Lehre besonders mit einigen Abtheilungen als den physiologischen Farben, den Farben welche durch trübe Mittel, Entfernung u. s. w. entstehen, wohl bekannt sey, um nun das Theoretische in practischen Fällen sowohl im Erkennen der Natur als
im Anwenden auf die Kunst mit Leichtigkeit behandeln zu können,
wobey wir ihm das nachzubringende Capitel von athmosphärischen
Farben gleichfalls empfehlen. *H*   343, 1 Orts] Ortes *H*   4 be=
ruht] ruht *H* der fehlt *H*   5 Wir sehen] Sie zeigt uns *H*
6—13 Zugleich — Gegenstände] die physiologische Forderung der
Farben nach ihren Gegensätzen muß sogleich obwalten. Der nahe
und erleuchtete Theil der Landschaft muß, und wenn er sich auch
ganz farblos denken ließe, uns gelblich erscheinen. Wenn nun
zugleich das Sonnenlicht besonders beym Untergang durch das
trübe Mittel der Athmosphäre die Gegenstände gelb, rothgelb, ja
purpurroth färbt, so werden wir alle Fälle farbiger Beleuchtung
und farbigen Schattens gewahr. Hierzu kommt nun
Das Colorit der Gegenstände. *H*

14 die allgemeinen fehlt *H* 15 aber fehlt *H* 16 specificirt nach durch Nachahmung *H* 17 diese — Unendliche] die Eigenschaften der Oberflächen modificiren die Elementarerscheinung außerordentlich *H* 19 Jede] bei welchem (sic!) sogar die *H* 344, 1 bringt — hervor] schon einen großen Unterschied macht *H* 2 in nach selten *H* 3 der Kunst] dem Mahler *H* 4. 5 keine — Gewänder] auf den Stoff der Gewänder keine Rücksicht *H* 6. 7 Wird — hierdurch] würde hierdurch nicht *H* 7 Abwechslung] mit *H* Abwechslung *E* Abwechselung *C* 10 Mohr] Moir *H* ward?] ward. *H* von der Hand Heinrich Meyers aR antike Beyfp. Farn Flora *Juno Cap.* Büfte der Luzilla 14 wohl fehlt *H* 16 Die — er] Wobey immer die Hauptkunft des Mahlers bleibt, die *H* 17 nachahme] nachzuahmen *H* 18. 19 das — zerftöre] die allgemeine Elementarerscheinung zu zerftören *H* 19. 20 hier — Körpers] auch hier bey dem Menschen *H* 345, 1 ihrem nach auß *H* 2 entrückt] versetzt *H* 6—10 wird — darzustellen] kann hier durch Beyspiele erläutert werden *H* 13 Raums] Raumes *C* 20—22 soll — haben] wie überhaupt was wir von den Eigenschaften der Farben gesagt haben, wohl kennen soll. *H* 346, 10 welche — auch] welcher aber *H* 11 ist. Wenig] ist, wenig *H* 12 Grün] grün; *H* ist anzubringen fehlt *H* 13 wird fehlt *H* 14 jedoch fehlt *H* hervorgebracht fehlt *H* 15 Wenig] wenig *H* aber fehlt *H* Grün,] grün. *H* 15. 16 kann statt finden fehlt *H* 17. 18 also — Bedeutung] den charakteristischen Effect in seiner vollen Gewalt *H* 18. 19 geforderten Farben] geforderte Farbe *H* 20 ihnen] denselben *H* daraus scheint hervorzugehen, dass der vorstehende Singular nur Schreibfehler ist. Ahndung] Ahnung *C* 21 unweigerlich fehlt *H* verlangen] fordern *H* 347, 2 beiden] zwey *H* 3 nach — Weise fehlt *H* 5 alsdann] dadurch *H* 8 hieburch] hierdurch *C* das — sowohl] sowohl das Glänzende *H* 9 welche — jedoch] welches aber *H* 12 liegt] ruht *H* 14 bleibt] ist *H* Letzte] beste *H* 17 versäumen] zerftören *H* 348, 7 will] wollte *H* wird] würde *H* 8 als bisher fehlt *H* 11 Durton] Dur-Ton *C* 12 Mollton] Moll-Ton *C* 17 von fehlt *H* 349, 6 diesen — machen] daß man diesen Versuch mache und wiederhole *H* 8 einer solchen] dieser *H* Es ift] Eigentlich ist es *H* 9 eine vor Steigerung fehlt *H* 10 eine fehlt *H* 14 anstatt] statt *H* Uniformität] Unformität *H* vermuthlich nur Schreibfehler.

19. 20 Grauen — mahlt] grau herausmahlt *H*   350, 1. 2
harmonischen Gegenstellungen] Gegensätze *H*   2 aber nach
nur *H*   3 vor dem Bunten] für den bunten (sic!) *H*
7 Kraft] Würde *H*   9. 10 schwache — einander] widrige Far=
ben schwach zusammen *H*   11 auffallend nach so *H*   12 hin=
über] über *H*   an seiner Seite] freylich *H*   14—18 Auch]
— anwendet] Eine nähere Betrachtung verdiente es künftig,
daß man zwar die Gegensätze der Farbe an sich betrachtet in
einem Bilde richtig aufstellen aber in Bezug auf Licht und
Schatten halb anwenden könnte, wodurch das Bild bunt werden
müßte. *H*   351, 2 schon — Zeichnung] etwas durch die Zeich=
nung schon *H*   3 und nach ist *H*   dahingegen] dagegen *H*   4 der
— noch] noch der Wahl und Willkühr *H*   7—16 lautet
in *H* Man sagt (sic!) bisher bei den Mahlern eine Furcht ja
man kann sagen eine entschiedne Abneigung gegen alle theoretische
Betrachtungen über die Farbe, und was zu ihr gehört, an es
(danach sollt) es (sic!) war diese ihnen um so mehr zu verzeihen
als das sogenannte Theoretische bisher grundlos schwankend und
auf Empirie hindeutend war.   Wir wünschen, daß wir diese
Furcht einigermaßen vermindern und sie anreizen möchten, die
aufgestellten Grundsätze durch Praxis zu prüfen.   . 18—352, 5
Denn — erscheinen] Einstimmung des Lichtes und Schattens, der
Haltung, Farbengebung und des Charakters im Gemählde *H*
7 Art — Künstler] alte Art *H*   12 Dergleichen auf] Auf *H*
353, 3. 4 und — durch] so schien das Weiße durch *H*   5 schon —
Theil] Schattentheil *H*   8 Denn an] An *H*   13 mit nach und
Schattens *H*   17 mehr nach durchaus *H*   18 einigermaßen
nach immer *H*   so nach werden *H*   20 Zeitlang] Zeit lang *C*
354, 2 hinter gemahlt] Wenn auf einen solchen Grund die
Zeichnung aufgetragen war *H*   7 sie] es *H*   Schatten] in *H*
ursprünglich dunklen Grund aR Schatten   12. 13 sich — em=
pfiehlt] besonders wegen der Geschwindigkeit in der Arbeit sich
empfahl *H*   21. 22 die — und] die Bolognesische Schule und die
Gemählde *H*   23 geben] giebt *H*   Der dem § 910 ent=
sprechende Abschnitt lautet in *H*:

Lasiren.

Es geschieht, wenn eine schon aufgetragene Farbe als heller
Grund betrachtet wird. Man kann eine Farbe dadurch mischen,

steigern, ihr einen sogenannten Ton geben man macht sie dadurch aber immer dunkler.

358, 5 ahnden] ahnen C   17 Verdopplnng] Verdoppelung C

Zugabe.

360, 21 Naturell] mit C Naturel E

Das Original des Briefes von Runge befindet sich im Archiv; auf die Abweichungen vom Texte soll hier mit *Ru* hingewiesen werden; kleine Versehen von Runge sowie Abweichungen der Interpunction, die von Goethe ganz frei eingesetzt ist, bleiben jedoch unberücksichtigt. .

361, 10 Wolgaft] Wollgaft E *Ru* Julii] July *Ru*   11 unsere] unsre *Ru*   25 die meinige] es   362, 13 das] den (sic!) *Ru* die] und der *Ru*   14 die Kräfte] den Kräften *Ru*   363, 6 wann] wenn *Ru* C   10 hinein nach in sich *Ru*   15 zu schließen] einzuschließen   24 ihre Kräfte] ihren Kräften *Ru*   364, 6 physikali= schen] optischen *Ru*   8 sie fehlt *Ru*   9 aber] eben *Ru*   14 als] wie *Ru*   19 siehe die Tafeln fehlt *Ru*   365, 12 hinter Vio= lett] und solche Natureffecte *Ru*   gibt nach darüber *Ru*   im] in dem   366, 23 Wann] Wenn *Ru* C B.] E. *Ru*   367, 1 die fehlt *Ru*   Farben nach undurchsichtige *Ru*   2 undurchsichtig fehlt *Ru*   3 Grau eben] genau *Ru*   5 diese] die *Ru* Farben nach durchsichtigen *Ru*   durchsichtig fehlt *Ru*   368, 1 Stücken] Stücke C   13 halben] selben *Ru*   369, 4 dieser] einer *Ru* 5 einem] das *Ru*   7 müssen fehlt *Ru*   8 unsere Kräfte] unseren Kräften *Ru*   9 blieben] bleiben *Ru*   370, 10 ist] sind *Ru* Der Brief ist mit 371, 17 noch nicht zu Ende, doch folgt nichts Farbentheoretisches mehr.

Schlußwort.

375, 5 zu Leistende] Zu leistende E   7 *Multi pertransibunt etc.* stammt, wie M. Bernays (Im neuen Reich 1878, 2, 941—950) gezeigt hat, aus Daniel 12, 4 und ist in der vorliegenden Fassung Bacon entlehnt.